DATE DUE (T.6)

OCT 1 9 2019		
OCT 2 9 2019 996		

MILLÉNIUM 6

D'après les personnages
créés par Stieg Larsson
(1954-2004)

"Actes noirs"

DU MÊME AUTEUR

MOI, ZLATAN IBRAHIMOVIĆ. MON HISTOIRE RACONTÉE À DAVID LAGERCRANTZ, J.-C. Lattès, 2013 ; Le Livre de poche n° 33167.
INDÉCENCE MANIFESTE, Actes Sud, 2016 ; Babel noir n° 195.

Dans la série Millénium :

CE QUI NE ME TUE PAS, Millénium 4, Actes Sud, 2015 ; Babel noir n° 180.
LA FILLE QUI RENDAIT COUP POUR COUP, Millénium 5, Actes Sud, 2017 ; Actes Sud audio (lu par Pierre Tissot), 2017 ; Babel noir n° 228.
LA FILLE QUI DEVAIT MOURIR, Actes Sud audio (lu par Bernard Gabay), 2019.

Titre original :
Hon som måste dö
Éditeur original :
Norstedts Förlag, Stockholm
Publié avec l'accord de Norstedts Agency
© David Lagercrantz et Moggliden AB, 2019

© ACTES SUD, 2019
pour la traduction française
ISBN 978-2-330-12544-8

DAVID LAGERCRANTZ

La Fille
qui devait mourir

MILLÉNIUM 6

roman traduit du suédois
par Esther Sermage

ACTES SUD

PROLOGUE

CET ÉTÉ-LÀ, UN NOUVEAU MENDIANT était apparu dans le quartier. Personne ne connaissait son nom, et puis tout le monde s'en fichait pas mal. Cela dit, un jeune couple qui passait devant lui tous les matins l'appelait le "nain fou", ce qui était assez injuste, en tout cas pour moitié. Car il n'était pas de petite taille au sens médical du terme. Il mesurait un mètre cinquante-quatre et avait une corpulence proportionnée. En revanche, il souffrait de réels troubles mentaux. De temps en temps, il bondissait sur les gens, les attrapait et leur tenait des discours incohérents.

Il passait le plus clair de son temps à Mariatorget, sur un morceau de carton près de la statue de Thor. Ainsi assis au pied de la fontaine, tête haute, dos droit, il arrivait qu'il provoque l'admiration, évoquant un chef de tribu tombé dans la déchéance. En matière de capital social, cette vague association était d'ailleurs tout ce qui lui restait et justifiait qu'on lui jette encore parfois une pièce ou un billet. Les gens devinaient en lui une grandeur passée – et ils n'avaient pas tort. Car il fut un temps où l'on s'inclinait devant lui.

Mais il avait tout perdu depuis longtemps, et la tache noire sur sa joue n'améliorait pas les choses. On l'eût dit marqué par la mort, ni plus ni moins. Détail insolite : il portait un anorak bleu en duvet de la marque Marmot Parka, un objet en principe coûteux. Le vêtement avait beau être couvert de crasse et de restes de nourriture, son allure décidément arctique dénotait dans l'été stockholmois. Une chaleur étouffante régnait sur la ville. En constatant les coulées de sueur sur les joues de l'homme, les passants regardaient son anorak, embarrassés, comme si la simple vue de cette grosse doudoune leur rendait la température ambiante encore plus insupportable. Il ne l'enlevait jamais.

Paumé caractérisé vivant dans sa bulle, il ne constituait a priori de menace pour personne. Cependant, au début du mois d'août, son regard fut soudain habité par une forme de détermination. L'après-midi du 11, il consigna une histoire vertigineuse sur du papier ligné A4. Le soir même, il la collait sur les parois de l'abribus de Södra Station : un journal mural.

Il s'agissait du récit halluciné d'une épouvantable tempête. La jeune Else Sandberg, interne en médecine, parvint néanmoins à déchiffrer certaines parties du début en attendant le bus nᵒ 4 et remarqua qu'on y mentionnait un membre du gouvernement. Cela dit, elle se consacra essentiellement à établir le diagnostic de l'auteur, qui souffrait sans doute de schizophrénie paranoïaque.

En montant dans le bus, dix minutes plus tard, elle avait oublié tout ou presque de sa lecture. Il ne lui en resta qu'un vague sentiment de malaise. Le récit faisait penser à la malédiction de Cassandre. Il était impossible de croire l'auteur, car les vérités qu'il énonçait étaient noyées dans le discours pathologique d'un fou. Pourtant, d'une manière ou d'une autre, le message avait dû passer car, le matin suivant, un jeune homme en chemise blanche descendit d'une Audi bleue et arracha le journal de la paroi.

La nuit du vendredi 14 au samedi 15 août, le mendiant se rendit à Norra Bantorget pour se procurer de l'alcool au marché noir. Il y croisa un collègue pochard, Heikki Järvinen, ancien ouvrier industriel d'Ostrobotnie, en Finlande.

— Salut, mon frère ! Comment va la misère ? lança ce dernier.

L'autre ne lui répondit pas. Puis, soudain, il débita une longue harangue que Heikki perçut comme de la pure fanfaronnade.

— Foutaises ! répondit-il, puis il ajouta – un commentaire superflu, comme il l'avoua lui-même plus tard – que l'homme ressemblait à un "Chinetoque toqué".

— *Me Khamba-chen. I hate China !* rugit le mendiant.

La bagarre éclata. De sa main sans doigts, l'homme mit une beigne à Heikki et, même si sa technique de frappe ne semblait ni professionnelle ni exercée, sa dextérité suscita chez la victime un certain respect. Titubant vers la bouche de la station de métro T-Centralen, Heikki, saignant de la lèvre, proféra d'horribles jurons en finnois.

Plus tard, de retour dans son quartier de prédilection, le mendiant fut aperçu en état d'ébriété avancée, souffrant manifestement de nausées. De la salive s'écoulait de sa bouche ; il se tenait la gorge en grommelant :

— *Very tired. Must find a dharamsala, and a lhawa, very good lhawa. Do you know ?*

Cryptique. On aurait dit que l'homme était très fatigué ; il répétait qu'il cherchait un *dharamsala* et un bon *lhawa*. Sans attendre de réponse, l'étranger traversa Ringvägen, somnambulique, jetant une demi-bouteille d'alcool sans étiquette et disparaissant parmi les arbres et les fourrés de Tantolunden. On ne savait pas très bien ce qui lui était arrivé par la suite.

Le lendemain matin, une fine pluie se mit à tomber et le vent du nord se leva. Vers 8 heures, alors que le temps s'était calmé et le ciel éclairci, l'homme était à genoux, penché contre un bouleau. En contrebas, dans la rue, on préparait la Course de minuit*. L'ambiance était à la fête alors qu'au-dessus, dans le parc, le mendiant trépassait. De son vivant, il avait accompli des actes héroïques, d'innombrables prouesses et vécu d'invraisemblables péripéties mais, dans la liesse populaire, personne ne s'en souciait. Encore moins qu'il n'eût aimé qu'une femme, et qu'elle aussi eût trouvé la mort dans une accablante solitude.

---

* La Midnattsloppet est une course nocturne de dix kilomètres qui se déroule tous les ans au mois d'août, à Stockholm, depuis 1982.

I

LES INCONNUS

Souvent, les morts n'ont pas de nom ni, pour certains, de tombe.

Parfois, on dresse en leur mémoire une croix blanche parmi des milliers d'autres, comme celles que l'on voit au cimetière américain de Colleville-sur-Mer, en Normandie.

Quelques rares défunts sont honorés d'un monument : la tombe du soldat inconnu de l'Arc de Triomphe, à Paris, ou de celui du jardin Alexandre, à Moscou.

1

LE 15 AOÛT

LA PREMIÈRE À OSER S'APPROCHER de l'arbre et à comprendre que l'homme était mort fut l'écrivaine Ingela Dufva. Il était alors 11 h 30. Entouré d'une nuée bourdonnante de mouches et de moustiques, le corps sentait mauvais et, plus tard, lorsque la femme de lettres déclara que sa posture avait quelque chose d'émouvant, elle n'était pas complètement sincère.

L'homme avait vomi et souffert d'une diarrhée abondante. En le découvrant, Ingela Dufva éprouva un grand malaise plutôt qu'un digne respect – en fait, elle fut envahie par l'idée effrayante de sa propre mort. Quant aux policiers Sandra Lindevall et Samir Eman, qui arrivèrent sur les lieux quinze minutes plus tard, ils se dirent qu'ils allaient devoir se coltiner une véritable corvée.

Ils photographièrent le corps et fouillèrent un périmètre restreint, sans aller jusqu'à la pente au-delà de Zinkens Väg, où gisait la demi-bouteille d'alcool, le fond tapissé d'une espèce de fine couche de terre. Même si aucun des deux agents ne trouvait que la scène "sentait le crime à plein nez", ils examinèrent méticuleusement la tête et le torse de l'homme. Ils ne découvrirent aucune trace de violence ni aucun autre signe de mort suspecte, à part l'épaisse bave qui avait coulé de sa bouche. Après avoir soumis l'affaire à leurs supérieurs, ils décidèrent de ne pas délimiter de périmètre de sécurité autour de la zone.

En attendant l'arrivée de l'ambulance qui devait évacuer le cadavre, ils fouillèrent les poches de son anorak informe et en sortirent quantité de papiers gras provenant de kiosques à saucisses, des pièces de monnaie, un billet de vingt couronnes et un reçu d'une papeterie de Hornsgatan, mais aucune pièce d'identité.

Ils pensèrent néanmoins qu'il serait relativement facile d'identifier l'homme. Un certain nombre de signes distinctifs leur avaient sauté aux yeux. Cependant, comme tant d'autres, cette hypothèse se révéla fausse. À l'unité de médecine légale de Solna, où le corps fut autopsié, on radiographia la denture du mort. Ni ces images ni les empreintes digitales ne donnèrent de résultat dans les fichiers et, après avoir envoyé une série d'échantillons au Centre national de police scientifique, la médecin légiste Fredrika Nyman tenta – bien que cela outrepassât largement sa mission – d'identifier les propriétaires de quelques numéros de téléphone notés sur un bout de papier froissé trouvé dans la poche de pantalon de l'homme.

L'un d'entre eux était Mikael Blomkvist, reporter au journal *Millénium*. Pendant quelques heures, elle n'y pensa plus mais, le soir, après une pénible dispute avec l'une de ses filles adolescentes, elle réalisa que cette année-là elle avait déjà autopsié trois corps, enterrés par la suite dans des tombes anonymes. C'était sordide – comme la vie en général.

À quarante-neuf ans, mère célibataire de deux enfants, elle souffrait de maux de dos, d'insomnie et de désenchantement. Sans savoir pourquoi, elle appela Mikael Blomkvist.

LE TÉLÉPHONE BOURDONNA. Numéro inconnu ; Mikael ne se soucia pas de répondre. Venant de quitter son appartement, il descendait Hornsgatan en direction de Slussen et Gamla Stan, sans but précis. Il portait un pantalon de lin gris et une chemise en jean qu'il avait négligé de repasser. Il marcha au hasard parmi les ruelles, puis, après une longue errance, s'assit à une terrasse d'Österlånggatan et commanda une Guinness.

Il était 19 heures et il faisait encore chaud. Du côté de Skeppsholmen, on entendait des rires et des applaudissements. Mikael leva les yeux vers le ciel bleu et, caressé par une agréable brise marine, tenta de se persuader que la vie n'était tout de même pas si affreuse. Il n'y parvint que très moyennement. Une bière, puis deux n'y firent rien. Pour finir, il maugréa dans sa barbe, paya l'addition et retourna chez lui. Il prévoyait de se remettre au travail, voire de se perdre dans une série télé ou un polar.

Cependant, sur un coup de tête, il changea d'avis et se dirigea vers Fiskargatan. Lisbeth Salander habitait au numéro 9. Cela dit, il n'avait pas grand espoir de la trouver chez elle. Après l'enterrement de son ancien tuteur, Holger Palmgren, elle avait voyagé à travers l'Europe, ne répondant que sporadiquement à ses mails et SMS. Il décida malgré tout d'aller sonner à sa porte. Il devait d'abord gravir l'escalier qui séparait Mosebacke Torg de Fiskargatan. Étonné, il constata que le mur en face de chez Lisbeth était désormais couvert d'un immense graffiti. Il ne s'attarda pas dans sa contemplation, bien que, truffée de détails surréalistes – comme un drôle de petit homme pieds nus, en pantalon à carreaux écossais, debout sur un wagon de métro vert –, l'œuvre l'eût bien mérité.

Il composa le code d'entrée et, dans l'ascenseur, toisa son reflet d'un œil maussade. On ne déduisait pas exactement de sa mine que l'été avait été chaud et ensoleillé. Pâle, les yeux hagards, il repensa au krach boursier sur lequel il avait trimé pendant tout le mois de juillet. Un papier important, nul doute. La crise avait été provoquée par les classiques taux trop élevés associés à des attentes démesurées, mais également par des piratages en série et autres campagnes de désinformation. Enfin, tout journaliste d'investigation digne de ce nom enquêtait actuellement sur le sujet et, même si Mikael avait fait quelques découvertes – entre autres de quelle usine à trolls russe étaient issus les pires mensonges répandus en la circonstance –, le monde s'en sortirait parfaitement sans sa contribution. Il avait plutôt intérêt à se mettre en congé, à faire du sport et à prendre mieux soin d'Erika, en pleine séparation d'avec son mari Lars.

L'ascenseur ralentit. Mikael ouvrit la grille et sortit sur le palier, de plus en plus convaincu que la visite serait infructueuse.

Lisbeth devait être en voyage et se fichait sûrement pas mal de ce qui pouvait bien lui arriver. Tout à coup, il fut traversé par une appréhension. Trouvant la porte de l'appartement grande ouverte, il comprit brusquement à quel point, tout l'été, il avait redouté que les ennemis de Lisbeth ne s'attaquent à elle. Se précipitant à l'intérieur en criant "Hé ho ! Hé ho !", il fut accueilli par une odeur de peinture fraîche et de nettoyant ménager.

Derrière lui, dans l'escalier, il entendit des bruits de pas et des souffles de taureaux énervés. Il se figea. Et il se retrouva brusquement face à deux hommes bourrus en bleus de travail, qui portaient un objet encombrant. Affolé, déboussolé, il interpréta la scène de travers.

— Qu'est-ce que vous fabriquez ? s'écria-t-il.

— À votre avis ?

À son avis, il s'agissait de déménageurs chargés d'un canapé bleu sophistiqué, un meuble "design" qui ne correspondait absolument pas – Mikael était bien placé pour le savoir – aux goûts de Lisbeth. Sur le point de reprendre le dialogue, il fut interrompu par une voix provenant de l'intérieur de l'appartement. Un instant, il crut même qu'il s'agissait de Lisbeth et son visage s'éclaira. Bien sûr, ce n'était pas elle. Ce timbre féminin n'avait rien de commun avec celui de Lisbeth.

— Une visite mondaine ! Que me vaut cet honneur ?

Mikael fit volte-face. Sur le seuil, une femme noire élancée d'une quarantaine d'années le contemplait d'un air moqueur. Les cheveux tressés, elle portait un jean et un chemisier gris élégant. Ses yeux en amande étincelaient. Mikael se sentit confus, il avait l'impression de la reconnaître.

— C'est-à-dire… marmonna-t-il. Je me suis seulement…

— Vous vous êtes seulement… ?

— Trompé d'étage.

— Ou bien vous n'étiez pas au courant que la demoiselle avait vendu son appartement.

Il l'ignorait, en effet. Mal à l'aise face au sourire insistant de son interlocutrice, il fut soulagé de la voir se tourner vers

16

les déménageurs. Elle leur demanda de faire attention au chambranle, puis disparut à l'intérieur. Mikael n'avait qu'une envie : aller digérer l'information ailleurs. Et reprendre une Guinness. Il restait cependant cloué sur place, comme un bloc de glace. Il en profita pour jeter un coup d'œil à la boîte aux lettres, qui n'indiquait plus "V. Kulla", mais "Linder". Nom d'un chien… Qui était cette Linder ? Il tapa le nom sur son téléphone et la femme apparut sur l'écran aussi.

Kadi Linder, psychologue et gestionnaire – voilà le peu qu'on savait d'elle. Inévitablement, Mikael se mit à penser à Lisbeth. Lorsque Kadi Linder revint à sa porte, le regard toujours taquin et désormais inquisiteur, Mikael, les yeux errant à droite et à gauche, parvint tout juste à se ressaisir. Silhouette gracile, poignets fins, clavicule marquée, elle exhalait un léger parfum.

— Dites-moi… Vous vous étiez vraiment trompé de porte ?

— Je préfère éluder la question, répliqua-t-il.

Mauvaise réponse. Il comprit à son sourire qu'elle avait démasqué sa feinte et il voulut, autant que possible, sauver les apparences. Que Kadi Linder connaisse ou non Lisbeth, il n'allait pas révéler qu'elle avait occupé l'appartement sous une fausse identité.

— Ça n'apaise pas beaucoup ma curiosité, dit-elle.

Mikael ricana, comme s'il s'agissait finalement d'un détail dérisoire.

— Alors vous n'êtes pas venu enquêter sur moi ? reprit la femme. Cet appartement n'était pourtant pas donné.

— Du moment que vous n'avez pas décapité un cheval et mis sa tête dans le lit de quelqu'un, je vous laisserai tranquille, ne craignez rien.

— Je ne me souviens pas de tous les détails de la négociation, mais je n'ai pas le souvenir d'avoir décapité un cheval.

— Tant mieux. Dans ce cas, je vous souhaite beaucoup de bonheur, dit-il sur un ton faussement léger, espérant s'éclipser en même temps que les déménageurs, qui étaient justement en train de sortir.

Mais Kadi Linder, qui triturait nerveusement son chemisier et ses tresses, avait manifestement encore envie de bavarder. Mikael l'observa, songeur. Ce qu'il avait interprété comme un aplomb agaçant semblait cacher autre chose.

— Vous la connaissez ? demanda-t-elle.

— Qui ?

— Celle qui habitait ici.

— Et vous ?

— Non. Je ne sais même pas comment elle s'appelle. Mais je l'aime bien.

— Comment ça ?

— Malgré le chaos boursier, quand nous avons négocié le prix de l'appartement, les enchères sont montées en flèche. Je n'avais aucune chance de l'obtenir, j'avais abandonné la course. Mais la "demoiselle", comme l'appelait son avocat, a quand même choisi de me le vendre.

— Bizarre.

— N'est-ce pas ?

— Vous lui avez peut-être fait bonne impression.

— Dans les médias, je suis pourtant principalement connue pour mes engueulades avec ces messieurs les administrateurs.

— Il se peut qu'elle apprécie.

— C'est possible. Puis-je vous offrir une bière ? Ce sera ma pendaison de crémaillère. Et ça vous donnera l'occasion de me parler de vous. Je dois dire…

Elle hésita.

— … que j'ai adoré votre reportage sur les jumeaux. Merveilleusement émouvant.

— Merci, dit-il. C'est gentil mais, malheureusement, il faut que j'y aille.

Résignée, elle hocha la tête. Mikael parvint à émettre un vague "au revoir". A posteriori, il eut du mal à se rappeler comment il était reparti. Il s'était brusquement retrouvé dans la douce atmosphère du soir d'été, voilà tout. Bref, il ne s'était pas rendu compte que deux nouvelles caméras de surveillance avaient été installées à l'entrée de l'immeuble, ni qu'une montgolfière flottait dans le ciel, au-dessus de lui. Il traversa Mosebacke, s'engagea dans Urvädersgränd et ne ralentit le pas qu'en arrivant à Götgatan, se sentant soudain complètement lessivé : Lisbeth avait déménagé. Il aurait dû trouver cela formidable. Elle était désormais plus en sécurité. Mais au lieu de s'en réjouir, il l'avait pris comme une claque en plein visage – une réaction totalement idiote.

On ne changeait pas Lisbeth Salander. Pourtant, malgré lui, il se sentait vexé. Elle aurait au moins pu lui donner un indice. Il tripota son téléphone, envisageant de lui envoyer un SMS, une question, et puis, non, tant pis. Dans Hornsgatan, les plus jeunes s'étaient déjà lancés dans la Course de minuit. Avec une certaine stupéfaction, il contempla les parents qui hurlaient des encouragements sur le bord du trottoir, et il dut attendre une ouverture dans le flot des coureurs pour traverser la rue. Il s'engagea dans Bellmansgatan, la tête pleine de pensées erratiques.

Il se remémora sa dernière rencontre avec Lisbeth, au restaurant Kvarnen, le lendemain de l'enterrement de Holger. Ni lui ni elle n'avaient su trouver les mots, ce qui n'était pas étonnant. Il se souvenait distinctement d'une réponse qu'elle avait faite à sa question : "Et maintenant, qu'est-ce que tu vas faire ? – À partir de maintenant, je serai le chat, pas la souris."

Le chat, pas la souris.

Il avait essayé de lui soutirer des explications, en vain. Il la revoyait s'éloigner à travers Medborgarplatsen, vêtue d'un costume noir sur mesure qui lui donnait l'air d'un garçon furieux qu'on a tiré à quatre épingles contre son gré pour une cérémonie. La rencontre avait eu lieu début juillet – c'était récent et, pourtant, cela lui paraissait lointain. En chemin, il repensa à ce soir-là – et à d'autres. Arrivé chez lui, il s'installa sur son canapé devant une Pilsner Urquell. Son téléphone sonna.

Une certaine Fredrika Nyman, médecin légiste.

2

LE 15 AOÛT

LISBETH SALANDER SE TROUVAIT dans une chambre d'hôtel, place du Manège, à Moscou. Sur l'écran de son ordinateur portable, elle vit Mikael ressortir de l'immeuble de Fiskargatan. Lui qui avait habituellement le port fier semblait recroquevillé, comme perdu. Elle eut un pincement au cœur dont le sens profond lui échappa. D'ailleurs, elle ne prit pas le temps d'y réfléchir. Elle leva simplement les yeux et regarda la coupole de verre aux mille couleurs éclatantes à travers la fenêtre.

Cette ville qui, auparavant, la laissait indifférente, l'attira subitement. Elle envisagea de tout envoyer valser, de disparaître, d'aller se soûler. Sottises. Il fallait rester disciplinée. Elle avait passé ses nuits et ses jours devant son ordinateur, dormant à peine. Pourtant, cela faisait longtemps qu'elle n'avait pas eu l'air aussi soigné : cheveux courts fraîchement coupés, piercings invisibles, chemise blanche et costume noir, comme à l'enterrement, non pas pour honorer la mémoire de Holger, mais parce qu'elle avait désormais l'habitude de se fondre dans la masse – enfin, plus ou moins.

Au lieu de se terrer comme une proie traquée, elle avait décidé de frapper la première. C'était la raison de sa présence à Moscou, et des caméras de surveillance qu'elle avait fait installer à Fiskargatan. Mais le prix à payer était plus élevé qu'elle ne l'aurait cru. Les préparatifs avaient tellement remué le passé qu'elle n'en dormait pas la nuit. De plus, l'ennemi se cachait derrière des rideaux de fumée et des cryptages infernaux, et elle passait des heures à effacer ses propres traces. Elle vivait comme un prisonnier en cavale. Aucun résultat ne lui était servi sur un plateau d'argent. Cependant, après un mois de travail, elle approchait enfin du but – du moins le croyait-elle, mais comment en être sûre ? Elle se demandait parfois si l'ennemi n'avait pas un train d'avance.

Plus tôt dans la journée, après avoir terminé les repérages, elle s'était sentie surveillée. Certaines nuits, elle écoutait d'une oreille inquiète les gens longer le couloir, en particulier un homme – un homme, elle en était sûre. Il marchait avec une dissymétrie caractéristique qui produisait une irrégularité récurrente et ralentissait souvent le pas devant sa chambre, semblant guetter à sa porte.

Elle revisionna l'enregistrement. Mikael Blomkvist sortait de l'immeuble avec l'air d'un chien battu. Elle termina son verre de whisky et regarda par la fenêtre, pensive. De sombres nuages traversaient le ciel au-dessus de la Douma, se dirigeant vers la place Rouge et le Kremlin ; il n'allait pas tarder à pleuvoir, peut-être même copieusement, ce qui n'était pas plus mal. Envisageant de prendre une douche ou un bain, elle se contenta finalement de changer de chemise. Elle en choisit une noire, qui lui parut appropriée. Elle sortit d'un compartiment secret de sa valise son Cheetah, un pistolet Beretta qu'elle avait acheté au marché noir dès son deuxième jour à Moscou, et le rangea dans un holster, sous sa veste. Puis elle parcourut la chambre des yeux.

Elle ne l'aimait pas. L'hôtel non plus. Trop de luxe ostentatoire, trop de fanfreluches. Dans les salons du rez-de-chaussée, on trouvait des hommes comme son père, des salopards grandioses qui croyaient posséder de plein droit leurs maîtresses et subalternes. Des yeux la suivaient, des yeux qui pouvaient passer le mot, informer les services secrets ou des organisations criminelles. Souvent, comme à ce moment précis, sans s'en rendre compte, elle serrait les poings, prête au combat.

Dans la salle de bains, elle s'aspergea le visage d'eau froide, ce qui ne fit pas grande différence. Elle avait le front crispé à force de maux de tête et d'insomnies. Le temps était-il venu ? Autant y aller, non ? Elle tendit l'oreille vers le couloir : pas un son ; elle s'y faufila. Sa chambre était au vingtième étage, près de l'ascenseur, devant lequel un homme d'une cinquantaine d'années attendait. Élégant, cheveux courts, il portait un jean, un blouson de cuir et une chemise noire, comme elle. Il lui était vaguement familier. Ses yeux, d'une brillance étrange, lançaient des reflets bigarrés. Elle ne s'en soucia pas.

Tête basse, elle entra dans l'ascenseur avec lui et ressortit dans le hall, puis sur la place, où elle contempla la grande coupole de verre qui scintillait dans la nuit, avec sa mappemonde en rotation. En dessous, il y avait un centre commercial de quatre étages. Au-dessus, une statue de bronze représentait saint Georges terrassant le dragon. Un peu partout dans la ville, le saint protecteur de Moscou brandissait ainsi son épée. En le voyant, Lisbeth portait parfois sa main à son omoplate, comme pour protéger son propre dragon. De temps à autre, elle caressait également une ancienne blessure par balle à l'épaule et une cicatrice provenant d'un coup de couteau à la hanche afin, peut-être, de raviver les vieilles plaies.

Elle pensait à des incendies, à des catastrophes, à sa mère, s'efforçant constamment d'échapper aux caméras de surveillance. Voilà pourquoi elle marchait d'un pas tendu et saccadé, toujours pressé, vers le boulevard Tverskoï, une voie principale bordée de parcs et de jardins. Elle ne ralentit qu'en arrivant près du Versailles, un restaurant ultrachic de la capitale.

L'établissement avait tout d'un palais baroque : colonnes, dorures, cristaux – un pastiche clinquant du XVIIe siècle qui écœurait Lisbeth. Ce soir-là, on y donnait une fête pour les riches d'entre les riches. De loin, elle observa les préparatifs. Il n'était encore arrivé qu'un troupeau de belles jeunes femmes, sûrement des call-girls recrutées pour l'occasion. Le personnel s'évertuait à régler les derniers détails à temps. En s'approchant, Lisbeth aperçut l'hôte dans le hall.

Vladimir Kuznetsov, vêtu d'un smoking blanc et de chaussures vernies blanches, n'était pas très vieux – à peine la cinquantaine –, pourtant, on aurait dit le père Noël en personne, avec sa barbe blanche et sa grosse bedaine qui contrastait avec ses maigres jambes. Officiellement, Kuznetsov était une *success story* ambulante, un voleur à la sauvette reconverti dans la grande cuisine, spécialiste des grillades d'ours et des sauces aux champignons. Clandestinement, il dirigeait des usines à trolls qui répandaient en masse des fausses nouvelles, souvent à tonalité antisémite. Kuznetsov avait à plusieurs reprises provoqué le chaos politique et influencé des élections. Il avait également du sang sur les mains.

Il avait créé un climat favorable à un génocide et transformé la haine en *big business*. Rien qu'à le voir ainsi dans le hall, Lisbeth se sentit plus forte. Elle palpa le contour de son Beretta dans son étui et regarda autour d'elle. Kuznetsov se triturait nerveusement la barbe. C'était son grand soir. Au fond, derrière lui, jouait un quatuor à cordes qui, Lisbeth le savait, serait plus tard remplacé par le groupe de jazz Russian Swing.

Devant l'édifice, on avait déroulé un tapis rouge surmonté d'une pergola noire. La zone était délimitée par des cordons et des gardes du corps en rangs serrés, affublés de costumes gris et d'oreillettes, tous armés. Kuznetsov jeta un coup d'œil à sa montre. Aucun invité n'était encore apparu, peut-être s'agissait-il d'une sorte de jeu. Personne ne voulait arriver le premier.

Dans la rue, en revanche, les passants se bousculaient dans l'espoir de se rincer l'œil. Manifestement, le bruit s'était répandu : les VIP étaient en route – *tant mieux*, se dit Lisbeth. Cela lui permettrait de se fondre dans la foule. Il se mit à pleuvoir, d'abord un petit crachin, puis des cordes. Au loin, un éclair déchira le ciel. Le tonnerre roulait, les gens se dispersèrent. Seuls quelques braves restèrent au garde-à-vous sous leurs parapluies. Peu après, les premières limousines déboulèrent. Kuznetsov saluait, faisait des courbettes. À ses côtés, une dame pointait les invités dans un carnet noir. Le restaurant s'emplit progressivement d'hommes d'âge mûr et de jeunes femmes en surabondance.

Le brouhaha se mêla aux violons. De temps à autre, Lisbeth entrevoyait une personnalité sur laquelle elle avait enquêté pendant sa préparation. Kuznetsov changeait d'expression et de gestuelle selon l'importance présumée de l'invité. Ainsi, chacun avait droit aux salutations et à la courbette correspondant à son rang. Les plus distingués étaient en outre gratifiés d'une des plaisanteries habituelles de Kuznetsov – qui ne faisaient rire que lui.

Gelée, trempée, Lisbeth observait le cirque autour de Kuznetsov, qui gloussait comme un bouffon. Peut-être finit-elle par se laisser trop absorber. Un garde remarqua sa présence et fit signe à un collègue – pas bon, pas bon du tout. Elle feignit de s'éloigner et se réfugia sous un porche voisin. Là, elle constata que ses mains tremblaient – la pluie et le froid n'étaient sans doute pas en cause.

Tendue comme un arc, elle sortit son téléphone et vérifia que tout était en ordre. L'attaque devait se dérouler avec une synchronisation parfaite, sinon Lisbeth serait fichue. Elle se repassa mentalement les étapes une fois, deux fois, trois fois. Le temps s'écoulait. Soudain, elle cessa d'y croire. La pluie tombait. Rien à signaler. L'opération ressemblait de plus en plus à un ratage.

Tous les invités étaient arrivés. Kuznetsov lui-même entra se mettre à l'abri. S'approchant prudemment de l'établissement, Lisbeth jeta un coup d'œil à l'intérieur. La fête battait son plein. Déjà, les hommes avalaient des shots et tripotaient les filles. Elle décida de retourner à l'hôtel.

À cet instant précis, une dernière limousine ralentit devant l'entrée, une femme se précipita dans le restaurant à la recherche de Kuznetsov, qui ressortit d'un pas lourd, le front en sueur, un verre de champagne à la main. Changeant d'avis, Lisbeth resta. L'invité devait être un gros bonnet. On le devinait à l'attitude des gardes du corps, à l'atmosphère soudain électrique et à l'expression niaise de Kuznetsov. Lisbeth se retira sous son porche. Mais personne ne descendit de la voiture.

Aucun chauffeur ne fit le tour du véhicule au pas de course pour ouvrir la portière arrière. La limousine ne bougeait pas, Kuznetsov arrangea sa coiffure et son nœud papillon, s'essuya le front, rentra le bide et avala son verre cul sec. À cet instant, Lisbeth cessa de trembler. Elle avait perçu dans le regard de Kuznetsov une expression qu'elle ne connaissait que trop bien. Sans plus hésiter, elle lança son opération de piratage.

Rangeant son téléphone dans sa poche, elle laissa les codes de programmation faire leur œuvre pendant que, d'un regard, elle enregistrait les environs avec une précision photographique, notant chaque détail, la gestuelle des gardes du corps, la distance entre leurs mains et leurs armes, les écarts entre leurs carrures alignées au bord du tapis rouge, les irrégularités, les flaques d'eau sur le trottoir.

Au ralenti, en quasi-catatonie, elle observa la scène jusqu'à ce que le chauffeur sorte de la limousine, ouvre un parapluie, puis la portière arrière. Alors, elle s'approcha à pas de loup, la main sur le pistolet, sous sa veste.

3

LE 15 AOÛT

MIKAEL ÉTAIT BROUILLÉ avec son téléphone – il aurait dû se procurer un numéro secret depuis longtemps. Mais il rechignait. Un journaliste ne devait pas s'isoler du public. En attendant, les interminables conversations sans but le tourmentaient. En outre, depuis l'année passée, quelque chose avait changé.

Le ton était plus cru. Les gens hurlaient, vociféraient, lui faisant des suggestions complètement démentes. Il avait cessé de répondre aux numéros masqués. Il laissait le téléphone ronronner ou sonner et quand, comme en cet instant, il le prenait malgré tout, c'était avec une grimace involontaire.

— Mikael, annonça-t-il en sortant une bière du frigo.

— Excusez-moi, dit une voix de femme. Vous préférez peut-être que je rappelle plus tard ?

— Pas du tout, répondit-il, plus doux. De quoi s'agit-il ?

— Fredrika Nyman. Je suis médecin légiste à l'unité de médecine légale de Solna.

Il fut pris de panique.

— Qu'est-ce qui s'est passé ?

— Rien, enfin, rien de plus que ce que nous voyons défiler tous les jours, et ça n'a sûrement aucun rapport avec vous. Nous avons reçu un corps...

— Une femme ? l'interrompit-il.

— Non, non, une personne de sexe on ne peut plus masculin. Enfin, on ne peut plus... Assez bizarre, comme signalement, non ? Bref, c'est un homme, sans doute âgé d'une soixantaine d'années, peut-être moins. Il a traversé des épreuves inimaginables. Vraiment, je n'avais jamais rien vu de tel.

— Pourriez-vous en venir au fait ? Merci.

— Pardon, je ne voulais pas vous alarmer. J'aurais beaucoup de mal à croire que vous le connaissiez. De toute évidence, il s'agit d'un sans-abri, sans doute considéré même par ses pairs comme tout en bas de l'échelle sociale.

— Et quel rapport avec moi ?

— Il avait votre numéro de téléphone dans sa poche.

— Il n'est pas le seul, répondit Mikael, agacé.

Il eut immédiatement honte de sa réaction. Quel manque de tact...

— Je veux bien vous croire. Vous devez être très sollicité. Mais cette affaire me tient vraiment à cœur.

— Pourquoi ça ?

— Je considère que même les plus infortunés d'entre nous méritent une mort digne.

— Ça va sans dire, répliqua Mikael avec une emphase exagérée, comme pour compenser son insensibilité précédente.

— Exactement. Et de ce point de vue, la Suède a toujours été un pays civilisé. Pourtant, chaque année, nous recevons un nombre croissant de corps que nous n'arrivons pas à identifier et, sincèrement, ça me chagrine. C'est indigne, de laisser mourir les gens dans l'anonymat. Nous avons tous droit à un nom et à une histoire.

— Vrai, dit Mikael.

En fait, il avait déjà perdu le fil. En pilote automatique, il rejoignit son bureau et alluma son ordinateur.

— C'est une tâche ingrate, reprit-elle. Je devine que ces morts anonymes sont le résultat d'un manque de moyens, de temps ou, pire, de volonté. Quoi qu'il en soit, le cas dont je vous parle n'a sûrement pas été traité de manière exemplaire.

— Pourquoi dites-vous ça ?

— Parce que l'homme n'apparaît pas dans les fichiers, et qu'il a l'air d'avoir vécu dans une indigence extrême. Du point de vue social, c'est vraiment le degré zéro. Dont nous détournons volontiers les yeux. Que nous préférons ignorer.

— C'est triste.

Mikael fouilla dans les fichiers qu'il avait créés au fil des ans pour Lisbeth.

— Enfin, j'espère que l'avenir me donnera tort, reprit Fredrika Nyman. Je viens d'envoyer mes échantillons. Peut-être en saurons-nous bientôt plus sur lui. Mais pour le moment, comme je suis chez moi, je me suis dit : autant accélérer le processus. Vous habitez Bellmansgatan, n'est-ce pas ? Ce n'est pas très loin de l'endroit où on l'a trouvé. Il est possible que vous vous soyez croisés. Il a peut-être même essayé de vous joindre.

— Où l'a-t-on trouvé ?

— Contre un arbre, à Tantolunden. Si vous l'aviez vu, vous vous en souviendriez. Il avait le visage brun et crasseux, sillonné de rides profondes. Une barbe clairsemée. Il a sans doute été exposé au grand soleil et au grand froid. Son corps porte des marques de gelures ; il lui manque plusieurs doigts et plusieurs orteils. Ses attaches musculaires présentent des traces d'effort intense. À mon avis, il doit être originaire d'Asie du Sud-Est. Il a sans doute été bel homme, enfin, on peut le supposer. La misère a fait des ravages, mais, sous la peau jaunâtre qui témoigne de lésions du foie et les taches noires sur ses joues – des nécroses –, on devine qu'il devait avoir des traits réguliers. Difficile de déterminer son âge, comme vous vous en doutez sûrement mais, je vous le disais, je lui donne la soixantaine. Je peux également affirmer qu'il a longtemps vécu à la limite de la déshydratation. Il était de petite taille ; il mesurait à peine plus d'un mètre cinquante.

— A priori, ça ne me dit rien, observa Mikael.

Parcourant ses messages à la recherche d'un signe de Lisbeth, il ne trouva rien. Elle ne semblait même plus le pirater – c'était inquiétant. Il eut le pressentiment qu'elle était en danger.

— Ce n'est pas tout, ajouta Fredrika Nyman. Je ne vous ai pas dit ce qu'il y a de plus remarquable chez lui : son anorak en duvet.

— Comment ça ?

— Très grand et très chaud. En cette saison, il devait immanquablement attirer l'attention.

— Si vous le dites... Je devrais me le rappeler.

Fermant son ordinateur, il regarda Riddarfjärden, essayant encore une fois de se persuader que le déménagement de Lisbeth était une sage décision.

— Mais ce n'est pas le cas.

— Non... dit-il, hésitant. Vous n'auriez pas une photo ?

— Ce ne serait pas très correct de ma part de vous en envoyer une.

— De quoi est-il mort, d'après vous ?

Il avait encore l'esprit ailleurs.

— À court terme, je dirais d'intoxication, et il en est sans doute lui-même responsable. Principalement éthylique. Il puait l'alcool, mais ça n'exclut pas qu'il ait avalé autre chose aussi. Le laboratoire de chimie judiciaire m'enverra les résultats des analyses dans quelques jours. J'ai demandé des détections de plus de huit cents substances. À long terme, par contre, il était déjà en train de mourir d'une détérioration générale de ses organes et d'une dilatation cardiaque, lentement mais sûrement.

Mikael s'assit dans son canapé et termina sa bière. Manifestement, il était resté silencieux trop longtemps.

— Vous êtes encore là ? demanda la médecin légiste.

— Oui. Je me disais seulement...

— Quoi ?

Il pensait à Lisbeth.

— ... que, finalement, ce n'est peut-être pas plus mal qu'il ait eu mon numéro.

— Comment ça ?

— S'il pensait avoir quelque chose à me raconter, ça devrait encourager la police à fournir un effort supplémentaire. C'est que, dans mes bons moments, je sais secouer un peu les forces de l'ordre.

Elle rit.

— J'en suis persuadée.

— Enfin, parfois, je ne fais que les énerver.

Et m'énerver moi-même, se dit-il.

— Eh bien, espérons que nous soyons dans le premier cas.

— Tout à fait.

Il aurait voulu clore la conversation et laisser errer librement ses pensées, mais Fredrika Nyman n'avait pas l'intention d'abréger, et il n'eut pas le cœur de lui raccrocher au nez.

— Je vous ai dit que c'était le genre d'individus dont nous préférons ignorer l'existence, n'est-ce pas ?

— Exact.

— Eh bien, ce n'est pas entièrement vrai. Pas pour moi, en tout cas. J'ai l'impression…

— Oui ?

— … que son corps a une histoire à raconter.

— Comment ça ?

— Il a dû subir les morsures du froid et du feu. Vraiment, je n'avais jamais rien vu de tel.

— Un dur à cuire.

— Peut-être. En tout cas, il était mal en point et incroyablement sale. Il sentait horriblement mauvais. Pourtant, il avait une certaine classe. Voilà ce que je veux dire… Quelque chose qui, malgré sa situation humiliante, inspire le respect. Il avait lutté. Il était combatif.

— Un ancien soldat ?

— Il ne présente aucune blessure par balle ni rien de similaire.

— Il aurait appartenu à une tribu primitive ?

— Peu probable. Il avait les dents soignées et savait de toute évidence écrire. Il porte un tatouage de roue bouddhique sur le poignet gauche.

— Je vois.

— Vraiment ?

— Je vois que, d'une manière ou d'une autre, il vous a touchée. Je vais vérifier dans ma boîte vocale s'il a essayé de me joindre.

— Merci.

Ils bavardèrent sans doute encore un moment. Dans sa distraction, Mikael ne s'en souvenait plus. Puis, sans trop tarder, ils raccrochèrent, et Mikael demeura songeur. Clameurs et applaudissements résonnaient du côté de la Course de minuit, dans Hornsgatan. Il se passa la main dans les cheveux. Cela faisait au moins trois mois qu'il ne se les était pas fait couper. Grand temps de se ressaisir. Voire de vivre, de s'amuser, comme tout le monde, au lieu de travailler sans arrêt, de se presser comme un citron. Peut-être un jour arriverait-il même à avoir une conversation téléphonique anodine sans être obsédé par un foutu reportage en cours.

Il alla dans la salle de bains, ce qui ne le rendit pas plus gai. Du linge séchait. Le lavabo était maculé de taches de dentifrice et de mousse à raser, des cheveux traînaient au fond de la baignoire. Un anorak en duvet ? En plein été ? C'était tout de même bizarre. Il avait du mal à se concentrer. Les pensées se bousculaient dans son esprit. Il nettoya le lavabo et essuya le miroir, plia le linge, puis consulta la boîte vocale de son téléphone.

Trente-sept nouveaux messages. Personne ne devait avoir trente-sept messages accumulés sur son répondeur. Tourmenté, il les écouta l'un après l'autre. Mon Dieu ! Mais qu'est-ce qu'ils avaient tous ? On lui donnait des tuyaux, certes. D'ailleurs, la plupart des gens se montraient humbles et polis. Mais quelques-uns étaient enragés. "Vous dites des mensonges sur l'immigration !" "Vous nous cachez des choses sur les musulmans !" "Vous protégez l'élite financière juive !" Il eut le sentiment de s'enliser et faillit raccrocher, mais, bravant son dégoût, il continua et, pour finir, tomba sur un message quelque peu confus et très différent des autres.

— *Hello, hello*, disait une voix en anglais avec un fort accent ; suivait une respiration lourde, puis : *Come in, over*.

Comme dans un talkie-walkie. L'homme prononça encore quelques mots inintelligibles, peut-être dans une autre langue. Le ton était désespéré, solitaire. S'agissait-il du mendiant ? Possible. Ou de quelqu'un d'autre. Comment le savoir ? Mikael alla réfléchir dans sa cuisine. Il envisagea d'appeler Malin Frode ou une autre personne susceptible de le mettre de meilleure humeur, puis changea d'avis et envoya un SMS crypté à Lisbeth. Tant pis si elle ne voulait plus entendre parler de lui.

Il lui resterait à jamais lié.

LA PLUIE TOMBAIT SUR le boulevard Tverskoï. Camilla – ou Kira, comme elle voulait désormais qu'on l'appelle –, assise dans sa limousine en compagnie de son chauffeur et de ses gardes du corps, contemplait ses longues jambes. Elle portait une robe noire de chez Dior et des chaussures à talons rouges Gucci, ainsi qu'un collier serti du diamant Oppenheimer, qui brillait de son éclat bleu au milieu de son décolleté.

Elle était d'une beauté à couper le souffle – et personne ne le savait mieux qu'elle. Souvent, comme à cet instant, elle s'attardait sur le siège arrière. Chaque fois, elle y prenait autant de plaisir : les hommes tressaillaient à son entrée dans la pièce, certains ne pouvaient plus décoller les yeux de sa personne, ni même refermer la bouche. Seuls quelques-uns, elle le savait d'expérience, avaient assez de cran pour lui faire un compliment en la regardant bien en face. Kira rêvait de briller comme aucune autre. Elle écouta la pluie tambouriner contre la carrosserie. Puis elle jeta un coup d'œil à travers les vitres fumées. Pas grand-chose d'intéressant.

Une poignée d'hommes et de femmes grelottaient sous leurs parapluies, à peine curieux de savoir qui allait descendre du véhicule. Elle lança une œillade agacée au restaurant. À l'intérieur, les convives se pressaient, trinquant et bavardant. Au fond, sur une petite estrade, des musiciens jouaient du violon et du violoncelle et là, mon Dieu, Kuznetsov... Il sortit la rejoindre en claudiquant, gras, bedonnant, des yeux de cochon. Elle eut immédiatement envie de le gifler.

Mais il fallait garder son calme, son éclat princier, ne pas dévoiler d'un seul battement de cils que, dernièrement, elle avait l'impression de sombrer dans un abîme. On n'avait pas encore déniché sa sœur, et cela la rendait furieuse. Lorsqu'on avait découvert son adresse et fait tomber sa couverture, Kira avait cru que le reste coulerait de source, mais Lisbeth demeurait introuvable, et pas même les contacts de Kira au GRU – elle avait pourtant sollicité Galinov lui-même – n'étaient parvenus à retrouver sa trace. Il y avait bien eu des piratages sophistiqués des usines à trolls de Kuznetsov et d'autres cibles, et on soupçonnait Lisbeth d'y avoir participé, mais on ne savait pas dans quelle proportion. Une seule chose était sûre : il fallait en finir. Kira avait besoin de tranquillité.

Au loin, le tonnerre roula. Une voiture de police passa. Elle sortit un miroir et sourit à son propre reflet, comme pour y puiser de la force. Puis elle leva les yeux et vit cet imbécile de Kuznetsov faire le pied de grue en tripotant son nœud papillon et son col de chemise, manifestement nerveux – tant mieux. Elle se réjouissait de le voir transpirer, trembler et, surtout, elle voulait qu'il s'abstienne de lui faire une de ses effroyables plaisanteries.

— Allez, dit-elle.

À ce mot, Sergueï, le chauffeur, alla ouvrir la portière arrière. Les gardes du corps sortirent. Kira prit son temps, vérifiant que Sergueï tenait bien le parapluie. Elle tendit le pied, attendant comme d'habitude un soupir, un halètement, un "oh !", mais rien, rien que la pluie, les violons et le brouhaha des invités. Elle décida de rester calme et froide, de garder la tête haute, et eut tout juste le temps de voir Kuznetsov rayonner d'espoir et d'inquiétude en lui ouvrant les bras pour lui souhaiter la bienvenue, lorsqu'elle fut envahie par une sensation violente : l'effroi lui transperça le corps comme une flèche.

À sa droite, un peu plus loin, le long du mur, elle entrevit une ombre étrange. Lançant un regard de côté, elle discerna une silhouette sombre qui s'approchait d'elle, une main sous la veste. Elle voulut alerter ses gardes ou se jeter à terre mais se figea, tétanisée, se rendant soudain compte que le moindre mouvement irréfléchi pouvait lui coûter la vie. Bien qu'elle ne distinguât qu'un contour, peut-être savait-elle déjà de qui il s'agissait.

Quelque chose dans la gestuelle, la fermeté des pas… Elle eut un horrible pressentiment et, dans un éclair de lucidité, sut qu'elle était perdue.

4

LE 15 AOÛT

LA RENCONTRE AURAIT-ELLE PU avoir lieu ? Celle qui leur aurait
évité de devenir ennemies mortelles ? Possible, après tout. Il
fut un temps où elles partageaient au moins une chose : la
haine contre leur père, Alexander Zalachenko, et la crainte
qu'il ne tue leur mère, Agneta.

Les sœurs vivaient alors à Stockholm, dans un appartement
de Lundagatan, ou plutôt un cagibi. Lorsque le père venait
leur rendre visite, puant l'alcool et le tabac, et traînait leur
mère dans la chambre à coucher pour la violer, elles distinguaient chacun de ses cris, chacun des coups portés sur elle,
chacun de ses geignements de douleur. Parfois, en quête de
réconfort, Lisbeth et Camilla se prenaient les mains – faute
de mieux, certes, mais enfin… Elles partageaient une terreur,
une vulnérabilité. Cela aussi, on les en avait privées.

L'année de leurs douze ans, ce fut l'escalade, tant dans la
fréquence des agressions que dans leur violence. Zalachenko
s'installait désormais chez elles de temps en temps et violait
Agneta plusieurs soirs de suite. À cette époque, quelque chose
changea dans la relation entre les sœurs. D'abord, ce fut quasiment imperceptible. On ne le devinait qu'à l'éclat exalté
qui traversait les yeux de Camilla lorsqu'elle allait ouvrir la
porte à leur père, à la légèreté inhabituelle de son pas. Ce fut
l'époque où les choses se cristallisèrent.

À l'apogée de la guerre, au cours du combat le plus mortel, elles choisirent les camps opposés. Une fois cette étape

franchie, la réconciliation n'était plus concevable, surtout après qu'Agneta eut été tabassée sur le sol de la cuisine au point d'en garder des séquelles neurologiques irréversibles et que Lisbeth, ayant jeté un cocktail Molotov sur Zalachenko, l'eut regardé brûler au volant de sa Mercedes. Après cela, ce fut une question de vie et de mort. Le passé devint une bombe à retardement. Bien plus tard, quand Lisbeth Salander sortit de son porche, boulevard Tverskoï, l'époque de Lundagatan défila à toute allure dans son esprit en une série de séquences éclair.

Pourtant, elle était bien lucide, dans le présent. *Hic et nunc.* Elle localisa instantanément un angle de tir et l'itinéraire de fuite qu'elle devrait emprunter ensuite. Parallèlement, des souvenirs incontrôlés ressurgissaient. Elle marchait pas à pas. Lentement. Lorsque Camilla, vêtue de sa robe noire, posa son pied chaussé d'un talon rouge sur le tapis, Lisbeth accéléra, légèrement courbée, en silence.

À l'intérieur du restaurant, les instruments à cordes jouaient et les verres tintaient. La pluie tambourinait sans interruption. Dans la rue, une voiture de police passa. Lisbeth la regarda, puis tourna les yeux vers la rangée de gardes du corps et se demanda quand ils la remarqueraient. Avant ou après le coup de feu ? Impossible de le prédire. Pour l'instant, en tout cas, personne ne se souciait d'elle. Le temps était sombre et brumeux, et tous les regards étaient fixés sur Camilla.

Elle rayonnait, comme toujours. Les yeux de Kuznetsov aussi, comme ceux des garçons dans la cour d'école, bien des années auparavant. Camilla avait la faculté d'arrêter le temps. Elle était née avec ce don. Lisbeth la vit avancer, elle vit Kuznetsov se redresser et, anxieux, ouvrir les bras dans un ample geste de bienvenue, elle vit les invités se bousculer à l'entrée, désireux de voir, eux aussi. À cet instant précis, une voix résonna dans la rue – celle que Lisbeth attendait, justement : "Там, посмотрите !". "Là, regardez !" Un garde du corps – un blond au nez aplati – se tourna dans sa direction. Trop tard, dès lors, pour avoir des scrupules.

Alors qu'elle approchait la main de son Beretta, elle fut traversée par le même froid glacial que quand elle avait jeté la bouteille d'essence sur son père. Elle vit Camilla épouvantée, tétanisée, et au moins trois gardes du corps qui, portant leurs mains à leurs armes, la suivaient des yeux. Elle croyait alors qu'elle agirait avec la rapidité de l'éclair, implacable.

Mais elle s'immobilisa, soudain paralysée, sans comprendre pourquoi. Envahie par une ombre de son enfance, elle prit conscience que non seulement elle avait raté sa chance, mais qu'elle venait également de se dévoiler à ses pires ennemis. Elle n'avait plus aucune issue.

CAMILLA NE REMARQUA PAS cette hésitation. En revanche, elle entendit son propre cri, sentit les mouvements saccadés autour d'elle, vit des armes dégainées. Trop tard, sa poitrine serait bientôt déchiquetée par les balles. Mais il n'en fut rien. Elle se précipita vers l'établissement et, pendant quelques secondes, réfugiée derrière Kuznetsov, elle ne perçut rien d'autre que sa propre respiration haletante et des gesticulations muettes.

Elle mit un moment à comprendre qu'elle en avait réchappé et que la situation avait clairement tourné à son avantage. Elle n'était plus en danger de mort, contrairement à la créature sombre et lointaine dont elle ne distinguait pas encore le visage. Celle-ci, tête penchée en avant, consultait son téléphone. Lisbeth, sans aucun doute. Camilla fut envahie par une haine lancinante, une soif de sang effrénée, une violente envie de faire souffrir et mourir la frêle silhouette. Elle parcourut du regard le chaos.

Cela s'annonçait encore mieux qu'elle eût pu l'imaginer. Elle était entourée de gardes du corps, de gilets pare-balles ; Lisbeth, seule sur le trottoir, avait une rangée d'armes pointées sur elle. Le scénario idéal… Camilla aurait voulu faire durer cet instant. Cela dit, elle eut la conviction qu'elle se le remémorerait très souvent. Lisbeth était foutue et serait bientôt réduite à néant. Camilla cria – au cas où quelqu'un n'aurait pas encore compris :

— Tirez ! Elle veut me tuer !

Croyant entendre des rafales de tirs, elle fut secouée de la tête aux pieds par un fracas invraisemblable. Elle s'imagina sa sœur touchée par une pluie de balles, s'effondrant, ensanglantée, sur le trottoir, et mourant – en réalité, des invités affolés couraient devant elle, lui bouchant la vue. Non… Quelque chose clochait. Il ne s'agissait pas de coups de feu mais… de quoi ? D'une bombe ? D'une explosion ? Un vacarme assourdissant avait envahi le restaurant. Bien que Camilla ne voulût pas rater une seconde de l'humiliation et de la mise à mort de Lisbeth, elle observa la foule en mouvement. Impossible de comprendre ce qui se passait.

Au fond, le quatuor s'était tu ; les musiciens épouvantés regardaient fixement le chaos dans la salle. De nombreux invités restaient cloués sur place, se bouchant les oreilles. D'autres se tenaient la poitrine ou hurlaient de peur. La plupart, pris de panique, se précipitaient vers la sortie. Ce ne fut que quand la porte du restaurant s'ouvrit d'un coup et que les premiers convives se précipitèrent sous la pluie que Camilla comprit : ce n'était pas une bombe mais de la musique, à un volume tellement démentiel qu'on ne la percevait plus comme du son mais comme un tonnerre vibrant et déchirant. Dès lors, Camilla ne fut pas étonnée d'entendre un homme chauve s'écrier :

— Qu'est-ce que c'est ? Qu'est-ce que c'est ?

Une jeune femme âgée d'à peine vingt ans, vêtue d'une minirobe bleu marine, s'affaissa sur les genoux, la tête entre les mains, craignant manifestement que le toit ne s'effondre sur elle. À ses côtés, Kuznetsov marmonnait, ses paroles noyées dans le vacarme. Camilla comprit son erreur : elle avait baissé la garde. Furieuse, elle jeta un coup d'œil au trottoir et au mur devant lequel elle avait aperçu sa sœur, qui avait d'ores et déjà disparu.

Comme avalée par le sol. Plongée dans la confusion frénétique des invités hurlants, Camilla eut tout juste le temps de pousser un juron et un cri avant de recevoir un coup violent à l'épaule et de tomber, se heurtant le coude et la tête par terre. Elle se retrouva étendue au milieu des piétinements, le front martelé de douleur et la lèvre en sang. Alors, juste au-dessus d'elle, une voix familière lui glaça le sang :

— L'heure de la vengeance viendra, ma sœur, sois-en sûre.

Mais Camilla était trop étourdie pour réagir.

Lorsqu'elle leva la tête et regarda autour d'elle, elle ne vit que la foule en folie se déverser du restaurant – pas l'ombre de Lisbeth. Sans plus y croire, elle cria une dernière fois :

— Tuez-la !

VLADIMIR KUZNETSOV N'AVAIT PAS VU Kira se faire renverser. Comme dans une bulle, il demeurait insensible à l'hystérie collective qui l'entourait. C'est que, dans le vacarme, il avait entendu quelque chose qui le terrifiait plus que tout : des paroles entrecoupées, hurlées sur un rythme implacable. Pendant un moment, il préféra refuser d'y croire.

Secouant la tête et marmonnant des "non, non", il tenta de se convaincre qu'il s'agissait d'une effroyable chimère, du fruit démoniaque de son imagination tourmentée. Pourtant, ce qu'il entendait, c'était bien la chanson – celle de ses cauchemars. Il aurait voulu s'évaporer, mourir.

— Ce n'est pas possible… bredouillait-il pendant que le refrain grondait dans ses oreilles comme l'onde de choc d'une grenade :

Killing the world with lies
Giving the leaders
The power to paralyze
Feeding the murderers with hate,
Amputate, devastate, congratulate.
But never, never
*Apologize**

* Détruire le monde à force de mensonges / Donner aux dirigeants / Un pouvoir paralysant / Nourrir les meurtriers de haine, / Amputer, dévaster, féliciter. / Sans jamais, jamais / S'excuser.

Aucune autre chanson sur terre ne le terrifiait à ce point. En comparaison, le sabotage de la fête tant attendue et les risques de plaintes de dirigeants et d'oligarques furieux d'avoir les tympans crevés n'étaient rien. Seule la musique occupait désormais son esprit – pas étonnant au vu des circonstances. Car le fait qu'elle fût jouée en cette occasion démontrait que quelqu'un, quelque part, avait découvert son pire secret et qu'il risquait d'être traîné dans la boue devant le monde entier. Une panique effrénée lui oppressait la poitrine ; il avait du mal à respirer. Il parvint tout de même à faire bonne figure lorsque ses gars éteignirent enfin le vacarme. Après un soupir de soulagement théâtral, il déclara :

— Mesdames et messieurs, désolé ! Décidément, il ne faut jamais faire confiance à la technologie. Mille excuses ! Maintenant, reprenons la fête. Je ne serai pas avare d'alcools, je vous le promets, ni d'autres mignardises…

Il chercha du regard des call-girls en tenue légère, espérant vainement qu'un peu de beauté féminine sauverait les apparences, mais les seules jeunes filles qu'il aperçut étaient plaquées contre le mur, terrorisées. Il préféra laisser sa phrase en suspens. D'ailleurs, comme les convives le remarquèrent à coup sûr, sa voix manquait de conviction. Kuznetsov semblait au bord de la crise de nerfs. Lorsque les musiciens passèrent ostensiblement devant lui, se dirigeant vers la sortie, la plupart des invités s'apprêtèrent eux aussi à rentrer chez eux. En réalité, Kuznetsov s'en réjouissait, car il n'avait qu'une envie : se retrouver seul avec ses souvenirs et sa peur.

Il prévoyait d'appeler ses avocats et ses relations au Kremlin dans l'espoir qu'ils lui apportent un peu de réconfort. Il voulait entendre qu'il ne finirait pas en une des journaux occidentaux, accusé de honteux crimes de guerre. Vladimir Kuznetsov avait de puissants protecteurs, et le gros bonnet qu'il était devenu avait commis des méfaits atroces sans en faire des cas de conscience. Il n'avait pas pour autant un moral d'acier, en tout cas pas quand *Killing the World With Lies* était joué à sa propre soirée bling-bling.

Dans un pareil moment, il redevenait la minable petite frappe qu'il avait été, un criminel de seconde zone qui, un jour, par un divin caprice du hasard, s'était retrouvé dans un bain turc aux côtés de deux députés de la Douma et leur avait conté des histoires à dormir debout. C'était d'ailleurs le seul talent de Kuznetsov, qui n'avait ni instruction ni don particulier : il savait raconter des salades. Il n'en avait pas fallu plus.

Il y avait de cela fort longtemps, il avait donc passé un après-midi à se soûler et à mentir dans un bain de vapeur et s'était ainsi fait des amis haut placés. Ensuite, il avait travaillé dur. Il avait désormais des centaines d'employés à son service, la plupart bien plus intelligents que lui : mathématiciens, stratèges, psychologues, consultants du FSB ou du GRU, hackers, informaticiens, ingénieurs et experts en intelligence artificielle ou en robotique. Il était riche, puissant et, plus important : on ne pouvait le rattacher à aucun bureau de renseignements ou autre fabrique de mensonges.

Il occultait astucieusement ses responsabilités et ses participations financières. Ces derniers temps, il était plein de gratitude envers sa bonne étoile, non pas en ce qui concernait son implication dans le krach boursier – au contraire, cela représentait une plume de plus à son panache –, mais à cause des commandes tchétchènes qui avaient fait scandale dans les médias, provoqué aux Nations unies des mouvements de protestation, voire des émeutes et, pire encore, donné lieu à une chanson de hard rock devenue, bien entendu, un tube mondial.

On l'avait entendue à toutes les fichues manifestations contre les assassinats. Chaque fois, il avait une peur bleue que son nom soit cité. Cependant, ces dernières semaines, pendant qu'il préparait sa soirée, sa vie était enfin redevenue normale. Il avait retrouvé le goût du rire, de la plaisanterie et des histoires à dormir debout. Le soir de la fête, les VIP s'étaient succédé sous ses yeux réjouis. Fier, le dos droit, il savourait le défilé lorsque, soudain, la maudite chanson avait détonné à lui fendre le crâne.

— Putain de bordel de merde…

— Que dites-vous ?

Un homme élégant portant un chapeau et une canne que, dans la confusion, Kuznetsov n'arrivait pas à resituer, posa sur lui un regard désapprobateur. Le premier réflexe de Kuznetsov fut de lui dire d'aller se faire voir mais, craignant d'être face à plus puissant que lui, il répondit avec toute la politesse qu'il fut en mesure de mobiliser :

— Excusez mon langage, je suis un peu en colère, voyez-vous.

— Vous devriez revoir vos dispositifs de sécurité informatique.

Je n'arrête pas, songea Kuznetsov.

— Aucun rapport, je vous l'assure, répliqua-t-il.

— De quoi s'agit-il, alors ?

— D'un problème… électrique.

Électrique. Complètement idiot. Comme si le réseau électrique, à la suite d'un court-circuit ou autre, avait pu démarrer la lecture de *Killing the World With Lies*… Honteux, Kuznetsov détourna la tête et agita pathétiquement la main en guise d'au revoir aux derniers invités qui montaient dans des taxis. Le restaurant se vidait. Il chercha du regard le jeune Felix, son technicien en chef. Où était passé ce vaurien ?

Il l'aperçut devant l'estrade, affublé de son bouc ridicule et d'un smoking qui lui allait comme un sac. Le jeune homme s'agitait en parlant au téléphone, manifestement mécontent – il y avait de quoi. Ce débile lui avait promis que tout irait comme sur des roulettes. Kuznetsov lui fit un signe péremptoire.

En guise de réponse, Felix secoua la main comme pour dire "plus tard". Kuznetsov eut une subite envie de lui foutre une claque ou de lui fracasser le crâne contre un mur. Mais quand Felix finit par se traîner jusqu'à lui, l'air impuissant, sa réaction fut la suivante :

— Tu as entendu la chanson ?

— Oui.

— Ça signifie que quelqu'un sait.

— On dirait.

— Qu'est-ce qui va arriver maintenant, d'après toi ?

— Aucune idée.

— On va bientôt être contactés par un maître chanteur, c'est ça ?

Felix se mordit la lèvre en silence. Les yeux hagards, Kuznetsov regarda la rue.

— On ferait mieux de se préparer au pire, dit Felix.

Pas ça… pensa Kuznetsov. *Ne me dis pas ça.*

— Pourquoi ? demanda-t-il d'une voix éraillée.

— Bogdanov vient d'appeler.

— Bogdanov ?

— Le mari de Kira.

Kira… se dit Kuznetsov. La belle, l'effroyable Kira… Puis il se souvint : tout avait commencé par elle, par son magnifique visage tordu dans une grimace ignoble, par sa bouche hurlant : "Tirez ! Tuez-la !", par son regard braqué sur une silhouette sombre contre un mur. Dans la mémoire de Kuznetsov, la scène se confondait avec le vacarme qui avait suivi.

— Il a dit quoi, Bogdanov ?

— Il sait qui nous a piratés.

Électrique, songea Kuznetsov. *Comment j'ai pu dire une connerie pareille ?*

— Alors quelqu'un nous a piratés ?

— On dirait.

— C'était censé être impossible, espèce de crétin ! Impossible !

— Mais l'individu en question…

— Qu'est-ce qu'il a, l'individu en question ?

— Elle est extrêmement douée.

— Alors c'est une femme.

— Oui, et apparemment, l'argent ne l'intéresse pas.

— Et qu'est-ce qui l'intéresse ?

— La vengeance.

Un frisson traversa le corps de Kuznetsov. Brusquement, il mit une beigne à Felix.

Puis il s'éloigna et se soûla au champagne et à la vodka.

EN ENTRANT DANS SA CHAMBRE d'hôtel, Lisbeth paraissait calme. Pas même pressée. Elle se servit un verre de whisky qu'elle avala cul sec et prit des noix dans un bol, sur la table basse. Puis, sans aucune nervosité ni impatience apparente, elle se mit à faire ses bagages.

Lorsqu'elle ferma sa valise, cependant, une certaine tension émanait de son corps. Elle chercha du regard quelque chose à briser : un vase, un tableau, un lustre, mais se contenta d'aller dévisager son reflet dans la salle de bains, étudiant en détail chacun de ses traits. En fait, elle ne voyait rien.

Son esprit était encore sur le boulevard Tverskoï. Elle revoyait sa main s'approcher de son arme, puis s'en éloigner ; elle repensa à ce qui lui avait paru simple d'un côté et presque insurmontable de l'autre. Soudain, elle prit conscience que, pour la première fois cet été-là, elle ne savait pas quoi faire. Elle était… Eh bien, quoi, au juste ? Complètement paumée ? Une simple recherche sur son téléphone lui permit de trouver l'adresse de Camilla, mais cette découverte ne parvint pas à lui remonter le moral.

Depuis un satellite de Google Earth, elle contemplait une grande maison en pierre entourée de vastes terrasses, de jardins, de piscines et de statues. Elle imagina tout cela en flammes, comme son père dans sa Mercedes, ce jour-là, mais ça ne changea pas son état d'esprit. Son plan parfait avait tourné au fiasco. Elle repensa à son hésitation, puis à une autre hésitation, longtemps auparavant – ce genre de réaction pouvait lui être fatal et représentait un réel handicap. Marmonnant des paroles inaudibles, elle but encore du whisky.

Puis elle paya sa note en ligne et fila, valise en main. À une centaine de mètres de l'hôtel, elle jeta son pistolet dans une bouche d'égout, prit un taxi et, en chemin, réserva un vol pour Copenhague tôt le lendemain matin sous une fausse identité – elle avait plusieurs passeports. Puis elle descendit au Sheraton de l'aéroport de Cheremetievo.

Au petit matin, elle ouvrit le dernier SMS de Mikael, qui disait s'inquiéter. Cela lui rappela l'enregistrement de Fiskargatan. Elle décida de s'introduire dans le système d'exploitation de Mikael par une porte dérobée. Difficile de comprendre la raison de ce geste. Peut-être avait-elle besoin de s'occuper pour interrompre un moment la séquence qui défilait implacablement dans son esprit. Elle s'assit devant son ordinateur.

Au fil de ses pérégrinations parmi les fichiers de Mikael, elle tomba sur des documents cryptés sans doute importants pour lui. Cela dit, il semblait vouloir qu'elle les lise. Dans un dossier créé spécialement pour elle, il lui donnait des indices et des clés qu'elle seule pouvait déchiffrer. Ainsi, après quelques allers et retours sur son serveur, elle se plongea dans la lecture d'un article sur le krach boursier et les usines à trolls. Mikael avait découvert pas mal de choses, mais pas autant qu'elle. Après avoir parcouru le reportage une deuxième fois, elle décida d'y ajouter du texte et un lien vers des annexes, entre autres des échanges de mails. À ce stade, elle était si fatiguée qu'elle ne remarqua pas qu'elle avait fait une faute d'orthographe dans le nom de Kuznetsov. De plus, elle ne parvenait pas à coller au style de Mikael. A posteriori, elle se souviendrait seulement de s'être déconnectée et allongée sur le lit, sans avoir ôté son costume ni ses chaussures.

Elle rêva que son père, au milieu d'un océan de flammes, l'accusait d'être devenue faible et de n'avoir aucune chance contre Camilla.

5

LE 16 AOÛT

LE DIMANCHE MATIN, Mikael se réveilla à 6 heures – à cause de la chaleur, crut-il. L'air était lourd et étouffant comme avant un orage, ses draps et taies d'oreillers trempés de sueur. Il souffrait de maux de tête et, avant de se souvenir des événements de la veille au soir, il se demanda s'il était tombé malade. Puis il se rappela avoir bu. Se maudissant lui-même, maudissant la lumière du jour qui filtrait insidieusement à travers les fentes des rideaux, il tira la couverture sur sa tête et essaya de se rendormir.

Malheureusement, il fut assez bête pour jeter un coup d'œil à son téléphone auparavant. Lisbeth aurait-elle répondu à son SMS ? Non, bien sûr, mais il se mit à penser à elle et ne trouva pas la paix. Pour finir, il se redressa.

Il regarda les livres pêle-mêle sur la table de chevet, commencés mais jamais terminés. Il envisagea de s'accorder un moment de lecture au lit, ou encore de reprendre le travail sur son article. Il décida de se faire un cappuccino, alla chercher les journaux du matin sous la fente à courrier et se plongea dans les dernières nouvelles. Il répondit ensuite à quelques mails, fit le ménage dans la salle de bains et un peu de rangement ici et là.

À 9 h 30, il reçut un SMS de Sofie Melker, une jeune collaboratrice qui venait d'emménager dans le quartier avec son mari et leurs deux fils. Elle voulait discuter d'un projet de reportage. Lui, pas tellement, mais il l'aimait bien et lui proposa donc de prendre un café au Kaffebar dans Sankt Paulsgatan, une demi-heure plus tard. Elle lui répondit par un *like*. Il n'aimait pas les émojis – la langue suffisait tout de même amplement. Toutefois, ne voulant pas paraître vieux jeu, il décida de lui renvoyer une petite figure enjouée.

Seulement, de ses doigts patauds, il appuya par mégarde sur un cœur rouge au lieu d'un smiley. De quoi provoquer un malentendu. Cela dit, n'y avait-il pas une inflation galopante dans le domaine ? Un cœur, ça n'avait plus aucun sens. "Bisou" signifiait "au revoir" et un cœur... Eh bien, quelque chose comme "ma chère". Décidant de laisser l'échange tel quel, il prit une douche, se rasa, enfila un jean et une chemise bleue. Enfin, il sortit.

Le soleil brillait dans un ciel d'un bleu éclatant. Il descendit l'escalier de pierre qui menait à Hornsgatan et entra dans Mariatorget, où il fut étonné de ne plus voir quasiment aucune trace de la fête populaire de la veille. Pas même un mégot. Les poubelles avaient été vidées et, à gauche, devant l'hôtel Rival, une jeune fille en gilet orange ramassait les derniers déchets dans l'herbe à l'aide d'une longue pince. Il contourna la statue au milieu de la place.

Cette statue était sans doute le monument devant lequel il passait le plus souvent, et il ne savait même pas ce qu'elle représentait. Il n'y avait jamais fait attention – on ignore généralement ce qui se trouve juste sous notre nez. Si on le lui avait demandé, il aurait supposé qu'il s'agissait de saint Georges terrassant le dragon. En fait, c'était Thor terrassant le serpent de Midgard. Durant toutes ces années, il n'avait même pas pris la peine de lire l'inscription. Ce jour-là, il observa l'aire de jeux derrière la statue, où un jeune père semblait s'ennuyer en poussant son fils sur une balançoire, puis les badauds qui tournaient le visage vers le soleil, assis sur des bancs et des pelouses. Bref, un dimanche matin parfaitement anodin. Pourtant, il eut le vague sentiment qu'il manquait quelque chose. *Sottises*, se dit-il, *sûrement une fausse impression*. Il accéléra le pas et s'engagea dans Sankt Paulsgatan. Là, il comprit.

Ce qui manquait, c'était ce personnage qui trônait habituellement sur un bout de carton, près de la fontaine, immobile comme un moine en pleine méditation. Mikael ne l'avait pas vu depuis une semaine. Les mains amputées de quelques doigts, le visage desséché, parcheminé, l'homme portait toujours un gros anorak bleu. Il faisait partie du paysage urbain de Mikael – mais lorsque ce dernier était plongé dans une période de travail intensif, son univers se résumait à des coulisses.

Il avait été trop absorbé pour le remarquer. Pourtant, le pauvre diable était toujours là, comme une ombre dans son subconscient et, paradoxalement, maintenant que l'homme avait disparu, il s'en souvenait très clairement. Il se rappela toute une série de détails à son sujet : la tache noire sur sa joue, ses lèvres gercées, sa posture à la fois fière et douloureuse. Comment avait-il pu l'oublier ? D'une certaine manière, il connaissait la réponse.

Jadis, un homme de la sorte à la rue aurait représenté une plaie béante sur la face de la ville. De nos jours, on pouvait à peine faire cinquante mètres sans que quelqu'un essaie de vous alléger de quelques couronnes. Partout devant les boutiques, les bouches de métro et les stations de recyclage, des femmes et des hommes mendiaient sur le trottoir. Une nouvelle Stockholm en haillons avait vu le jour et, en un rien de temps, on s'y était habitué. C'était la triste vérité.

Le nombre de mendiants avait explosé au moment précis où les Stockholmois avaient cessé d'avoir de l'argent liquide sur eux. Comme tout le monde, Mikael avait appris à en détourner les yeux. Cela ne lui donnait même plus mauvaise conscience. Au-delà de l'homme et de la foule des mendiants, il fut pris d'une mélancolie plus vaste, sans doute liée à la fuite du temps et aux changements constants que nous subissons sans même nous en apercevoir.

Devant le Kaffebar, un camion était garé si à l'étroit que Mikael se demanda comment il allait ressortir. À l'intérieur de l'établissement, comme d'habitude, il repéra de nombreux visages familiers. Trop nombreux. Il ne le supportait plus.

Contraint et forcé, il lança quelques saluts en passant, puis commanda un double expresso et un toast aux chanterelles. Assis face à la vitrine qui donnait sur Sankt Paulsgatan, il se perdit dans ses pensées. Peu après, il sentit une main sur son dos : Sofie. Vêtue d'une robe verte, les cheveux détachés, elle lui fit un sourire prudent, commanda un thé au lait et un Perrier, puis brandit le cœur rouge sur l'écran de son téléphone.

— Flirt ou management bienveillant ? demanda-t-elle.

— Maladresse.

— Mauvaise réponse.

— Bon, management bienveillant, alors. Sur ordre d'Erika.

— Mauvaise réponse aussi, mais un peu moins.

— Comment se porte la famille ?

— La mère trouve les grandes vacances beaucoup trop longues. Les enfants, ces petits voyous, exigent sans arrêt de nouveaux divertissements.

— Vous habitez ici depuis quand ?

— Bientôt cinq mois. Et toi ?

— Cent ans.

Elle rit.

— D'une certaine manière, c'est vrai, dit-il. Quand on habite ici depuis aussi longtemps que moi, on ne voit plus rien. On avance en aveugle.

— C'est vrai ?

— Pour moi, en tout cas. Mais toi, tu es nouvelle dans le quartier. Tu dois encore avoir les yeux grands ouverts.

— Possible.

— Tu te souviens du mendiant en anorak bleu à Mariatorget ? Il avait une tache noire sur le visage et il ne lui restait quasiment plus de doigts.

Elle fit un sourire triste.

— Oui, très bien.

— Comment ça ?

— Pas facile de l'oublier, celui-là.

— Moi, je l'avais oublié.

Sofie lui jeta un regard étonné.

— Vraiment ?

— Je l'ai sûrement croisé des dizaines de fois et, pourtant, je ne l'avais jamais vraiment remarqué. Et maintenant qu'il est mort, bizarrement, j'ai l'impression qu'il est plus vivant que jamais.

— Il est mort ?

— Une médecin légiste m'a appelé hier.

— Comment ça ?

— L'homme avait mon numéro de téléphone dans sa poche et elle espérait que je puisse l'aider à l'identifier.

— Mais tu n'as pas pu…

— Pas du tout.

— Il devait avoir un sujet à te proposer.

— Probablement.

Sofie finit son thé. Il y eut un silence.

— Il s'en est pris à Catrin Lindås, il y a une semaine, dit-elle enfin.

— Ah bon ?

— En la voyant, il a complètement perdu la boule. J'étais dans Swedenborgsgatan, j'ai vu la scène de loin.

— Qu'est-ce qu'il lui voulait ?

— Il avait dû la voir à la télé.

Éditorialiste et chroniqueuse conservatrice, Catrin Lindås participait souvent à des débats télévisés sur l'ordre et la sécurité, la discipline et la transmission du savoir à l'école. Belle mais très comme il faut, elle portait toujours des tenues irréprochables, par exemple des chemisiers à lavallière impeccablement repassés. Jamais une mèche qui dépassait. Mikael, qui la considérait comme rigoureuse mais sans imagination, avait déjà essuyé des critiques de sa part dans le quotidien *Svenska Dagbladet*.

— Qu'est-ce qui s'est passé ? demanda-t-il.

— Il l'a attrapée par le bras, et puis il a crié.

— Qu'est-ce qu'il disait ?

— Aucune idée. Il agitait une espèce de branche ou de canne. Après l'incident, Catrin était chamboulée. J'ai essayé de la calmer et je l'ai aidée à retirer une tache sur sa veste.

— Mon Dieu ! Ça a dû être vraiment pénible pour elle.

Il venait de faire du sarcasme, ce qui n'était pas son intention. Sofie rétorqua :

— Tu ne l'aimes pas beaucoup, hein ?

— Mais si, répondit-il, sur la défensive. Je n'ai rien contre elle. Elle est juste un peu trop à droite et un peu trop convenable pour moi.

— Une fille à papa, c'est ça ?

— Ce n'est pas ce que j'ai dit.

— Mais tu le penses. Eh bien, tu n'as pas idée de ce qu'elle doit supporter comme insultes sur Internet. On la considère comme une pimbêche élitiste sortie de l'internat de Lundsberg, du genre à mépriser les citoyens ordinaires. Mais saistu d'où elle vient, en réalité ?

— Non, Sofie, je n'en sais rien.

Il avait du mal à comprendre cette brusque saute d'humeur.

— Eh bien, je vais te le dire.

— Je t'en prie.

— Elle a grandi en pleine misère, au sein d'une communauté hippie à Göteborg. Ses parents prenaient du LSD et de l'héroïne. Chez elle, c'était toujours le capharnaüm. La communauté accueillait un tas d'allumés. Ses tenues impeccables et son côté rangé, c'est une stratégie de survie. En fait, Catrin a dû lutter. C'est une rebelle, à sa manière.

— Intéressant.

— Oui. Je sais que tu la trouves réactionnaire, mais elle fait des choses bien. Elle démonte le *new age*, les nouvelles spiritualités et toutes ces conneries dans lesquelles elle a grandi. Elle est bien plus profonde que ce qu'on pourrait croire.

— Vous êtes amies ?

— Oui.

— Merci, Sofie. La prochaine fois, j'essaierai d'avoir un autre point de vue sur elle.

— Je n'en crois pas un mot, dit-elle avec un rire sans méchanceté.

Puis, ayant marmonné une excuse – d'évidence, le sujet était sensible –, elle lui demanda s'il avançait sur son reportage.

Il répondit qu'il n'y avait pas grand-chose à se mettre sous la dent. En fait, il s'enlisait dans sa piste russe.

— Tu as quand même de bonnes sources, non ?

— Ce que mes sources ne savent pas, je ne le sais pas non plus.

— Tu devrais peut-être aller faire un tour à Saint-Pétersbourg pour dénicher ta fameuse usine à trolls… Comment elle s'appelait, déjà ?

— New Agency House.

— Une espèce de centrale, c'est bien ça ?

— Et sûrement une porte fermée.

— Voilà un Blomkvist d'un pessimisme inhabituel !

Il en était conscient. Cela dit, il n'avait aucune envie d'aller à Saint-Pétersbourg. La ville grouillait déjà de journalistes et aucun n'était encore parvenu à dénicher le moindre responsable d'usine de ce genre, ni à déterminer clairement l'implication des services de renseignement et du gouvernement. De toute façon, il en avait marre. Marre de l'information, marre de l'évolution désolante de la politique mondiale. Il termina son expresso et interrogea Sofie sur son projet.

Elle voulait faire un papier sur la tendance antisémite de la campagne de désinformation. Pas exactement un scoop. Évidemment, les trolls n'avaient pas pu s'empêcher de suggérer que la crise boursière était le résultat d'un complot juif, ajoutant ainsi une contribution récente à la sinistre soupe qu'on nous resservait depuis des siècles – et qu'on avait décryptée et analysée jusqu'à l'usure. Cela dit, l'angle de Sofie était remarquablement concret.

Elle voulait décrire les conséquences de ces discours au quotidien, en interrogeant des écoliers, des enseignants, des intellectuels, bref, des citoyens ordinaires qui n'avaient quasiment jamais auparavant réfléchi au fait qu'ils étaient juifs. La réaction de Mikael fut : "Bien. Vas-y." Il lui posa quelques questions, émit quelques encouragements et lui parla plus généralement de la place de la haine dans notre société, des populistes et autres extrémistes, ainsi que des crétins qui lui laissaient des messages sur sa boîte vocale. Puis, lassé de s'entendre pérorer, il lui fit l'accolade, lui dit au revoir et s'excusa – sans bien savoir pourquoi. Il rentra ensuite se changer et ressortit courir.

6

LE 16 AOÛT

ON ANNONÇA À KIRA, étendue sur son lit dans sa villa de la Roubliovka, dans l'Ouest de Moscou, que son hacker en chef, Jurij Bogdanov, voulait lui parler. Il n'avait qu'à attendre, répondit-elle. Pour enfoncer le clou, elle jeta sa brosse à cheveux sur sa femme de chambre Katia et se recouvrit la tête de sa couette. La nuit avait été cauchemardesque. Elle était hantée par les souvenirs du restaurant : le vacarme, les piétinements, la silhouette de sa sœur. Elle ne pouvait pas s'empêcher de toucher son épaule à l'endroit du choc – ce n'était pas exactement douloureux, mais elle sentait comme une présence qui lui collait à la peau.

Pourquoi n'arrivait-elle pas à en finir avec cette histoire ? Elle avait pourtant travaillé dur et atteint des sommets. Mais le passé ressurgissait inexorablement – et ne se ressemblait pas toujours. Il était protéiforme. L'enfance de Kira n'avait, certes, pas été douce, mais la jeune femme en avait aimé certains aspects, à sa manière. Cependant, eux aussi, on les lui arrachait petit à petit.

Enfant, Camilla se languissait déjà de partir. Elle aurait tant voulu quitter Lundagatan et sa vie avec sa sœur et sa mère, fuir la pauvreté et l'exclusion. Comme elle le comprit très tôt, elle méritait mieux que ça. Dans un lointain souvenir du puits de lumière du grand magasin NK, au centre de Stockholm, elle admirait une femme en fourrure et en pantalon imprimé qui riait, incroyablement belle. Elle semblait appartenir à un autre monde. Camilla se faufila plus près. Pour finir, elle se retrouva juste à côté de ses jambes. Une amie de la dame, tout aussi élégante, déposa un baiser sur sa joue et dit :

— Oh ! C'est ta fille ?

La femme se retourna, baissa les yeux et, découvrant Camilla, répondit avec un sourire :

— *I wish it were.*

Camilla comprit seulement qu'il s'agissait d'un commentaire bienveillant. En s'éloignant, elle saisit encore des bribes de phrases : "Comme elle est mignonne… Si seulement sa mère l'habillait mieux…" Elle sentit une lacération intérieure. Fixant Agneta – elle appelait déjà sa mère par son prénom – qui, un peu plus loin, contemplait les vitrines de Noël avec Lisbeth, elle comprit soudain l'abîme qui les séparait. Les belles dames rayonnaient, la vie semblait se dérouler sous leurs pieds dans le seul but de les divertir ; quant à Agneta, elle avançait courbée, blême, vêtue de frusques laides et usées. Camilla éprouva la brûlure de l'injustice. *Je suis née au mauvais endroit,* se dit-elle.

Elle avait vécu de nombreuses expériences de ce type, à la fois fière et condamnée ; fière parce qu'on la disait belle comme une petite princesse, condamnée parce qu'elle appartenait à une famille de marginaux et vivait dans l'ombre.

Elle s'était mise à voler pour s'acheter des habits et des barrettes, mais seulement de la menue monnaie, quelques billets, une vieille broche ayant appartenu à sa grand-mère, le vase russe sur l'étagère. Mais on l'avait accusée de bien pire. De plus en plus, elle avait l'impression qu'Agneta et Lisbeth se liguaient contre elle. Elle se sentait souvent étrangère à sa propre famille, telle une enfant trouvée que l'on surveillait de près. Les visites de Zala n'arrangeaient rien. Il la bousculait comme un chien qu'on écarte du chemin.

Dans ces moments-là, elle avait l'impression d'être seule au monde. Elle rêvait de s'enfuir, d'être adoptée par une autre famille, des gens qui la mériteraient. Lentement mais sûrement, une flamme se mit à briller en elle – fausse, peut-être, mais elle n'en voyait pas d'autre. Elle commença par remarquer des détails – une montre en or, un rouleau de billets dans une poche de pantalon, un ton impérieux au téléphone, bref, des signes que Zala était plus qu'une simple brute. Peu à peu, elle perçut son autorité naturelle, l'aisance et la puissance de ses gestes, le pouvoir qui émanait de lui.

Mais surtout, il commençait à la voir. Parfois, il s'arrêtait et la toisait de pied en cap avec un petit sourire – dans ces moments-là, impossible de lui résister. Autrement, il ne souriait quasiment jamais. Voilà pourquoi ces rares instants avaient tant d'impact, comme un projecteur braqué sur elle. À un moment, elle cessa d'appréhender ses visites. Elle se mit même à fantasmer que ce serait lui qui l'enlèverait et l'emmènerait dans un monde plus riche et plus beau.

Un soir où Agneta et Lisbeth étaient sorties, Camilla, alors âgée de onze ans, trouva son père en train de boire de la vodka dans la cuisine. Elle le rejoignit, il lui caressa les cheveux et lui offrit une dose diluée dans du jus de fruits. Un *Screwdriver*, lui dit-il. Puis il lui raconta que pendant son enfance dans un orphelinat de Sverdlovsk, dans les monts Oural, on le battait tous les jours. Il s'en était quand même sorti, à coups de poing. Devenu riche et puissant, il avait désormais des camarades dans le monde entier. Un vrai conte de fées… Posant l'index sur la bouche, il lui murmura que ce serait leur secret. Elle en frissonna. Puis, prenant son courage à deux mains, elle lui raconta combien Agneta et Lisbeth étaient méchantes avec elle.

— Elles sont jalouses. Les gens seront toujours jaloux de nous deux, dit Zala.

Il lui promit qu'elles seraient plus gentilles. Après cet épisode, la vie à la maison changea.

Dans leur modeste logis, Zala représentait dorénavant le vaste monde. Elle l'aimait. Elle le considérait comme son sauveur – un roc inébranlable. Rien ne l'atteignait, ni les fonctionnaires moroses en manteau gris qui passaient parfois à la maison, ni les policiers aux épaules carrées qui frappèrent un jour à leur porte. Rien ni personne, sauf elle.

En présence de Camilla, il devenait doux et attentionné. Pendant longtemps, elle ne comprit pas ce que cela lui coûterait, ni qu'elle se mentait à elle-même. Elle considérait cette époque comme l'apogée de sa vie. Enfin, quelqu'un la remarquait ! Heureuse, elle se réjouissait des visites de plus en plus fréquentes de son père, qui lui glissait des cadeaux et de l'argent. Et à ce moment précis, alors qu'il lui arrivait enfin quelque chose de grandiose, Lisbeth l'avait privée de tout. Depuis, elle vouait à sa sœur une haine indomptable. Cette rage était fondatrice, elle avait durablement et profondément structuré sa personnalité. Son désir le plus fort : rendre les coups. Briser Lisbeth. Et ce n'était pas parce que celle-ci avait provisoirement un train d'avance que Camilla allait fléchir.

À travers les rideaux, après la pluie nocturne, le soleil brillait. Elle entendit des voix lointaines et le ronronnement de tondeuses à gazon. En fermant les yeux, elle repensa aux pas qui, dans la nuit, s'approchaient de leur ancienne chambre à coucher de Lundagatan. Elle serra le poing, puis, d'un coup de pied, balança sa couette de côté et se leva.

Il fallait reprendre le dessus.

JURIJ BOGDANOV ATTENDAIT depuis déjà une heure. Enfin, il n'était pas resté inactif. Concentré, son portable sur les genoux, il avait travaillé. Il leva des yeux inquiets vers la terrasse et le grand jardin au-dehors. Il apportait de mauvaises nouvelles et ne s'attendait à rien d'autre qu'à des remontrances. Il allait certainement avoir du pain sur la planche. Néanmoins, ayant mobilisé l'intégralité de son réseau, il se sentait malgré tout motivé. Son téléphone sonna mais il renvoya l'appel. Encore ce foutu Kuznetsov. Ce crétin hystérique de Kuznetsov.

Il était 11 h 10. Dehors, les jardiniers prenaient leur pause déjeuner. Le temps passait si vite… Bogdanov regarda ses chaussures. Désormais riche, il portait des costumes sur mesure et des montres hors de prix. Mais les bas-fonds ne le quittaient jamais vraiment. Ancien toxico, il avait grandi dans la rue, et cette vie-là restait gravée en lui, dans son regard, dans ses gestes, comme un vestige inaltérable.

Grand, efflanqué, le visage anguleux, plein de cicatrices, les lèvres fines, il portait des tatouages amateurs sur les bras. Même si Kira préférait ne pas parader avec lui dans les salons, il lui demeurait précieux. Les claquements de ses hauts talons contre le marbre redonnèrent de la force à Bogdanov. D'une beauté toujours aussi divine, vêtue d'une tenue bleu clair et d'un chemisier rouge au col boutonné, elle s'assit dans le fauteuil à côté de lui.

— Alors ? Résultats ? dit-elle.

— Des ennuis.

— Allez, crache.

— La femme…

— Lisbeth Salander.

— Ce n'est pas encore confirmé, mais oui, étant donné le niveau de l'attaque, c'était sûrement elle.

— Qu'est-ce qu'elle avait de si remarquable, cette attaque ?

— Kuznetsov est complètement parano. Il vérifie régulièrement ses systèmes de fond en comble. On lui avait garanti une sécurité incraquable.

— Faux, de toute évidence.

— Oui. Nous ne savons pas encore exactement comment elle s'y est prise. Cela dit, l'opération proprement dite – une fois qu'elle a réussi à pirater le système – était assez simple. Elle s'est connectée aux haut-parleurs installés pour l'occasion et à Spotify. Ensuite, elle a envoyé une chanson de rock bien connue.

— Mais les gens devenaient complètement fous…

— Malheureusement, un égaliseur digital paramétrique était connecté au wi-fi.

— Traduction ?

— L'égaliseur règle le volume, la basse et les aigus. Salander en a pris le contrôle et a provoqué un choc sonore de la pire espèce, très angoissant. À ce volume, le son a des effets immédiats sur le cœur. Voilà pourquoi les gens se tenaient la poitrine. Ils n'ont même pas compris qu'il s'agissait d'une source sonore.

— Elle voulait foutre le bordel, c'est ça ?

— Et surtout faire passer un message. La chanson, écrite par les Pussy Strikers, s'appelle *Killing the World With Lies*.

— La bande de putains rousses ?

— Exact, répondit Bogdanov sans laisser paraître un instant qu'en fait il trouvait les Pussy Strikers assez cools.

— Continue.

— La chanson a été écrite après les premiers assassinats d'homosexuels en Tchétchénie. En fait, elle ne parle ni des tueurs ni du régime, mais de l'individu qui a orchestré la campagne de haine sur les réseaux sociaux, bref, de celui qui a inspiré les crimes.

— C'est-à-dire Kuznetsov.

— Oui, mais en réalité...

— Personne ne devrait le savoir, compléta Kira.

— Ni même être au courant qu'il dirige les bureaux de renseignement.

— Et comment Lisbeth l'a-t-elle appris ?

— C'est ce que nous cherchons à savoir. Nous essayons aussi de calmer les personnes concernées. Kuznetsov a complètement perdu la boule. Il est ivre mort et terrifié.

— Pourquoi ? Ce n'est quand même pas la première fois qu'il incite à la haine...

— Pas exactement, mais en Tchétchénie, les choses sont allées très loin. Certaines victimes ont même été enterrées vivantes.

— Ça ne regarde que lui.

— Oui, mais ce qui m'inquiète...

— Allez, crache.

— ... c'est que Kuznetsov n'est pas la principale cible de Salander. On ne peut pas exclure qu'elle connaisse notre implication dans les bureaux du renseignement. C'est sur toi qu'elle veut se venger, pas sur lui, n'est-ce pas ?

— Ça fait longtemps qu'on aurait dû la tuer.

— Il y a une chose que je ne t'ai pas encore dite.

— Quoi ?

Inutile de repousser davantage la mauvaise nouvelle, se dit Bogdanov.

— Après t'avoir bousculée, hier, elle a trébuché et perdu l'équilibre. Elle est tombée en avant – en tout cas, ça en avait tout l'air. Pour se retenir, elle s'est appuyée sur ta limousine, juste au-dessus de la roue arrière. D'abord, j'ai trouvé le mouvement naturel mais, en regardant plusieurs fois de suite les vidéos de surveillance, je me suis dit qu'il ne s'agissait peut-être pas d'une chute accidentelle, finalement. En s'appuyant sur la carrosserie, elle y a fixé quelque chose. Que voici.

Il lui montra une petite boîte rectangulaire.

— Qu'est-ce que c'est ?

— Un émetteur GPS qui t'a suivie jusqu'ici.

— Alors elle sait où j'habite ? marmonna Camilla en serrant les mâchoires.

UN GOÛT DE FER ET DE SANG se répandit brusquement dans sa bouche.

— J'en ai bien peur, dit Bogdanov.

— Crétins ! grogna-t-elle.

— Nous avons pris toutes les précautions imaginables, expliqua-t-il nerveusement. Nous avons renforcé la sécurité, surtout informatique, bien sûr.

— Tu veux dire que nous sommes sur la défensive ?

— Non, non… Pas du tout. Je te fais le bilan de nos actions, c'est tout.

— Trouve-la, nom d'un chien !

— Pas si simple, malheureusement. Nous avons visionné les enregistrements de toutes les caméras de surveillance des quartiers environnants. Elle n'apparaît nulle part, et nous n'avons détecté aucune connexion téléphonique ni informatique qui nous permette de retrouver sa trace.

— Fouillez les hôtels. Lancez un avis de recherche. Examinez le moindre indice. Ne négligez aucun détail.

— C'est ce que nous faisons. Nous l'anéantirons, j'en suis persuadé.

— Ne sous-estime pas cette sorcière !

— Ça ne me viendrait pas à l'idée. Mais je crois qu'elle a raté sa chance et que la situation s'est retournée contre elle, c'est-à-dire en notre faveur.

— Comment tu peux dire une connerie pareille alors qu'elle sait où j'habite ?

Hésitant, Bogdanov chercha ses mots.

— Tu croyais que Salander allait te tuer, c'est bien ça ?

— J'en étais convaincue. Mais manifestement, elle a manigancé quelque chose d'encore pire.

— Je crois que tu te trompes.

— Comment ça ?

— Je crois qu'elle avait vraiment l'intention de t'abattre. Je ne vois aucune autre raison de monter ce coup. Elle a fichu une peur bleue à Kuznetsov. Mais à part ça… Qu'est-ce qu'elle y a gagné ? Rien. Elle s'est rendue vulnérable, c'est tout.

— Tu veux dire…

Elle tourna la tête vers le jardin et se demanda où étaient passés ces fichus jardiniers.

— Je veux dire qu'elle n'a pas pu s'y résoudre. Elle n'en a pas eu le cran. Elle n'est pas si forte que ça, malgré tout.

— L'idée me plaît.

— Je le crois vraiment. Sinon, tout ça n'a pas de sens.

Camilla se sentit mieux.

— En plus, il y a des gens auxquels elle tient, dit-elle.

— Ses amantes.

— Et son Blomkvist. Oui, surtout Blomkvist.

7

LE 16 AOÛT

À 19 H 30, MIKAEL ÉTAIT ASSIS au restaurant Gondolen, à Slussen, où il dînait avec Dragan Armanskij, patron de la société Milton Security. Il regrettait d'avoir pris cette initiative. Après son jogging dans Årstaviken, il avait mal aux jambes et au dos et, en toute honnêteté, il s'ennuyait ferme. L'autre le bassinait avec ses histoires de développement à l'est, à l'ouest ou Dieu sait où. Et puis, de but en blanc, il avait débité cette anecdote sur un cheval entré sous le chapiteau d'une fête à Djurgården :

— Après, ces imbéciles ont même jeté le piano à queue dans la piscine.

Mikael ne voyait pas le rapport avec le cheval. Enfin, il faut dire qu'il n'écoutait pas très attentivement. À une table, un peu plus loin, il aperçut des confrères de *Dagens Nyheter*, entre autres Mia Cederlund avec laquelle il avait eu une histoire d'amour ratée. Dans un autre coin, il vit Mårten Nyström, un comédien du Théâtre dramatique royal qui n'avait pas été présenté sous son meilleur jour dans l'enquête de *Millénium* sur les abus de pouvoir dans le monde du théâtre. Aucune de ces deux personnes ne semblait particulièrement bien disposée envers Mikael, qui baissa les yeux et but son vin en pensant à Lisbeth.

Elle était leur dénominateur commun, à Dragan et à lui. Dragan était le seul employeur que Lisbeth ait jamais eu. Il ne s'était pas encore entièrement remis de son départ, ce qui, finalement, n'était pas étonnant. Lisbeth, que Dragan avait recrutée longtemps auparavant dans le cadre d'une mesure sociale, était devenue la plus brillante de ses techniciennes – et il avait sans doute été amoureux d'elle.

— Ça paraît complètement fou, dit Mikael.

— Tu m'étonnes ! Et le piano…

— Alors toi non plus, tu ne savais pas que Lisbeth allait déménager ? l'interrompit Mikael.

Dragan éprouva quelques difficultés à changer de sujet, et fut peut-être froissé que Mikael ne soit pas plus amusé par son histoire. Il s'agissait tout de même d'un piano à queue dans une piscine. De quoi rendre verte de jalousie la pire des rock stars. Il parvint néanmoins à retrouver son sérieux.

— En fait, je ne devrais pas te le dire.

Un bon début, songea Mikael en tendant l'oreille.

LISBETH, APRÈS AVOIR FAIT la sieste et pris une douche, était installée devant son ordinateur, dans sa chambre d'hôtel à Copenhague, lorsque Plague – la personne qui lui était la plus proche dans Hacker Republic – lui envoya un message crypté, une question brève, apparemment anodine, qui la dérangea tout de même.

[Ça va ?]

Enfin merde ! se dit-elle. Elle répondit :

[Je ne suis plus à Moscou.]

[Pourquoi ?]

Elle écrivit :

[Je n'ai pas eu le cran de faire ce que j'avais prévu.]

[C'était quoi ?]

Elle avait envie de sortir noyer ses soucis en ville. Elle écrivit :

[Terminer.]

[Quoi ?]

Au revoir, Plague, pensa-t-elle.
Elle écrivit :

[Rien.]

[Pourquoi tu n'as pas eu le cran de terminer ce *rien* ?]

— Occupe-toi de tes affaires, marmonna-t-elle entre ses dents.

[Parce que je me suis souvenue de quelque chose.]

[De quoi ?]

De bruits de pas, songea-t-elle. Des murmures de son père, de sa propre hésitation, de son incapacité à comprendre pleinement la situation, de la silhouette de sa sœur qui se levait de son lit et sortait de la chambre avec ce porc de Zala.

Elle répondit :

[D'horreurs.]

[Quoi comme horreurs ?]

Elle ressentit l'impulsion de jeter son ordinateur contre le mur. Elle écrivit :

[Qu'est-ce qu'on a comme contacts à Moscou ?]

[Je m'inquiète pour toi, Wasp. Laisse tomber la Russie. Pars ailleurs, très loin.]

Arrête, pensa-t-elle.

[Qu'est-ce qu'on a comme contacts à Moscou ?]

[Des bons contacts.]

[Quelqu'un qui pourrait placer un IMSI-catcher à un endroit sensible ?]

Plague ne répondit pas tout de suite.
Puis il écrivit :

[Katia Flip, par exemple.]

[C'est qui ?]

[Elle est plus ou moins folle. Elle faisait partie de Chaltaï-Boltaï.]

Ce qui signifiait qu'elle avait un prix.

[On peut lui faire confiance ?]

[Ça dépend du tarif.]

[Envoie-moi ses coordonnées.]

Elle ferma son ordinateur et se changea. Son costume noir ferait encore l'affaire, même si, la veille, la pluie l'avait froissé, qu'il y avait une tache grise sur la manche droite et qu'il était un peu avachi après avoir servi de pyjama. Tant pis. Elle n'avait pas l'intention de se maquiller. Elle se passa simplement la main dans les cheveux, puis sortit prendre l'ascenseur. Au rez-de-chaussée de l'hôtel, elle s'installa devant une bière.

Dehors s'étalait le vaste espace de Kongens Nytorv. Des nuages sombres flottaient dans le ciel, mais Lisbeth ne voyait rien de tout cela. Elle était replongée dans le souvenir de son hésitation, de son geste interrompu, boulevard Tverskoï, et dans le passé qui défilait en boucle, en arrière-plan. Elle ne remarqua strictement rien autour d'elle, jusqu'à ce qu'une voix toute proche lui pose la même question que Plague :

— *Are you okay ?*

C'était énervant, à la fin. Ça ne regardait qu'elle, merde ! Ne levant même pas les yeux, elle vit que Mikael lui avait envoyé un SMS.

DRAGAN ARMANSKIJ SE PENCHA vers Mikael et lui chuchota en confidence :

— Lisbeth m'a appelé au printemps. Elle voulait que je demande à l'association des propriétaires immobiliers si on pouvait installer des caméras de surveillance devant chez elle, à Fiskargatan. Je me suis dit que c'était une bonne idée.

— Et tu lui as arrangé le coup.

— Ça ne se fait pas en un tournemain, Mikael. Il faut des autorisations de la région, de ci et de ça. Cette fois, ça a marché. Je leur ai présenté un bilan des menaces qui pèsent sur elle et le commissaire Bublanski a écrit un rapport.

— Loué soit-il.

— On a fait un gros boulot tous les deux. Début juillet, j'envoyais deux de mes gars installer des Netgear télécommandées. Inutile de te dire qu'on a soigné le cryptage. On devait être les seuls à accéder aux enregistrements. J'ai dit à mon équipe du central de surveillance de garder un œil sur les moniteurs. J'étais inquiet, j'avais peur qu'ils s'en prennent à elle.

— Comme nous tous.

— Et l'avenir m'a donné raison plus vite que prévu. Six jours plus tard, à 1 h 30 du matin, Stene Granlund, notre opérateur de la permanence de nuit, a entendu un bruit de moto. Il était sur le point de réorienter les caméras, quand il a remarqué que ça avait déjà été fait.

— Oups…

— Eh oui. Mais Stene n'a pas eu le temps de s'attarder là-dessus. Les motards étaient deux types en blouson de cuir du club de Svavelsjö.

— Merde…

— Eh oui. L'adresse de Lisbeth avait fuité. Et d'habitude, les gars du Svavelsjö n'apportent pas le café et les croissants.

— Pas le genre de la maison, effectivement.

— Quand ils ont vu les caméras, ils ont fait demi-tour. Bien sûr, nous avons appelé la police, qui a pu identifier les deux hommes – l'un d'eux s'appelle Kovic, si je me souviens bien. Peter Kovic. Enfin, les ennuis ne faisaient que commencer. J'ai appelé Lisbeth et je lui ai dit qu'il fallait qu'on se voie illico. Elle est venue à reculons à mon bureau, attifée comme une vraie jeune fille de bonne famille.

— Tu exagères un peu, non ?

— Tout est relatif. Pas de piercings, les cheveux courts. Elle avait l'air carrément respectable. Je me suis dit : *Merde, qu'est-ce qu'elle m'a manqué, cette folle.* Je n'ai même pas eu le courage de l'engueuler. Évidemment, c'était elle qui avait piraté les caméras. Je lui ai quand même demandé de faire attention. "Ils sont à tes trousses", je lui ai dit. "J'ai toujours quelqu'un à mes trousses", elle a répondu. Là, je me suis énervé : "Il faut que tu te protèges, sinon, ils te tueront." Et là, elle m'a vraiment fait peur.

— Comment ça ?

— Elle a baissé les yeux et a dit : "Pas si j'ai un train d'avance."

— Qu'est-ce que ça signifie ?

— C'est ce que je me suis demandé. Et je me suis souvenu de cette histoire avec son père.

— Oui ?

— Cette fois-là, elle s'était défendue en attaquant. Je sentais qu'elle manigançait encore un plan de ce genre : frapper la première. Ça m'a effrayé, Mikael. Je l'ai vu dans ses yeux. Son costume de jeune fille rangée ne faisait plus aucune différence. Elle était sur le point de basculer dans la violence. Elle avait le regard noir.

— Tu exagères… Lisbeth ne prend pas de risques inconsidérés. Elle est toujours très rationnelle.

— Oui, à sa manière complètement désaxée.

Mikael repensa à ce qu'elle lui avait dit à Kvarnen : qu'elle serait le chat, pas la souris.

— Et après ?

— Rien. Pas de nouvelles depuis. Mais je m'attends à tout : que les locaux du MC Svavelsjö explosent ou que sa sœur soit retrouvée brûlée dans une carcasse de voiture à Moscou.

— Camilla est protégée par la mafia russe. Lisbeth n'est pas assez folle pour leur déclarer la guerre.

— Vraiment ?

— En tout cas, je suis sûr que jamais…

— Quoi ?

— Rien, dit Mikael en se mordant la lèvre.

Il se sentit bête et naïf.

— Il faudra attendre la fin de l'histoire pour être fixés, Mikael. Voilà ce que je me dis. Lisbeth et Camilla ne déclareront pas forfait avant qu'une d'entre elles soit morte.

— Tu y vas un peu fort.

— Tu crois ?

— Je l'espère.

Mikael but une gorgée de vin, s'excusa, sortit son téléphone et envoya un SMS à Lisbeth.

À son grand étonnement, il reçut une réponse immédiate :

[Du calme, Blomkvist. Je suis en vacances. Je ne fais pas de vagues. Ni de bêtises.]

DES VACANCES, C'ÉTAIT beaucoup dire. De toute façon, pour Lisbeth, la joie marchait main dans la main avec la douleur

– mais une douleur apaisée. Au bar de l'Hôtel d'Angleterre, où elle venait de terminer sa bière, c'est justement ce qu'elle ressentit : un soulagement, un fardeau ôté de ses épaules. Elle comprit soudain à quel point elle avait été tendue tout l'été – et que la traque de sa sœur l'avait conduite au bord de la folie. De là à dire qu'elle se décontracta, il ne fallait pas exagérer ; les souvenirs d'enfance défilaient toujours dans son esprit. Il lui sembla néanmoins qu'elle avait la vue plus dégagée. Elle éprouva même une envie, pas de quelque chose en particulier, mais comme un désir de partir loin de tout. Cela suffit, elle eut l'impression de s'être libérée d'un poids.

— *Are you okay ?*

Dans le brouhaha du bar, on lui posa encore la même question. Tournant la tête, elle se retrouva face à une jeune femme qui tentait d'attirer son attention.

— Pourquoi cette question ?

Sans doute âgée d'une trentaine d'années, la peau sombre et le regard intense, légèrement bridé, elle avait de longs cheveux noirs et bouclés et portait un jean, un chemisier bleu marine et des bottines à talons. Il émanait d'elle quelque chose d'à la fois dur et soumis. Elle avait le bras droit bandé.

— Je ne sais pas trop, répondit la jeune femme. C'est ce qu'on dit d'habitude, non ?

— Je suppose.

— Enfin, tu as quand même l'air assez larguée.

Ce n'était pas la première fois que Lisbeth entendait ce genre de remarques. Les gens l'abordaient et lui annonçaient sans complexe qu'elle avait l'air grognon, en colère ou encore larguée. Elle avait horreur de ça. Mais cette fois, sans raison apparente, elle embraya :

— Je l'ai été. Enfin, je crois.

— Et tu vas mieux ?

— Les choses ont changé.

— Je m'appelle Paulina. Moi aussi, je suis larguée.

PAULINA MÜLLER ÉTAIT convaincue que la jeune femme allait se présenter, mais rien, pas même pas un hochement de tête. Cela dit, elle ne la repoussait pas. À son arrivée, Paulina avait été intriguée par sa démarche. L'inconnue avait traversé la salle sans se soucier des regards, comme si elle se fichait complètement des apparences. Cette attitude avait quelque chose d'étrangement attirant. Paulina se dit que dans un lointain passé, elle marchait peut-être également ainsi – avant que Thomas ne la prive de tout.

Sa vie s'était graduellement détériorée, avec une telle lenteur qu'elle s'en était à peine aperçue. Elle ne mesurait l'ampleur des dégâts que depuis son emménagement à Copenhague. L'inconnue, sans le savoir, enfonçait le clou. Sa simple présence, l'indépendance sans concession qui émanait de sa personne donnaient à Paulina le sentiment d'être servile.

— Tu habites en ville ? essaya-t-elle.

— Non.

— Nous venons de nous installer ici. Avant, on habitait Munich. Mon mari a été nommé chef du département scandinave d'Angler, l'entreprise pharmaceutique, précisa Paulina sur un ton un peu trop grandiloquent.

— Ah bon.

— Ce soir, j'ai fait une fugue.

— Ah bon.

— J'étais journaliste au magazine scientifique *Geo*. Tu vois ce que c'est ? J'ai démissionné pour venir ici.

— Ah bon.

— Je couvrais surtout le domaine médical et biologique.

— Ah bon.

— J'adorais mon travail. Mais mon mari a été promu, et voilà. Depuis, j'ai fait quelques piges.

Elle continua à répondre à des questions qui ne lui avaient pas été posées, et son interlocutrice à répliquer par des "ah", des "bon" ou des "ah bon", jusqu'au moment où celle-ci lui demanda ce qu'elle buvait. Paulina déclara "N'importe quoi" et l'autre lui commanda un whisky, un Tullamore Dew avec des glaçons. Elle lui fit également un sourire, enfin, une ébauche. Elle portait une chemise blanche et un costume noir qui aurait eu besoin d'un nettoyage à sec. Pas de maquillage. Les yeux hagards – elle ne devait pas dormir beaucoup la nuit. Une force sombre et inquiétante brillait dans son regard.

Paulina fit une blague qui n'eut pas un succès retentissant. Enfin, la jeune femme se rapprocha un peu, ce qui, inopinément, plut à Paulina. Celle-ci se mit à jeter des coups d'œil anxieux à la rue, comme si la crainte de voir apparaître Thomas s'était brusquement intensifiée. L'inconnue lui proposa d'aller prendre un verre dans sa chambre.

Non, non, absolument pas, hors de question. "Mon mari n'apprécierait pas." Elles s'embrassèrent, montèrent dans la chambre et firent l'amour. Paulina n'avait jamais rien vécu d'aussi enfiévré, plein de rage et de désir. Elle parla de Thomas et de leur tragédie à la maison. L'inconnue lui parut soudain capable de tuer. Paulina se demanda si elle voulait pulvériser Thomas ou, plus généralement, le monde entier.

8

LE 20 AOÛT

LA SEMAINE SUIVANTE, Mikael ne mit pas les pieds à la rédaction. Il ne travailla pas à son reportage sur les usines à trolls. Il fit le ménage, courut et lut deux romans d'Elizabeth Strout. Il dîna avec sa sœur, Annika Giannini – surtout parce qu'elle était l'avocate de Lisbeth. Tout ce qu'Annika put lui dire, c'était que Lisbeth l'avait appelée pour lui demander des noms d'avocats allemands spécialisés en droit de la famille.

Par ailleurs, Mikael se laissa aller, tout simplement. Traînant au lit pendant des heures, il eut une conversation téléphonique avec sa vieille amie et collègue Erika Berger à propos de son divorce en cours. Paradoxalement, il en retira un sentiment de libération – ils débattaient de leurs soucis amoureux comme s'ils étaient retombés en adolescence. Enfin, pour Erika, bien sûr, le processus demeurait pénible. Le jeudi, elle l'appela encore, mais l'aborda sur un ton complètement différent : elle voulait parler boulot. Ils se disputèrent. Ayant proféré un tas de gros mots, elle le traita de vaniteux.

— Ce n'est pas de la vanité, Ricky, répliqua-t-il. Je suis épuisé. J'ai besoin de vacances.

— Tu m'avais dit que le reportage était presque terminé. Envoie-le-moi, on le retravaillera.

— C'est du réchauffé.

— Je ne te crois pas.

— Mais si. Tu as lu l'enquête du *Washington Post* ?

— Bien sûr que non.

— Ils me coiffent sur tous les points.

— Tout ne doit pas toujours être flambant neuf, Mikael. Ton point de vue est précieux. Tu ne peux pas être sans arrêt à la pointe. Ce serait cinglé de croire ça.

— Le texte n'est même pas bon ! Il sent la fatigue à plein nez. On annule.

— On n'annule rien du tout, Mikael. Enfin, d'accord… On le laisse reposer jusqu'au prochain numéro. J'arriverai quand même à rassembler de quoi faire un journal.

— Je n'en doute pas.

— Et qu'est-ce que tu vas faire de ton temps ?

— Je vais à Sandhamn.

Ils avaient eu plus sympathique, comme conversation. Après coup, bizarrement, Mikael se sentit débarrassé d'un fardeau. Il sortit une valise de son placard et se mit à la remplir, lentement, avec une certaine réticence. De temps en temps, il repensait à Lisbeth. Décidément, il n'arrêtait pas. Il finit par jurer tout haut. Impossible d'y échapper : elle avait, certes, promis de ne pas faire de bêtises, mais il s'inquiétait quand même. Et il était furieux. Furieux qu'elle soit si énigmatique et introvertie. Il aurait voulu qu'elle lui parle des menaces qui pesaient sur elle, des caméras de surveillance, de Camilla, du MC Svavelsjö.

Il se creusa la tête : n'y avait-il pas moyen de l'aider, malgré tout ? Il se remémora encore une fois leur conversation à Kvarnen, puis ses pas qui disparaissaient dans la nuit, sur Medborgarplatsen. Délaissant sa valise, il alla dans la cuisine, prit une brique de yaourt au frigo et but. Son téléphone portable sonna : numéro inconnu. Il était en vacances ; pour une fois, il pouvait se permettre de répondre, voire sur un ton aimable : *Je suis vraiment ravi que vous m'appeliez encore pour m'insulter !*

EN ENTRANT DANS SA MAISON de Trångsund, dans la banlieue de Stockholm, la médecin légiste Fredrika Nyman trouva ses deux adolescentes affalées sur le canapé du salon, scotchées à leurs téléphones. Cela l'étonna aussi peu que le fait que le lac soit toujours bien visible à travers la fenêtre. Les filles consacraient tout leur temps libre à YouTube et autres. Elle eut envie de rugir : "Rangez-moi ces machins ! Lisez un livre, jouez du piano, ne ratez pas encore votre entraînement de basket ! Ou au moins, profitez un peu du soleil !"

Elle n'en eut pas la force. La journée, pénible, s'était achevée par une discussion téléphonique avec un policier débile qui, comme tous les débiles, se prenait pour un petit génie. Il avait fait des recherches, lui avait-il dit – en fait, il avait lu un article sur Wikipédia –, et se considérait comme un spécialiste du bouddhisme. *Peut-être que le branquignol s'asseyait dans la rue en attendant l'illumination.* Quelle bêtise ! Quel manque de respect ! Elle n'avait pas daigné répondre. En s'asseyant avec ses filles sur le canapé gris, devant la télé, elle espérait que l'une d'elles lui dise bonjour. Ce ne fut pas le cas. Cela dit, quand elle demanda à Josefin ce qu'elle regardait, elle reçut tout de même une réponse :

— Un truc.

Un truc.

Cette information édifiante donna à Fredrika envie de hurler. Elle préféra aller dans la cuisine, où elle essuya l'évier et la table, puis parcourut son fil Facebook – elle aussi savait le faire. Perdue dans ses pensées, elle surfa sur le Net et, sans bien savoir comment c'était arrivé, naviqua sur un site qui proposait des voyages en Grèce.

Une idée lui traversa alors l'esprit, peut-être inspirée par une photo du site : un vieil homme au visage sillonné de rides assis à une terrasse de café au bord d'une plage. Puis elle repensa à Mikael Blomkvist. En le rappelant, elle risquait de passer pour une acharnée. Inutile de déranger encore le distingué journaliste… Il était pourtant le seul que son idée pouvait intéresser. Elle finit donc par composer son numéro.

— Bonjour ! répondit-il sur un ton joyeux. Ravi que vous m'appeliez !

C'était l'apogée de sa journée – ce qui en disait long.

— Je pensais… dit-elle.

— Vous savez, l'interrompit-il, je me suis souvenu de votre mendiant. Je l'ai bien vu. Enfin, ça devait être lui.

— Ah ?

— Tout colle : l'anorak, la tache sur la joue, les doigts amputés. Ça ne peut être que lui.

— Vous l'avez vu où ?

— À Mariatorget. C'est fou, en fait. Je l'avais oublié. Incroyable. Vous savez, il était complètement immobile, assis sur son bout de carton, à côté de la statue. J'ai dû passer devant lui au moins dix ou vingt fois.

L'enthousiasme de Blomkvist était contagieux.

— C'est une bonne nouvelle. Quelle impression avez-vous eue ?

— Eh bien… Je me le demande. Je n'ai pas dû faire très attention. Décrépit et fier – un peu tel que vous le décriviez. Dos droit, tête haute, à la manière d'un chef indien dans un western. Où trouvait-il la force de rester assis comme ça pendant des heures ? Mystère.

— Il avait l'air d'avoir pris quelque chose ? De l'alcool ? Des cachets ?

— Je ne saurais pas vous le dire. Possible. Enfin, défoncé, il n'aurait pas pu rester aussi longtemps dans cette position. Pourquoi cette question ?

— J'ai reçu les résultats des analyses toxicologiques ce matin. Il avait 2,5 milligrammes de zopiclone par gramme de sang. C'est un taux très élevé.

— De zopiclone ? C'est quoi ?

— Une substance contenue dans certains somnifères, l'Imovane, par exemple. Il avait dû avaler au moins vingt cachets mélangés à de l'alcool, et aussi une bonne quantité de dextropropoxyphène, un analgésique opioïde.

— Que dit la police ?

— Overdose ou suicide.

— Sur quoi se fondent-ils ?

Elle ricana.

— Sur le fait que c'est plus simple pour eux, je suppose. L'enquêteur auquel j'ai parlé semblait avoir pour but principal de travailler le moins possible.

— Comment s'appelle-t-il ?

— L'enquêteur ?

— Oui.

— Hans Faste.

— Misère…

— Vous le connaissez ?

MIKAEL NE CONNAISSAIT QUE TROP Hans Faste, qui, à une époque, croyait que Lisbeth appartenait à une ligue de hard-rockeuses lesbiennes satanistes et la soupçonnait, sans aucun fondement – à part une tendance tout à fait ordinaire à la misogynie et à la xénophobie –, de meurtre. Selon Bublanski, Faste était le châtiment de la police pour ses péchés.

— Je le crains, dit Mikael.

— Il a qualifié la victime de "branquignol".

— Du Faste tout craché.

— Quand il a reçu les résultats des analyses, il a tout de suite conclu que le "branquignol" aimait trop ses cachets.

— Mais vous n'en êtes pas convaincue…

— L'explication la plus plausible est l'overdose, mais au zopiclone ? Ça me laisse perplexe. On peut en abuser, c'est vrai, mais c'est plus courant avec les benzodiazépines. Quand j'ai précisé à l'inspecteur Faste que l'homme était bouddhiste, c'est parti en vrille.

— Comment ça ?

— Il m'a rappelée quelques heures plus tard. Il avait fait des recherches, et avait notamment lu l'article de Wikipédia sur le suicide, où il est écrit que les bouddhistes qui se considèrent particulièrement illuminés ont le droit de mettre fin à leurs jours. Il avait trouvé ça très drôle. Il a dit que le type devait attendre l'illumination, sous son arbre.

— Mon Dieu…

— En effet. Ça m'a rendue furieuse. Mais je n'ai pas insisté. Je ne me suis pas sentie la force de discuter avec lui. Pas aujourd'hui, en tout cas. Finalement, je suis rentrée chez moi frustrée en me disant que ça ne collait pas.

— Expliquez-moi.

— J'ai repensé à son cadavre. Jamais auparavant je n'avais examiné un individu qui avait traversé de telles épreuves. Tout chez lui, le moindre tendon, le moindre muscle, témoignait d'une lutte acharnée. Vous allez peut-être trouver que je fais de la psychologie de comptoir, mais j'ai du mal à croire qu'un tel individu baisse soudain les bras et avale une poignée de cachets. Il est possible qu'il ait été tué. En tout cas, on ne peut pas l'exclure.

Mikael tressaillit.

— Vous devez en informer la police. Il faut que d'autres enquêteurs que Hans Faste soient affectés à l'affaire.

— Je compte bien le faire. Mais d'abord, je voulais en parler à quelqu'un, comme une sorte de garantie au cas où la police ne ferait pas son travail.

— Et je vous en suis reconnaissant, dit Mikael.

Il repensa au récit de Sofie sur Catrin Lindås, à ses tailleurs sans un pli, à la tache sur sa veste et à la communauté hippie dans laquelle elle avait grandi, et envisagea de raconter l'incident à la légiste. Peut-être Catrin Lindås aurait-elle des éléments à ajouter au dossier… Il conclut cependant qu'il valait mieux, jusqu'à nouvel ordre, lui épargner une nouvelle interaction avec Hans Faste et dit :

— Et vous ne l'avez toujours pas identifié ?

— Non, aucune trace de lui dans les fichiers. Aucun individu ne portant ses signes distinctifs n'a été signalé disparu. Enfin, je m'y attendais. Ce que je viens de recevoir, par contre, c'est un séquençage ADN du Centre national de police scientifique. Enfin, ce n'est qu'un séquençage d'ADN autosomal, c'est-à-dire superficiel. Je vais aussi demander des analyses d'ADN mitochondrial et des chromosomes Y. Ça me permettra peut-être d'en savoir plus.

— Je suis sûr que beaucoup de gens se souviennent de lui.

— Comment ça ?

— Il ne passait pas inaperçu. Personnellement, j'étais trop absorbé par mon boulot cet été, je n'ai pas fait attention. Mais d'autres gens l'ont remarqué. C'est ce qu'on m'a dit, en tout cas. La police devrait interroger les riverains qui traversent souvent Mariatorget.

— Je le leur suggérerai.

Mikael se sentit loquace.

— Autre chose.

— Oui ?

— S'il a vraiment pris ces cachets, ce n'est sûrement pas un médecin qui les lui a prescrits. Il n'avait pas exactement l'air de quelqu'un qui consulterait un psychiatre, et il existe un marché noir pour ce genre de médicaments. La police a sûrement des informateurs dans le milieu.

Il y eut une ou deux secondes de silence.

— Merde ! s'exclama Fredrika Nyman.

— Pardon ?

— Quelle idiote !

— Ne dites pas ça.

— Si, vraiment. Écoutez… Je vous suis vraiment reconnaissante de vous être souvenu de lui. C'est important pour moi.

Mikael jeta un coup d'œil à sa valise à moitié pleine. Il n'avait plus envie d'aller à Sandhamn.

IL LUI DIT QUELQUE CHOSE d'aimable. De toute façon, Fredrika Nyman n'y prêta pas grande attention. Elle abrégea la conversation, écouta à peine Amanda, qui voulait savoir ce qu'elles allaient manger pour le dîner, et s'excusa peut-être même d'avoir été grincheuse. Elle marmonna en tout cas qu'elles n'avaient qu'à commander quelque chose.

— Quoi ? répliquèrent ses filles.

— Ce qui vous chante. De la pizza, de l'indien, du thaï, des chips, des bonbons à la réglisse…

Ses filles la dévisagèrent comme si elle était devenue folle, ce dont elle se fichait éperdument. S'étant enfermée dans son bureau, elle écrivit au laboratoire de chimie légale pour leur demander d'urgence une analyse segmentaire du cheveu, ce qu'elle aurait bien sûr dû faire dès le début.

Cette analyse lui indiquerait non seulement les taux de zopiclone et de dextropropoxyphène de l'homme au moment de sa mort, mais également l'évolution de ces taux pendant les semaines, voire les mois précédant son décès. En d'autres termes, elle allait découvrir si l'homme abusait de ces substances depuis longtemps ou s'il les avait ingérées peu de temps avant sa mort, ce qui pouvait constituer une pièce importante du puzzle. Cette perspective lui fit oublier ses filles, ses douleurs dorsales et ses insomnies, et même, miraculeusement, son désenchantement. Elle étudiait pourtant sans arrêt des morts suspectes. Il était rare, désormais, qu'une affaire lui tienne autant à cœur.

Mais l'homme la fascinait. Peut-être espérait-elle découvrir une vie pleine d'aventures et de drames. D'une certaine manière, son corps mutilé le méritait. Pendant plusieurs heures, elle étudia les photos du cadavre, relevant constamment de nouveaux détails. De temps à autre, elle se disait :

Qu'est-ce qui a bien pu t'arriver, mon ami ?
Quel enfer as-tu traversé ?

MIKAEL OUVRIT SON NAVIGATEUR Google et tapa "Catrin Lindås". Âgée de trente-sept ans, diplômée d'un master en sciences politiques et en économie de l'université de Stockholm, elle travaillait en tant que journaliste et chroniqueuse, tendance conservatrice. Elle écrivait dans *Svenska Dagbladet*, *Axess magasin*, *Fokus* et *Journalisten*, et son podcast avait un succès considérable.

Elle s'était déclarée en faveur de l'interdiction de la mendicité. Parmi ses sujets de prédilection : l'assistanat social et ses dangers, les insuffisances de l'école suédoise. Monarchiste, elle plaidait pour un renforcement de la défense nationale et des valeurs familiales, bien qu'elle ne semblât pas avoir elle-même fondé de famille. Elle se prétendait féministe, mais suscitait souvent le courroux des féministes établies. Sur Internet, elle était la cible de campagnes de haine issues de droite comme de gauche. Il existait sur le forum d'information *Flashback* un interminable et sinistre fil à son sujet.

"Nous devons être exigeants, disait-elle souvent. L'exigence et le sens du devoir grandissent l'être humain."

De son propre aveu, elle détestait la fumisterie, la super-stition et les convictions religieuses, même si, sur ce dernier point, elle se montrait prudente. Dans *Svenska Dagbladet*, elle avait publié un article sur le "journalisme constructif" censé dénoncer les dysfonctionnements du secteur et proposer des solutions. Elle y écrivait entre autres que "Mikael Blomkvist, tout en prétendant lutter contre le populisme, jette de l'huile sur le feu en présentant la société sous un jour sempiternel-lement morose".

Lindås trouvait inquiétant qu'il soit considéré par une géné-ration de jeunes journalistes comme un modèle. En effet, selon elle, il s'enlisait dans la logique de la victimisation à outrance et s'opposait systématiquement aux patrons du secteur privé, bref, il créait plus de problèmes qu'il n'en résolvait. *Très bien*, se dit Mikael, qui avait vu pire.

D'ailleurs, elle n'avait pas complètement tort. Seulement, avec sa rigidité et son air de pouvoir percer à jour tous ses menus péchés – qu'il n'avait pas fait sa vaisselle, ne s'était pas douché, n'avait pas remonté sa braguette ou buvait du yaourt directement à la brique –, elle l'effrayait. Elle semblait habi-tée par une froideur réprobatrice qui ne faisait qu'intensifier son implacable beauté.

Il n'arrêtait pas de penser à sa rencontre paradoxale avec le mendiant – la reine des glaces et le gueux. Finalement, il dénicha son numéro et l'appela. Pas de réponse – c'était sans doute mieux ainsi. De toute façon, il n'avait pas grand-chose à lui dire. Des interrogations sur cette histoire insignifiante, voilà tout. Il ferait mieux de partir à Sandhamn avant qu'il ne soit trop tard. Il sortit une veste et quelques chemises de son placard, au cas où, inopinément, il irait faire la nouba au Seglarhotellet. Son téléphone sonna : la voix de Catrin Lindås était aussi sévère qu'on pouvait s'y attendre.

— De quoi s'agit-il ?

Il envisagea de sortir quelques paroles aimables sur ses chroniques pour la calmer un peu mais, ne trouvant pas les mots, finit par lui demander s'il la dérangeait.

— Je suis occupée.

— Bon, alors, à plus tard.

— Oui, à condition que vous me disiez de quoi il s'agit.

J'écris des choses méchantes sur vous dans un édito, eut-il envie de lui dire.

— Sofie Melker m'a raconté que vous aviez eu une altercation désagréable avec un sans-abri en anorak, il y a une semaine ou deux.

— J'ai souvent des altercations désagréables. Ça fait partie du boulot.

Mon Dieu... se dit Mikael.

— J'aurais aimé savoir ce qu'il vous a dit.

— Des âneries.

Mikael jeta un coup d'œil sur son écran couvert de photos de Catrin.

— Vous êtes encore à votre bureau ?

— Comment ça ?

— Je pourrais passer vous voir pour en discuter, juste un petit instant ? Vous êtes bien dans Mäster Mikaels Gata, n'est-ce pas ?

La proposition lui avait échappé, Dieu sait pourquoi. Quoi qu'il en soit, s'il voulait lui soutirer des renseignements, il n'y parviendrait pas au téléphone. La ligne semblait hérissée de barbelés.

— Bon, dit-elle, vite fait. Dans une heure.

DEVANT LA CHAMBRE D'HÔTEL de Lisbeth, sur la place de la République, à Prague, un tramway passa avec fracas. Elle buvait encore trop, toujours scotchée à son ordinateur, derrière les écrans de sa cage de Faraday. Certes, elle avait vécu des moments de libération et d'oubli, mais toujours avec le concours de l'alcool et du sexe et, après coup, la rage et le sentiment d'impuissance ressurgissaient irrémédiablement.

Ce genre de folie la prenait quand le passé grondait comme une centrifugeuse dans son esprit. D'ailleurs, ce n'était pas une vie. Elle ne le supportait plus : l'attente, l'écoute crispée pour discerner un bruit de pas dans le couloir ou dans la rue, la fuite perpétuelle. Elle avait tenté de reprendre le dessus, mais ça n'avait pas été facile.

La dénommée Katia Flip, recommandée par Plague, devait être une sacrée Daredevil. Lisbeth eut néanmoins l'impression qu'elle la faisait marcher. Elle exigeait toujours plus d'argent. Personne ne s'attaquait à cette branche de la mafia, disait-elle – surtout depuis qu'Ivan Galinov était des leurs.

Elle radotait inlassablement sur Galinov, Kuznetsov et de tristement célèbres représailles. Ce ne fut qu'après d'interminables chats sur le dark web que Lisbeth parvint à la convaincre de cacher un IMSI-catcher dans un grand rhododendron, à cent mètres de la villa de Camilla, à la Roubliovka. Après un travail de fourmi, Lisbeth était arrivée à intercepter un numéro IMEI dans les communications de la villa. Mieux que rien, mais cela ne garantissait pas le succès de l'opération – ni que le passé qui grondait en elle se taise enfin. Souvent, comme à cet instant, elle restait rivée à son ordinateur, se nourrissant de saloperies, vidant le whisky et la vodka du minibar, fixant des yeux la villa de Camilla à travers un lien satellite piraté.

Plongée dans une sorte de frénésie immobile. Elle ne se levait pas pour faire un peu de sport, ni même sortir. Soudain, on frappa à sa porte. Elle fit entrer Paulina, qui se mit à jacasser. Lisbeth ne comprit rien jusqu'à ce que Paulina s'écrie :

— Qu'est-ce qui t'arrive ?

— Rien.

— Tu as l'air…

— Larguée ? compléta Lisbeth.

— Oui, c'est à peu près ça. Je peux faire quelque chose ?

Ne t'approche pas de moi. Ne viens pas me voir, se dit Lisbeth qui, néanmoins, s'allongea sur le lit, se demandant si Paulina oserait la rejoindre.

MIKAEL ET CATRIN LINDÅS se serrèrent la main. Vêtue d'une jupe, d'une veste bleu clair, d'un châle en tartan, d'un chemisier blanc au col montant boutonné et de chaussures à talons noires, elle avait la poigne ferme, mais évitait de croiser le regard de Mikael. Ses cheveux étaient noués en chignon et, même si ses habits ajustés mettaient ses formes en valeur, elle paraissait engoncée comme une enseignante de l'École anglaise de Stockholm. Apparemment seule au bureau. Sur le tableau d'affichage surplombant son espace de travail, une photo la montrait sur scène durant un débat avec Christine Lagarde, la directrice du Fonds monétaire international. On eût dit la mère et la fille.

— Impressionnant, dit Mikael en regardant la photo.

Catrin Lindås ne fit pas de commentaire, mais le pria de s'asseoir sur le canapé du coin salon, et s'installa elle-même dans un fauteuil, jambes croisées et dos droit. Il eut l'impression absurde d'être reçu en audience – de mauvaise grâce – par une reine.

— C'est gentil de m'accorder un moment.

— Il n'y a pas de quoi.

Elle le toisa, méfiante. Il eut envie de lui demander pourquoi elle ne l'aimait pas.

— Je n'écris rien sur vous, détendez-vous.

— Vous pouvez écrire tout ce que vous voulez sur moi.

— C'est noté.

Il sourit. Elle ne lui rendit pas son sourire.

— En fait, je suis en vacances, dit-il.

— Tant mieux.

— Oui, vraiment.

Il fut pris d'une irrésistible envie de la provoquer.

— Voilà pourquoi ce mendiant m'intéresse. Il a été retrouvé mort il y a quelques jours avec mon numéro de téléphone dans sa poche.

— D'accord.

Elle pourrait au moins réagir à l'annonce de son décès ! pensa-t-il.

— Il avait peut-être un sujet de reportage à me proposer. Voilà pourquoi je serais curieux de savoir ce qu'il vous a dit.

— Pas grand-chose. Il criait et gesticulait avec une branche dans la main. Il m'a fichu une peur bleue.

— Il criait quoi ?

— Les insanités habituelles.

— C'est-à-dire ?

— Que Johannes Forsell est un personnage sournois.

— C'est ce qu'il a dit ?

— En tout cas, il a crié quelque chose à propos de Forsell. Mais pour être honnête, j'essayais surtout de me libérer. Il m'avait attrapé le bras, il paraissait violent, même hors de lui, alors je m'excuse, mais je ne suis pas restée écouter poliment ses théories du complot.

— Je comprends. Vraiment, ajouta Mikael, un peu déçu.

Ces foutaises sur le ministre de la Défense, il les avait entendues jusqu'à l'usure. Forsell était l'une des cibles de prédilection des trolls. D'ailleurs, les mensonges à son sujet grossissaient tous les jours. Bientôt, on prétendrait que Forsell tenait une pizzeria pour pédophiles. L'avalanche de calomnies était sûrement due à ses prises de position intransigeantes vis-à-vis de l'extrême droite et de toutes les tendances xénophobes, ainsi qu'à ses dénonciations de la politique de plus en plus agressive de la Russie, mais peut-être également à certains traits de personnalité. Riche, éduqué, coureur de marathon, il avait traversé la Manche à la nage, et usait parfois indéniablement d'un ton un peu hautain, qui pouvait agacer.

Mais Mikael l'aimait bien. Les deux hommes échangeaient toujours quelques politesses lorsqu'ils se croisaient à Sandhamn.

Mikael avait scrupuleusement vérifié les rumeurs insistantes selon lesquelles Forsell aurait gagné une fortune grâce au krach boursier, et qu'il aurait même contribué à le provoquer. Il n'avait trouvé aucune preuve de telles allégations. La fortune de Forsell était placée sous gestion discrétionnaire, et le ministre n'avait conclu aucune affaire dans les périodes qui avaient immédiatement précédé ou suivi la crise. D'ailleurs, l'effondrement de la Bourse n'avait pas renforcé sa position, bien au contraire. Il était désormais l'homme le plus haï du gouvernement, et n'avait réussi à faire passer qu'une augmentation du budget de l'Agence des alertes et de la protection civile. Enfin, étant donné les circonstances, celle-ci n'aurait pas pu lui être refusée.

— Je ne supporte plus les mensonges et les diffamations, dit-elle.

— Moi non plus, à vrai dire.

— Dans ce cas, nous sommes au moins d'accord sur un point.

Cela agaça Mikael.

— Je comprends que ce soit difficile d'avoir une conversation apaisée avec un type qui hurle et secoue une branche, dit-il.

— Merci, j'apprécie.

— Mais parfois, même les bêtises valent la peine qu'on les écoute. Elles peuvent contenir une ou deux vérités.

— Vous allez me donner des conseils professionnels, maintenant ?

Décidément, le ton de Catrin Lindås le rendait fou. Il avait envie de lui passer un savon.

— Et vous savez quoi ? reprit-il. Ne pas être cru peut rendre fou. Complètement dingue, à vrai dire.

— Comment ça ?

— En ignorant les gens pendant toute leur vie, on finit par les briser.

— Vous voulez dire que cet homme est devenu psychotique et clochardisé parce que moi et mes semblables, nous ne l'avons pas écouté ?

— Pas exactement.

— Pourtant, ça en avait tout l'air.

— Dans ce cas, je m'excuse.

— Très bien.

— Vous non plus n'avez pas eu la vie facile, à ce que j'entends.

— Quel rapport ?

— Aucun, je suppose.

— Bon, eh bien, merci d'être passé.

— Mon Dieu, marmonna Mikael. Mais qu'est-ce que vous avez ?

— Qu'est-ce que j'ai ? répéta-t-elle en se levant.

Pendant quelques secondes, ils se regardèrent dans le blanc des yeux, tous deux furieux. Mikael eut le sentiment absurde d'être en plein duel, ou face à un adversaire dans un ring de boxe et, sans qu'il comprenne comment ni pourquoi, ils se rapprochèrent peu à peu. Soudain, il sentit son haleine, perçut une lueur ardente dans son regard, vit sa tête se pencher sur le côté et les mouvements de sa poitrine qui se soulevait. Il l'embrassa, pensant un instant qu'il commettait une bêtise irréparable. Mais elle lui rendit son baiser, puis ils se dévisagèrent, stupéfaits, tous deux abasourdis.

Elle saisit la nuque de Mikael et l'attira à nouveau. Très vite, la situation dérailla. Ils se retrouvèrent sur le canapé, puis sur le sol et, en pleine folie, Mikael comprit qu'il la désirait depuis qu'il avait contemplé ses photos sur Internet.

9

LE 24 AOÛT

AU LABORATOIRE DE MÉDECINE légale, Fredrika Nyman pensait à ses filles et se demandait pourquoi les choses avaient si mal tourné.

— Je ne comprends pas, dit-elle à son collègue Mattias Holmström.

— Quoi, Fredrika ?

— Pourquoi je suis si en colère contre Josefin et Amanda. J'ai l'impression que je vais exploser.

— Qu'est-ce qui te met dans cet état ?

— Leur arrogance. Elles ne me disent même pas bonjour.

— Mais enfin, Fredrika, ce sont des adolescentes. C'est normal. Tu ne te souviens pas comment tu étais, à leur âge ?

Si, Fredrika se souvenait. Elle était une petite fille modèle à l'école comme à la maison, douée en flûte, en volley et en chorale. Conduite irréprochable. Un vague sourire sur les lèvres, elle répondait : "Oui, maman ; bien sûr, papa", comme un joyeux petit enfant soldat. Elle devait être insupportable, à sa manière. Mais tout de même… Ne pas daigner lui répondre.

C'en était trop. Le soir, cela la mettait systématiquement de mauvaise humeur, puis elle perdait son sang-froid et commençait à hurler. La fatigue, évidemment. Elle avait besoin de sommeil, de calme. Elle aurait dû se prescrire des somnifères, pourquoi pas des narcotiques, pendant qu'elle y était. Après une adolescence aussi rangée, elle pouvait se permettre certains écarts. Ingurgiter des cocktails explosifs : somnifères, vin rouge et analgésiques, par exemple. Elle rit sous cape et s'excusa auprès de Mattias, qui lui fit un sourire si aimable qu'elle eut envie de lui hurler dessus, à lui aussi.

Puis elle repensa au mendiant – la seule affaire actuelle qui lui tenait à cœur. Feignant de participer à une enquête de police scrupuleuse, elle avait commandé en urgence une analyse au carbone 14 des dents de la victime, qui déterminerait son âge avec une marge d'erreur de deux ans, ainsi qu'une analyse au carbone 13, qui lui indiquerait ses habitudes alimentaires dans l'enfance, lorsque ses dents étaient en formation, et lui donnerait ses isotopes de strontium et d'oxygène.

Elle avait saisi les résultats du séquençage d'ADN autosomal dans la base de données *Internationalgenome.org*, et appris que l'homme venait vraisemblablement du Sud de l'Asie centrale. Ça ne l'avançait pas beaucoup. Elle attendait toujours les résultats de l'analyse segmentaire du cheveu, qui, au pire, pouvait mettre des mois. Elle avait déjà insisté auprès du laboratoire de chimie légale pour accélérer le processus. Elle décida d'appeler sa secrétaire médicale.

— Ingela, je radote, je sais.

— Ici, tu es celle qui radote le moins. Enfin, dernièrement, tu fais quand même des efforts.

— On a reçu l'analyse du cheveu ?

— De l'inconnu ?

— Oui.

— Un instant, je vais consulter le central.

Fredrika tambourinait sur sa table, les yeux braqués sur l'horloge. Il était 10 h 20 et elle avait déjà envie d'aller déjeuner.

— Tiens, tiens, dit Ingela. Ils ont accéléré la cadence. Voilà le rapport. Je te l'apporte.

— Lis-moi juste les résultats.

— Un petit instant.

Bizarrement, Fredrika bouillonnait d'impatience.

— Manifestement, il avait les cheveux longs, reprit Ingela. Nous avons trois segments entiers et ils sont… tous négatifs. Pas de traces d'opioïdes ni de benzo.

— Il ne s'agit pas d'un polytoxico, en d'autres termes.

— Non, juste d'un bon vieil alcoolo. Non, attends… Là… Il a déjà pris de l'aripiprazole. Un neuroleptique, c'est ça ?

— Exact, un traitement contre la schizophrénie.

— Eh bien, c'est tout ce que je trouve.

Après avoir raccroché, Fredrika resta immobile un moment, plongée dans ses réflexions. L'homme ne prenait donc pas de psychotropes sauf, dans un passé assez lointain, de l'aripiprazole. Qu'est-ce que cela signifiait ? Elle se mordilla la lèvre en dévisageant avec insistance Mattias, qui lui fit un sourire niais. Cela coulait de source, non ? Soit l'homme s'était brusquement – peut-être par hasard – procuré une grande quantité de somnifères et les avait avalés, soit on avait voulu le tuer en trafiquant sa bouteille. Un mélange d'alcool et de zopiclone n'aurait sans doute pas très bon goût – personnellement, elle n'en avait jamais bu –, mais l'homme ne faisait probablement pas la fine bouche. Pourquoi aurait-on voulu le tuer ? Impossible de le savoir à ce stade. Mais elle pouvait d'ores et déjà exclure le meurtre non prémédité. Il était impossible que l'acte ait été commis à la va-vite, sur un coup de tête. Il fallait une certaine imagination pour mettre des cachets dans une bouteille, puis y ajouter des opioïdes. C'est-à-dire du dextropropoxyphène.

Du dextropropoxyphène.

Un frisson lui parcourut le dos. Le cocktail était presque trop intelligent, trop parfait – comme s'il avait été concocté par un pharmacien ou un médecin. Elle se demanda que faire de ces réflexions. Appeler Hans Faste et supporter un nouveau cours magistral sur le comportement des branquignols ? Vraiment pas. Elle compléta son rapport et appela Mikael Blomkvist. Elle avait déjà commis des indiscrétions, autant continuer.

INSTALLÉE DANS LA MAISON de Mikael, à Sandhamn, Catrin Lindås tentait de concocter un éditorial pour *Svenska Dagbladet* – sans grand succès. L'inspiration lui faisait défaut, elle était lasse des dates de remise, lasse de donner son avis sur tout et n'importe quoi. En fait, elle était lasse de tout sauf de Mikael Blomkvist, ce qui était évidemment idiot. Mais plus fort qu'elle. Elle aurait dû rentrer chez elle s'occuper de son chat et de ses plantes, bref, faire preuve d'un peu d'autonomie.

Mais elle n'arrivait à rien. Impossible de décoller. De plus, bizarrement, ils ne s'étaient même pas disputés. Ils avaient fait l'amour et parlé pendant des heures. Était-ce dû à ce petit faible qu'elle avait eu pour lui cent ans auparavant, comme toutes les jeunes journalistes de l'époque ? Non, il s'agissait sans doute principalement de stupéfaction – la force inouïe de l'imprévisible. Sûre et certaine qu'il la méprisait, qu'il cherchait à la piéger, elle était devenue arrogante, sur la défensive, comme si souvent quand elle se sentait acculée. Son seul désir : qu'il quitte son bureau. Puis elle avait entrevu autre chose dans ses yeux, la voracité d'un moine affamé. Ensuite, les choses avaient déraillé. Sa conduite avait été l'opposé diamétral de ce qu'on aurait attendu d'elle. Sans même se soucier qu'ils puissent être surpris par un collègue à n'importe quel instant, elle s'était jetée sur lui avec une ardeur qui l'étonnait elle-même. Pour finir, ils étaient sortis picoler – elle qui ne buvait pourtant jamais…

Échouant à Sandhamn en bateau-taxi, au milieu de la nuit, ils avaient titubé jusque chez Mikael. Depuis, les jours passaient sans qu'ils ne fassent grand-chose : ils traînaient au lit, enlacés, se prélassaient dans le jardin ou faisaient un tour en hors-bord. Elle refusait néanmoins d'envisager la relation comme sérieuse. D'ailleurs, jusque-là, elle ne lui avait pas parlé de la seule chose impérissable de sa vie, à savoir la peur qui lui restait chevillée au corps. Elle prévoyait de rentrer chez elle le lendemain, ou le soir même. Enfin, c'est ce qu'elle s'était dit la veille et l'avant-veille. Et elle n'avait pas bougé. En ce lundi, à 11 heures du matin, le vent se leva en mer. Dans le ciel, elle vit un cerf-volant vert errer frénétiquement, puis elle entendit un bourdonnement à côté d'elle.

Mikael était sorti courir et avait laissé son téléphone. Pas question de s'en soucier. Pourtant, elle jeta un coup d'œil à l'écran, qui indiquait : *Fredrika Nyman*. Sûrement la médecin légiste dont il lui avait parlé. Catrin répondit :

— Allô ?

— J'aimerais parler à Mikael.

— Il est sorti courir. Je peux lui laisser un message ?

— Demandez-lui de me rappeler, s'il vous plaît. Dites-lui que j'ai reçu des résultats d'analyses.

— C'est à propos du mendiant à l'anorak ?

— Exact.

— Vous savez que je l'ai rencontré ?

— Vraiment ?

Catrin perçut de la curiosité dans la voix de son interlocutrice.

— Il m'a agressée.

— Excusez-moi, mais qui êtes-vous ?

— Catrin, une amie de Mikael.

— Et qu'est-ce qui s'est passé ?

— Il est venu vers moi à Mariatorget. Il criait.

— Qu'est-ce qu'il voulait ?

Catrin regretta soudain d'avoir dévoilé l'incident, car il lui rappela quelque chose d'affreux, comme une bourrasque froide venue du passé.

— Il voulait me parler de Johannes Forsell.

— Le ministre de la Défense ?

— Oui. Pour l'insulter, je suppose, comme tout le monde. Je me suis enfuie aussi vite que j'ai pu.

— Vous avez une idée de son pays d'origine ?

Catrin en avait une idée tout à fait précise.

— Aucune. Quels sont les résultats de vos analyses ?

— Il vaut mieux que j'en parle à Mikael.

— Certainement. Je lui demanderai de vous rappeler.

Lorsqu'elle raccrocha, une peur insidieuse envahit peu à peu son être. Elle se remémora le mendiant : à genoux à côté de la statue, à Mariatorget. Il avait provoqué en elle une impression de déjà-vu qui l'avait replongée dans les voyages de son enfance. Elle avait sans doute souri nerveusement, comme elle le faisait à l'époque, quand elle croisait des miséreux. L'homme avait en tout cas dû se sentir visé. Il avait bondi, attrapé une branche et, d'un pas chaloupé, s'était approché d'elle en criant : *"Famous lady ! Famous lady !"*

Elle avait d'abord été surprise qu'il la reconnaisse. À son approche, elle avait remarqué ses doigts amputés, la tache noire sur son visage, son regard désespéré, sa peau jaunâtre. Brusquement, elle s'était sentie paralysée. Lorsqu'il l'avait attrapée par la manche et s'était mis à divaguer sur Johannes Forsell, elle était sortie de sa torpeur et s'était arrachée à son emprise. "Tu ne te souviens pas ce qu'il a dit ?", lui avait demandé Mikael. "Les foutaises habituelles", avait-elle répondu – ou quelque chose du genre. Mais elle n'en était plus si sûre. Les mots lui revenaient, soudain intelligibles, et il ne s'agissait pas des injures habituelles à l'encontre de Forsell. À vrai dire, ces paroles lui murmuraient tout autre chose.

EN APPROCHANT DE CHEZ LUI, fourbu, en sueur, Mikael jeta un coup d'œil aux alentours. Personne derrière lui. *Je me fais des idées*, se dit-il encore. Ces derniers temps, il avait l'impression d'être surveillé. De plus, il croisait un peu trop souvent à son goût un barbu d'une quarantaine d'années portant une queue de cheval, les bras bardés de tatouages, habillé, certes, comme un estivant, mais un peu trop sur le qui-vive pour être réellement en vacances.

Enfin, si ça se trouvait, l'homme ne le connaissait même pas. De toute façon, Mikael préférait oublier le monde extérieur et se consacrer à son sujet préféré : Catrin. Mais de temps en temps, comme en cet instant, il éprouvait un pincement d'inquiétude qui lui rappelait automatiquement Lisbeth. Des images terrifiantes défilaient alors dans son esprit. Haletant, il leva la tête. Ciel dégagé. La chaleur était là pour rester, avait-il lu. Mais le vent allait forcir, et peut-être souffler en tempête. Toujours hors d'haleine, les mains sur les genoux, il contempla longtemps la mer et les baigneurs, debout devant sa maison, son jardin et ses deux groseilliers qui avaient besoin d'être taillés.

En entrant, il s'attendait à être reçu à bras ouverts. Catrin l'avait gâté en l'accueillant systématiquement comme un soldat revenant de guerre, même quand il ne sortait que dix minutes. Il la trouva prostrée sur le lit, raide comme un piquet. Cela l'inquiéta. Il repensa à l'homme à la queue de cheval.

— Il est arrivé quelque chose ? demanda-t-il.

— Comment ?… Non.

— Pas de visite ?

— Tu attendais quelqu'un ?

Cette réponse calma Mikael. Lui caressant les cheveux, il lui demanda comment elle allait.

Bien, répondit-elle. Il ne la crut pas. Enfin, ce n'était pas la première fois qu'il entrevoyait son côté sombre mais, en général, l'ombre disparaissait aussi vite qu'elle était apparue. Elle lui transmit le message de la légiste. Décidant de la laisser tranquille, il appela Fredrika Nyman, qui lui annonça les résultats des analyses du cheveu.

— Je vois. Et quelles conclusions vous en tirez ?

— J'ai beaucoup réfléchi et, franchement, ça m'a l'air suspect.

Mikael regarda Catrin, toujours assise, les bras croisés. Il lui sourit et elle se força à faire de même. Dehors, des oies blanches nageaient sur l'eau. Le hors-bord de Mikael oscillait sur les vagues, mal amarré.

— Qu'en dit Faste ?

— Il n'en sait encore rien. Mais je l'ai écrit dans mon rapport.

— Il faut que vous le lui disiez.

— Je le ferai. Votre amie m'a dit que le mendiant avait parlé de Johannes Forsell.

— Un véritable virus, ce ministre. Il obsède tous les cinglés du pays.

— Je n'en savais rien.

— C'est un peu comme le meurtre de Palme. À l'époque, l'événement s'était infiltré dans toutes les psychoses individuelles. Je suis submergé de théories du complot complètement idiotes en rapport avec Forsell.

— Comment ça se fait ?

Il jeta un coup d'œil à Catrin, qui se leva et disparut dans les toilettes.

— Difficile à dire. Certaines personnalités publiques incitent plus que d'autres au délire. Enfin, dans ce cas, on a sûrement fait circuler des rumeurs en guise de représailles. Forsell a été l'un des premiers à accuser la Russie d'avoir contribué à provoquer le krach boursier, et sa position vis-à-vis du Kremlin a toujours été plutôt intransigeante. Beaucoup d'éléments indiquent qu'on aurait orchestré une campagne de désinformation contre lui.

— Forsell n'est pas du genre un peu casse-cou ? Je veux dire aventurier.

— À mon avis, c'est un type plutôt bien. J'ai fait une enquête fouillée sur ses affaires. Vous ne savez toujours pas d'où venait le mendiant ?

— Je sais seulement ce que me dit l'analyse au carbone 13, c'est-à-dire qu'il a grandi dans une grande pauvreté. Enfin, je l'avais déjà deviné. Dans son enfance, il semble s'être nourri surtout de légumes et de céréales. Ses parents étaient peut-être végétariens.

Mikael jeta un coup d'œil en direction de la salle de bains.

— Tout ça semble un peu bizarre, vous ne trouvez pas ?

— Comment ça ?

— Le fait qu'il apparaisse un jour, comme sorti de nulle part, et qu'on le retrouve brusquement mort, avec des traces de cocktail mortel dans le sang.

— En effet.

Mikael eut une idée.

— Vous savez quoi ? J'ai un ami commissaire à la brigade criminelle. Il a déjà travaillé avec Faste. D'ailleurs, d'après lui, c'est le dernier des imbéciles.

— Votre ami semble intelligent.

— Il l'est. Je pourrais lui demander de jeter un coup d'œil au dossier, histoire d'accélérer le processus.

— Ce serait vraiment gentil.

— Merci de m'avoir appelé. Je vous tiens au courant.

Mikael raccrocha, ravi d'avoir une bonne raison d'appeler Bublanski. Le commissaire et lui se connaissaient depuis des lustres. Leur relation n'avait pas toujours été simple mais, ces dernières années, ils s'étaient liés d'amitié. Les conversations avec Bublanski réconfortaient Mikael, comme si le commissaire, un contemplatif de nature, lui donnait du recul sur l'existence. Mikael se sentait libéré du flux ininterrompu de l'actualité qui, bien qu'inhérent à son métier, le noyait parfois dans le sensationnalisme et l'aliénation.

La dernière fois qu'ils s'étaient vus, c'était à l'enterrement de Holger. Ils avaient parlé de Lisbeth et de son discours sur les dragons, à l'église, et s'étaient promis de se revoir bientôt – ce qui n'avait pas eu lieu, comme tant d'autres choses pendant certaines périodes. Le téléphone à la main, Mikael hésita, et frappa d'abord à la porte de la salle de bains.

— Tout va bien ?

CATRIN N'AVAIT PAS ENVIE de répondre, mais se rendit bien compte qu'il fallait donner un signe de vie. Elle marmonna donc : "Juste un petit instant", se leva des toilettes, s'aspergea le visage d'eau fraîche et tenta de camoufler la rougeur de ses yeux injectés de sang – en vain. Puis elle ouvrit la porte et alla s'asseoir sur le lit. Quand Mikael la rejoignit et lui caressa les cheveux, elle n'était pas très à l'aise.

— Tu as avancé sur ton article ? demanda-t-il.

— Vraiment pas.

— Je connais ça. Mais il y a autre chose aussi, n'est-ce pas ?

— Le mendiant… dit-elle.

— Oui ?

— Il m'a fait complètement perdre mon sang-froid.

— Oui, à ce qu'il paraît.

— Mais tu ne sais pas pourquoi.

— Je suppose que non.

Elle hésita un instant puis, les yeux rivés sur ses mains, se mit à parler.

— Quand j'avais neuf ans, mes parents m'ont dit que je n'irais plus à l'école pendant un an. Ma mère a persuadé la direction de l'établissement qu'elle et mon père pouvaient assurer mon enseignement. Je devine qu'on leur a donné un tas de documentation et de cahiers d'exercices que je n'ai jamais vus. Nous avons pris l'avion pour Goa, en Inde. Au début, c'était plutôt sympa. On dormait sur la plage, dans des hamacs, je passais mes journées à courir avec les autres enfants, j'ai appris à tailler et à assembler des bijoux, on jouait au foot et au volley. Le soir, on dansait, on allumait des feux de joie. Mon père jouait de la guitare et ma mère chantait. Pendant un temps, on a tenu un café à Arambol. Je faisais le service, je préparais une soupe aux lentilles et au lait de coco qu'on appelait *Catrin's soup*. Et puis, petit à petit, ça a dégénéré. Les gens arrivaient nus, certains complètement défoncés. Beaucoup avaient des piqûres d'aiguille sur les bras. On me tripotait ou on me faisait des blagues tordues pour m'effrayer.

— Quelle horreur…

— Une nuit, je me suis réveillée et j'ai vu les yeux de ma mère luire dans la pénombre. Elle venait de se shooter. Mon père, un peu plus loin, se balançait en répétant "Oh là là" d'une voix somnolente. C'est à cette époque que les vrais problèmes ont commencé. Mon père faisait des soi-disant "délires". Je demandais : "Qu'est-ce qu'il a, papa ? – Il délire, c'est tout", disait ma mère. Peu après, on a déménagé, comme si on pouvait fuir les prétendus "délires". Je m'en souviens, on a marché en tirant une charrette pendant des jours et des semaines. Elle avait de vieilles roues en bois toutes pourries. On l'avait chargée de châles, d'habits et de camelote que ma mère essayait de vendre. Ensuite, nos affaires ont disparu. Un jour, en tout cas, il n'y avait plus rien ou presque. À partir de ce moment-là, on a voyagé en train et en stop. On a finalement échoué à Bénarès et, ensuite, à Katmandou. On habitait Freak Street, la rue des hippies. Et j'ai compris que tout l'argent de notre affaire était passé dans des substances. Mes parents ne prenaient pas seulement de l'héroïne, ils en vendaient aussi. Les gens venaient nous supplier : *"Please, please"*. Parfois, des hommes vêtus de haillons nous prenaient en chasse dans la rue. Il leur manquait des doigts, ou même un bras, une jambe. Ils avaient la peau jaune et des taches sur le visage. De temps en temps, je les revois en rêve.

— Et le mendiant te les a rappelés.

— Tout m'est revenu.

— Désolé.

— C'est comme ça. Ça fait longtemps que je vis avec.

— Je ne sais pas si ça aide, mais le mendiant n'était pas drogué. Il ne prenait même pas de cachets.

— Mais il leur ressemblait. Il était aussi désespéré.

— La légiste croit qu'on l'a tué, reprit Mikael sur un ton détaché.

Il avait l'esprit ailleurs, déjà loin du récit de Catrin. Blessée, ou simplement lasse d'elle-même, elle lui dit avoir besoin de prendre l'air. Mikael tenta sans grande conviction de la retenir.

En se retournant pour jeter un coup d'œil à travers la porte ouverte, elle le vit au téléphone. *Inutile de tout lui raconter*, se dit-elle. De toute façon, elle pouvait très bien faire des vérifications par ses propres moyens.

10

LES 24 ET 25 AOÛT

JAN BUBLANSKI ÉTAIT un éternel sceptique. En cet instant, il n'était pas convaincu de mériter un déjeuner. Peut-être valait-il mieux aller chercher un sandwich au distributeur, dans le couloir, ou continuer à travailler. Un sandwich, vraiment ? Non : une salade, ou rien. Il avait pris du poids pendant ses vacances à Tel-Aviv avec sa fiancée Farah Sharif, et perdu quelques cheveux de plus. Enfin, ainsi va la vie. Inutile de s'éterniser là-dessus. Il décida donc de se concentrer sur les affaires en cours et se plongea dans la lecture d'un compte rendu d'interrogatoire – mal écrit – et d'une enquête de la police scientifique de Huddinge – mal faite. Voilà pourquoi il pensait sans doute à autre chose quand Mikael Blomkvist l'appela, et qu'il répondit en toute franchise, du moins le crut-il :

— Mikael ! C'est bizarre, je pensais justement à toi.

Peut-être songeait-il plutôt à Lisbeth Salander. Bref, de toute façon, ce n'était qu'un vague sentiment.

— Comment vas-tu ? poursuivit-il.

— Bien, enfin, ça peut aller.

— C'est gentil de prendre des précautions oratoires. J'ai de plus en plus de mal à supporter ces gens qui vont bien sans aucune complication. Tu as pris des vacances ?

— C'est ce que j'essaie de faire.

— Sans grand succès, si tu m'appelles. C'est à propos de ta petite fiancée, je suppose ?

— Elle n'a jamais été ma petite fiancée, dit Mikael.

— Je sais, je sais. Le moins qu'on puisse dire, c'est qu'elle n'est la petite fiancée de personne. Elle me rappelle un certain ange déchu, pas toi ? Ni Dieu ni maître.

— Je ne comprends pas que tu sois policier, Jan.

— Mon rabbin m'encourage à prendre ma retraite. Franchement, tu as de ses nouvelles ?

— D'après ce qu'elle me dit, elle ne fait pas de vagues ni de bêtises. Pour l'instant, j'aurais tendance à la croire. Malgré tout.

— J'en suis ravi. Je n'aime pas les niveaux d'alerte élevés. Je n'aime pas voir le club de Svavelsjö fureter autour d'elle.

— Moi non plus.

— Nous lui avons proposé une protection policière, comme tu le sais sûrement.

— C'est ce que j'ai cru comprendre.

— Est-ce que tu sais aussi qu'elle a refusé et qu'on ne peut plus la joindre ?

— Oui, heu…

— Mais ?

— Mais rien. Ma seule consolation, c'est que personne n'en sait plus qu'elle en matière de planque.

— Tu veux dire en matière de pare-feux et ce genre de choses ?

— Personne ne la trouvera en passant par une station de base ou une adresse IP, en tout cas.

— C'est toujours ça de gagné. On n'a plus qu'à attendre.

— En effet. En fait, je voudrais te demander un service qui n'a rien à voir.

— Je t'écoute.

— Hans Faste a été chargé d'une affaire qui semble le laisser complètement indifférent.

— Il vaut mieux ça que le contraire.

— Hum… Peut-être. Il s'agit d'un mendiant dont la médecin légiste Fredrika Nyberg pense qu'il peut avoir été tué.

Après le compte rendu détaillé de Mikael, Bublanski alla au distributeur s'acheter deux sandwiches sous cellophane et une barre chocolatée. Puis il appela sa collègue, l'inspectrice Sonja Modig.

CATRIN ENFILA UN GANT de jardinage qui traînait dans l'herbe et se mit à arracher les orties sous les groseilliers de Mikael. En levant les yeux, elle aperçut un homme vêtu d'un blouson de jean, les cheveux en queue de cheval. Son dos carré un peu menaçant disparut au loin, le long du rivage. N'y pensant plus, elle laissa son esprit agité errer au hasard.

Certes, le mendiant de Mariatorget ne ressemblait pas en tout point aux camés de Freak Street, mais elle était convaincue qu'il venait de là-bas, et qu'il avait consulté le même genre de médecins peu scrupuleux. Elle se remémora ses doigts amputés, sa démarche singulière, comme si la plante de ses pieds manquait d'adhérence, sa poigne de fer et ses paroles : *"I know something horrible about Johannes Forsell."*

Sur le moment, elle s'était attendue au même flot d'insanités qu'elle recevait quotidiennement dans sa boîte mail – en plus des insultes haineuses qui lui étaient personnellement adressées. Elle était restée paralysée, de peur qu'il ne devienne violent. Mais justement, il lui avait alors lâché le bras et avait dit sur un ton triste : *"Me took him. And I left Mamsabiv, terrible, terrible."*

Mamsabiv ? Quelque chose du genre, en tout cas, un mot long avec des accents toniques sur la première et la dernière syllabe. Alors qu'elle s'éloignait précipitamment, ces mots résonnaient encore dans son esprit. Puis, dans Swedenborgsgatan, elle était tombée sur Sofie Melker. Elle avait dû refouler ces paroles énigmatiques, car elle n'y avait repensé qu'après sa conversation avec la médecin légiste, chez Mikael. Que pouvaient-elles bien signifier ? Peut-être cela valait-il la peine de creuser un peu.

Elle retira le gant de jardinage et fit des recherches sur le mot "Mamsabiv" et ses variantes, mais n'obtint aucun résultat sensé dans aucune langue. Google lui demandait si elle voulait dire "Mats Sabin". Peut-être, après tout, s'agissait-il de "Matssabin", prononcé d'un seul souffle. Cela lui sembla un peu moins improbable lorsqu'elle découvrit que Mats Sabin avait été commandant de l'artillerie côtière, puis historien militaire à la Haute École de la défense, et aurait très bien pu être en relation avec l'ancien officier de renseignement et expert de la Russie Johannes Forsell.

Au petit bonheur la chance, Catrin tapa leurs deux noms à la suite et apprit non seulement qu'ils s'étaient rencontrés, mais qu'il y avait eu entre eux de l'hostilité ou, du moins, un profond désaccord. Elle fut sur le point d'aller raconter ses trouvailles à Mikael. Et puis non, c'était trop tiré par les cheveux. Elle remit le gant, désherba encore, puis cassa des branches en contemplant parfois le rivage, agitée par des pensées contradictoires.

TOUJOURS À PRAGUE, assise à son bureau, derrière sa fenêtre de l'hôtel Kings Court, Lisbeth fixait à nouveau la villa de Camilla dans la banlieue chic de la Roubliovka, à l'ouest de Moscou. C'était devenu plus qu'une simple obsession, plus qu'un travail de mémoire. La villa lui évoquait désormais une forteresse ou un quartier général. Les visiteurs allaient et venaient constamment, y compris de gros bonnets comme Kuznetsov. Tous étaient fouillés à l'entrée. De jour en jour, le nombre de vigiles augmentait. On devait vérifier à intervalle régulier qu'il n'y avait pas eu de brèche dans la sécurité informatique.

Grâce à la station de base que Katia Flip avait placée à l'endroit convenu, puis retirée quelques jours plus tard, Lisbeth pouvait suivre pas à pas les mouvements de Camilla sur son téléphone portable. Par contre, elle n'avait pas encore réussi à pirater son système d'exploitation et devait donc se contenter de suppositions sur ce qui se tramait à l'intérieur de la maison. Une chose était sûre, l'activité avait augmenté.

La villa entière semblait palpiter, bouillonner d'une énergie nerveuse, comme avant une opération majeure. La veille,

Camilla avait été conduite à l'Aquarium, comme on l'appelait, c'est-à-dire le siège du GRU à Khodynka, dans les environs de Moscou. C'était mauvais signe. Camilla semblait s'assurer de tous les soutiens possibles.

Jusque-là, cependant, elle ne paraissait pas avoir localisé Lisbeth, ce qui donnait à cette dernière un certain sentiment de sécurité, malgré tout. Tant que Camilla était dans sa villa de la Roubliovka, Paulina et Lisbeth ne couraient vraisemblablement aucun danger. Cela dit, rien n'était sûr à cent pour cent.

Lisbeth ferma l'image satellite et consulta les faits et gestes de Thomas, le mari de Paulina. Rien à signaler. Il la fixait toujours sans le savoir à travers sa webcam, avec sa sempiternelle moue indignée.

Lisbeth n'était pas particulièrement loquace, ces derniers temps. Le soir, en revanche, elle passait des heures à écouter Paulina. Elle en savait désormais long sur sa vie et, surtout, elle connaissait l'incident du fer à repasser. Lorsqu'ils habitaient encore en Allemagne, Thomas qui, à ce moment précis se mouchait devant sa webcam, donnait ses chemises à nettoyer au pressing. Arrivé à Copenhague, il avait exigé que Paulina les repasse – "pour qu'elle ne s'ennuie pas trop du matin au soir". Un jour, cependant, délaissant le fer à repasser et négligeant la vaisselle, Paulina s'était promenée dans l'appartement vêtue d'une culotte et d'une chemise non repassée de Thomas, en buvant du whisky et du vin rouge.

La veille, elle s'était pris une raclée. Elle avait la lèvre fendue. Le but de l'opération était de se soûler suffisamment pour avoir le courage de rompre ou de pousser son mari à bout. D'ailleurs, elle déraillait de plus en plus souvent. Ainsi, par inadvertance, elle brisa un vase, puis des verres, puis des assiettes. Enfin, ce n'était plus vraiment par inadvertance. Puis, elle renversa du vin rouge sur la chemise de Thomas et du whisky sur les draps et le tapis. Elle finit par s'endormir, ivre et rebelle, croyant qu'elle allait enfin trouver la force de l'envoyer paître.

Elle fut réveillée par Thomas qui, lui ayant coincé les bras sous ses genoux, la frappait au visage. Il la traîna jusqu'à la table à repasser, où il étendit lui-même sa chemise. Paulina ne se souvenait plus de ce qui s'était produit après, disait-elle, à part l'odeur de peau brûlée, une douleur indescriptible et ses propres pas précipités vers la porte. Lisbeth y repensait de temps en temps. Parfois, lorsqu'elle fixait Thomas, le visage de ce dernier se confondait avec celui de son père.

Et puis, quand elle était fatiguée, tout se mêlait : Camilla, Thomas, l'enfance, Zala… Le passé la tenait en étau et se resserrait autour de son front comme une ceinture. Il lui arrivait d'en avoir le souffle coupé. Dehors, de la musique résonnait, on accordait une guitare. Elle s'étira et regarda par la fenêtre. Sur la place encombrée, une foule continue entrait et sortait du centre commercial Palladium. Sur une grande scène blanche, à droite, on préparait un concert. Peut-être était-ce encore samedi, ou un quelconque jour férié. Peu importait. Mais que fabriquait Paulina ? Faisait-elle une de ses promenades intemporelles en ville ? Dans l'espoir de se changer les idées, Lisbeth consulta sa boîte mail.

Aucun message de Hacker Republic. Pas de réponse aux questions qu'elle avait posées pendant la journée. En revanche, Mikael lui avait envoyé des documents cryptés, ce qui, malgré tout, la fit sourire un peu. *Ça y est ? Tu as enfin trouvé la force de relire ton article ?* pensa-t-elle. Mais non, les fichiers n'avaient aucun rapport avec Kuznetsov et ses usines. C'était plutôt… Quoi, au fait ?

Un tas de chiffres et de lettres, des XY, 11, 12, 13 et 19 en rangées interminables. Un séquençage d'ADN, tout bêtement – mais de qui et pourquoi ? En parcourant rapidement le document, puis un rapport d'autopsie, également en pièce jointe, elle comprit qu'il s'agissait d'un homme qui, d'après une analyse au carbone 14, avait entre cinquante-quatre et cinquante-cinq ans. Il venait du Sud de l'Asie centrale. Il avait des doigts et des orteils amputés, et vivait au moment de sa mort dans un état de décrépitude et d'alcoolisme avancé. Son décès avait été provoqué par une intoxication au zopiclone et au dextropropoxyphène.

Mikael écrivait :

[Si tu es vraiment en vacances et que tu ne fais pas de bêtises, tu peux peut-être essayer d'identifier cet homme. La police n'a aucun nom, rien. Une médecin légiste pleine de zèle du nom de Fredrika Nyman pense qu'il a pu être assassiné.
On l'a trouvé contre un arbre à Tantolunden le 15 août. Je te joins une analyse d'ADN – autosomal – et deux, trois autres trucs : les résultats d'une analyse au carbone 13 et d'un examen du cheveu, une photo, une note écrite par l'homme.
(Oui, c'est mon numéro.)
M]

— Ben merde alors ! Il ne manquerait plus que ça, marmonna-t-elle. Il faut que je sorte, que je retrouve Paulina, que je me soûle à nouveau, bref, je n'ai pas le temps de me taper des analyses ADN ni de discuter avec des médecins légistes.

Mais cette fois-ci non plus, elle ne parvint pas à sortir car, peu après, les pas de Paulina retentirent dans le couloir. Lisbeth sortit deux petites bouteilles de champagne du minibar et écarta les bras, dans une vaillante tentative de ne pas avoir l'air complètement larguée.

C'ÉTAIT ÉVIDEMMENT une pensée idiote, mais depuis que Catrin avait dit qu'elle devait rentrer s'occuper de son chat et de ses plantes, il se sentait seul et morose – passer après des plantes, quel honneur ! Il lui avait dit au revoir au port et, de retour chez lui, avait rappelé Fredrika Nyman.

Il lui raconta qu'il connaissait une généticienne renommée et qu'elle pourrait peut-être tirer quelque chose de plus du séquençage. Bien sûr, Fredrika lui demanda de qui il s'agissait et quelle était sa spécialité. Il lui fit une réponse aussi vague que possible : c'était quelqu'un de très doué, une professeure à Londres, spécialisée dans la recherche d'origines géographiques. N'importe quoi. Enfin, Lisbeth avait réellement un don extraordinaire pour analyser les séquençages ADN. Elle avait d'ailleurs essayé de comprendre pourquoi sa famille était génétiquement extrême. Il n'y avait pas que le père, Zala, avec son intelligence aiguë et sa perversité intrinsèque, mais aussi le demi-frère Ronald Niedermann, d'une force physique incroyable et, de plus, complètement insensible à la douleur. Et puis Lisbeth, avec sa mémoire photographique. Bref, une série d'individus aux facultés exceptionnelles. Mikael n'avait aucune idée de ce que Lisbeth avait fini par trouver. Quoi qu'il en soit, en un rien de temps, elle avait appris la méthode scientifique adéquate. Après avoir insisté lourdement auprès de Fredrika Nyman, il obtint les documents.

Il les envoya à Lisbeth sans trop y croire – sans doute une excuse pour reprendre contact. On verrait bien. Il regarda la mer. Le vent soufflait de plus en plus fort. Les derniers baigneurs ramassaient leurs affaires. Il se perdit dans ses pensées.

Catrin… Qu'est-ce qui lui avait pris ? En quelques jours seulement, ils étaient devenus si proches qu'il avait cru… Eh bien, quoi, au juste ? Que ce serait eux deux ? Sottises. Ils étaient comme le jour et la nuit. Il ferait mieux de l'oublier, de contacter Erika et de tenter de compenser l'annulation de son article et les soucis pour clore l'édition. Il sortit son téléphone et appela… Catrin. Acte manqué. La conversation reprit à peu près là où elle s'était arrêtée, raide, tâtonnante. Puis Catrin dit :

— Pardon.

— Pour quoi ?

— D'avoir déguerpi.

— Aucune plante ne mourra par ma faute.

Elle eut un rire triste.

— Et maintenant, qu'est-ce que tu vas faire ? reprit-il.

— Je ne sais pas trop. M'asseoir devant mon écran sans pouvoir écrire.

— Pas marrant.

— Non.

— Tu avais besoin de prendre l'air, c'est ça ?

— Oui, je crois.

— Je t'ai vue désherber par la fenêtre.

— Ah bon ?

— Tu avais l'air soucieuse.

— Possible.

— Il est arrivé quelque chose ?

— Pas vraiment.

— Mais…

— Je pensais au mendiant.

— Et qu'est-ce que tu pensais à son sujet ?

— Que je ne t'avais pas raconté ses divagations à propos de Forsell.

— Tu as dit "les trucs habituels".

— Ils ne le sont pas tant que ça.

— Pourquoi tu me l'avoues maintenant ?

— Parce que ma conversation avec la légiste a ravivé ma mémoire.

— Et il a dit quoi ?

— Quelque chose du genre : *"Me took Forsell. Il left Mamsabiv, terrible, terrible."* Enfin, plus ou moins.

— Bizarre.

— Oui.

— Comment tu l'interprètes ?

— Je n'en sais rien. Mais en tapant "Mamsabiv", "Mansabin" et d'autres variantes, je suis tombée sur "Mats Sabin". C'est ce que j'ai trouvé de plus pertinent.

— L'historien militaire ?

— Tu le connais ?

— Dans mon enfance, j'étais le genre de garçon à lire absolument tout sur la Seconde Guerre mondiale.

— Est-ce que tu savais que Sabin était mort au cours d'une randonnée en montagne à Abisko, il y a quatre ans ? Il a succombé au froid au bord d'un lac. On pense qu'il a été victime d'une hémorragie cérébrale et n'a pas pu s'abriter.

— Non, je l'ignorais.

— Le rapport avec Forsell n'est pas évident…

— Mais…

— Mais je n'ai pas pu m'empêcher de taper leurs deux noms ensemble. Eh bien, il y a eu une polémique entre eux dans les médias.

— À quel propos ?

— La Russie.

— Plus précisément ?

— Après avoir pris sa retraite, Mats Sabin a changé de camp. Il est passé de faucon à prorusse. Dans plusieurs articles, entre autres dans *Expressen*, il accuse la Suède de paranoïa et de russophobie, et préconise une plus grande tolérance envers la politique du Kremlin. Forsell a répliqué. D'après lui, les termes de Sabin ressemblaient fort à de la propagande russe. Il insinuait que Sabin était un laquais. Le débat s'est envenimé. Il y a eu des rumeurs de procès en diffamation, puis Forsell a fait marche arrière et s'est excusé.

— Et le mendiant, que vient-il faire là-dedans ?

— Aucune idée. Sauf si…

— Quoi ?

— Il a dit *"I left Mansabin"* ou quelque chose du genre, ce qui pourrait avoir un rapport, du moins en théorie. Mats Sabin est mort seul et abandonné de tous.

— Tu tiens une piste.

— Aucun doute.

— Sans blague.

Silence. Mikael contemplait la mer.

— Et si tu reprenais le bateau jusqu'ici ? On pourrait démêler tout ça, parler du sens de la vie et ainsi de suite.

— Une autre fois, Mikael. Une autre fois.

Il aurait voulu la convaincre, la supplier mais, par crainte du ridicule, il lui souhaita simplement bonne soirée et raccrocha. Puis il alla chercher une bière au frigo et se demanda ce qu'il allait bien pouvoir faire. Le plus raisonnable serait d'oublier Catrin et le mendiant, car de telles réflexions ne le mèneraient nulle part, croyait-il. Mieux valait se remettre au travail sur les usines à trolls et le krach boursier, ou carrément prendre de vraies vacances.

Enfin, on n'apprend pas à un vieux singe à faire la grimace. Mikael avait du mal à lâcher prise et, après avoir fait la vaisselle et rangé la kitchenette, puis admiré le paysage à travers la fenêtre, il fit une recherche sur Mats Sabin et se plongea dans la lecture d'une nécrologie extensive dans le journal régional *Norrländska Socialdemokraten*.

Après son enfance à Luleå, Mats Sabin était devenu officier, puis commandant de l'artillerie côtière – il avait participé à la lutte anti-sous-marine des années 1980. Parallèlement, il avait fait des études d'histoire et, pendant un temps, quitté l'armée pour soutenir à Uppsala une thèse sur l'invasion hitlérienne de l'Union soviétique. Il avait fini par enseigner à la Haute École de la défense, et publier – Mikael était bien placé pour le savoir – des ouvrages de vulgarisation sur la Seconde Guerre mondiale. Longtemps convaincu que ce qu'il avait chassé dans la mer Baltique était bien des sous-marins russes, il préconisa une adhésion suédoise à l'ONU. Cependant, à la fin de sa vie, il devint brusquement russophile, défendit les interventions en Ukraine et en Crimée, et félicita la Russie pour son engagement en faveur de la paix en Syrie.

Rien ne permettait d'expliquer pourquoi il avait ainsi retourné sa veste, hormis, peut-être, ses propres paroles : "Les opinions sont faites pour changer ; on devient plus vieux et plus sage." Mats Sabin avait la réputation d'être un bon coureur de cross ; il faisait également de la plongée. Il était mort à l'âge de soixante-sept ans. Veuf depuis peu, il parcourait le circuit de randonnée bien connu entre Abisko et Nikkaluokta. Il était "en bonne condition physique", lisait-on ; on était début mai et la météo s'annonçait clémente. Pourtant, le soir du 3 mai, il avait gelé. On avait enregistré des températures de moins huit degrés. Sabin, sans doute victime d'une hémorragie cérébrale, n'était jamais parvenu jusqu'à aucun des refuges qui parsèment le chemin et s'était effondré non loin de la rivière Abiskojåkka. Il avait été retrouvé mort le matin du 4 mai par un groupe de randonneurs de Sundbyberg. Pas de circonstances suspectes, aucune trace de violence.

Mikael tenta de localiser Johannes Forsell – également amateur de sports de plein air – à ce moment-là. Impossible de dénicher une quelconque information à ce sujet sur Internet. C'était en mai 2016, presque un an et demi avant que Forsell ne devienne ministre de la Défense, et ses déplacements n'étaient pas couverts par la presse locale d'Östersund. Mikael constata en passant qu'il avait fait des investissements dans la région. Quoi qu'il en soit, on ne pouvait pas exclure qu'il ait été à Abisko ce jour-là.

La piste lui sembla trop spéculative pour passer à la vitesse supérieure, et il alla fouiner dans la bibliothèque de sa chambre à coucher : surtout des polars, qu'il avait presque tous lus. Il appela Pernilla, sa fille, puis Erika. Pas de réponse. Au lieu de continuer à tourner en rond, il sortit dîner au Seglarhotell, sur le port. Il rentra tard avec le sentiment d'être complètement lessivé.

PAULINA DORMAIT. Lisbeth fixait le plafond. Comme d'habitude. Parfois, elles restaient toutes les deux éveillées. Aucune n'avait le sommeil facile. Aucune n'allait bien. Mais ce soir, elles s'étaient réconfortées à l'aide de champagne, de bière et de quelques orgasmes, après quoi elles s'étaient endormies comme des souches. Enfin, cela n'avait pas servi à grand-chose car, un peu plus tard, Lisbeth s'était réveillée en sursaut. Les souvenirs de Lundagatan et les questionnements de l'enfance l'avaient traversée comme un vent glacial. Qu'est-ce qui clochait, chez eux ?

Bien avant que ses aptitudes scientifiques ne s'affirment, elle pensait déjà qu'il devait y avoir un défaut génétique dans sa famille. Enfin, elle avait simplement constaté que de nombreuses personnes qui lui étaient apparentées faisaient preuve, tout comme elle, de facultés extrêmes ou d'une perversité exacerbée. Un an plus tôt, elle avait décidé d'aller au bout de l'hypothèse et, à l'aide d'une série de piratages, s'était procuré la formule du chromosome Y de Zalachenko dans les fichiers du laboratoire de génétique légale de Linköping.

Elle avait passé de longues nuits à apprendre les méthodes d'analyse de ces données, lisant tout ce qui lui tombait sous la main sur les haplogroupes. Dans toutes les lignées, il se produit des mutations mineures qui donnent lieu à de nouvelles branches génétiques. Le modèle des haplogroupes permet de définir à quelle branche génétique de l'humanité appartient un individu donné. Lisbeth soupçonnait que le groupe de son père était extrêmement rare. D'ailleurs, quand elle avait remonté le temps, ce doute s'était confirmé. Partout dans son arbre généalogique, elle trouvait une surreprésentation de surdoués et de psychopathes. Cela dit, cette certitude ne la rendit ni plus heureuse, ni plus lucide.

Ses recherches lui avaient néanmoins permis de maîtriser les techniques d'analyse de l'ADN. Il était plus de 2 heures du matin. Elle frémit en regardant fixement le détecteur de fumée au plafond. Il clignotait comme un mauvais œil rouge. Elle se demanda si elle ne ferait pas aussi bien de se plonger dans les documents de Mikael. Au moins, ça lui changerait les idées.

Elle se leva tout doucement et ouvrit les fichiers. "Voyons voir…, marmonna-t-elle. Qu'est-ce que c'est que ça ?" Une analyse préliminaire d'ADN autosomal contenant des marqueurs STR *(Short Tandem Repeats)*. Elle cliqua sur son *BAM Viewer* du Broad Institute, qui allait l'aider à analyser les marqueurs. Distraite, elle faisait parfois une pause pour scruter les images satellites de la villa de Camilla. Mais les documents la fascinaient de plus en plus. Elle constata entre autres que l'homme n'avait aucun lien de parenté avec une quelconque population nordique.

Il venait de loin. En relisant le rapport d'autopsie, particulièrement l'analyse au carbone 13 et les descriptions des lésions et des amputations, une idée étonnante lui traversa l'esprit. Elle resta un moment immobile, penchée en avant, la main posée sur sa cicatrice à l'épaule, là où elle avait été touchée par une balle.

Maugréant pour elle-même, elle se lança dans une série de recherches. Était-ce possible ? Elle avait du mal à le croire.

Elle envisagea de pirater le serveur de la légiste, mais opta pour une méthode moins conventionnelle : une demande en bonne et due forme. Elle lui écrivit donc un mail. Puis elle sortit les dernières boissons du minibar, un coca et une mignonnette de cognac, et attendit. Le jour se leva. Peut-être somnola-t-elle brièvement dans son fauteuil. Quoi qu'il en soit, à l'instant où Paulina ouvrit les yeux, un bruit retentit dans le couloir et Lisbeth reçut un signal sur son téléphone. Elle se connecta aux images satellites, qu'elle regarda d'abord d'un œil fatigué. Brusquement, elle sursauta.

Sur son écran, elle vit sa sœur quitter la villa en compagnie de trois hommes, dont l'un était remarquablement grand, et monter dans une limousine. Lisbeth les suivit jusqu'à l'aéroport international de Domodedovo, dans les environs de Moscou.

11

LE 25 AOÛT

FREDRIKA NYMAN N'ARRÊTAIT PAS de se retourner dans son lit. Elle finit par jeter un coup d'œil au réveil sur sa table de chevet, espérant qu'il serait au moins 5 h 30. 4 h 20. Elle jura tout haut. Seulement cinq heures de sommeil. Inutile d'essayer de se rendormir. Elle savait – avec la lucidité de l'insomniaque – que cela ne marcherait pas. Voilà pourquoi elle se leva et se fit du thé vert à la cuisine. Les journaux du matin n'étaient pas encore arrivés. Elle s'assit, posa son téléphone sur la table et écouta les oiseaux chanter. La ville lui manquait. La présence d'un homme aussi. Enfin, la présence de n'importe qui d'autre qu'un adolescent.

— Aujourd'hui non plus, je n'ai pas dormi. J'ai mal à la tête et mal au dos, dirait-elle à l'individu en question.

D'ailleurs, elle le dit tout haut, seule dans la cuisine, et dut également répondre :

— Pauvre Fredrika.

Dehors, après les rafales de la nuit, le lac était à nouveau paisible. Plus loin, elle apercevait les deux cygnes habituels qui glissaient, serrés l'un contre l'autre. Elle en était jalouse, non pas que cela lui semblât très amusant d'être un cygne, mais eux, au moins, étaient deux. Ils pouvaient mal dormir ensemble. Se plaindre l'un à l'autre en langage des oiseaux. Elle ouvrit sa boîte mail et y trouva un message d'un certain Wasp.

[Bien reçu les marqueurs STR et les rapports d'autopsie de la part de Blomkvist. J'ai une petite idée de l'origine géographique de l'homme. Carbone 13 intéressant, mais il me faut un séquençage du génome entier. UGC serait le plus rapide, je crois. Demandez-leur de faire vite. Pas le temps d'attendre.]

Quel ton ! Le message n'était même pas signé. *Tu n'as qu'à te séquencer toi-même*, pensa Fredrika. Elle ne supportait pas ce genre de chercheurs à la limite de l'autisme. Cela lui rappelait son mari – un cas désespéré. Elle relut le mail et se calma un peu : impoli et intransigeant, certes, mais l'auteur et elle se faisaient à peu près la même idée de l'affaire. D'ailleurs, elle avait envoyé depuis déjà une semaine un échantillon de sang et une requête de séquençage du génome entier au centre génomique d'Uppsala, l'UGC.

Elle les avait relancés, en profitant pour demander aux bio-informaticiens de marquer en rouge les mutations et les divergences inhabituelles. Normalement, les résultats auraient dû arriver d'une minute à l'autre. Au lieu de répondre à cette satanée chercheuse, elle préféra donc leur écrire à nouveau. D'ailleurs, pendant qu'elle y était, elle usa du même genre de ton :

[Il me faut le séquençage tout de suite.]

Elle espérait également les impressionner avec l'heure d'envoi du mail – à peine 5 heures du matin. Finalement, les cygnes paraissaient un peu groggys, et pas si épanouis d'être à deux.

LA BOUTIQUE D'ÉLECTRONIQUE de Kurt Widmark, dans Hornsgatan, n'avait pas encore ouvert. Cependant, l'inspectrice Sonja Modig, apercevant un vieux monsieur courbé à l'intérieur, frappa quand même. L'homme traîna ses savates jusqu'à la porte et lui fit un sourire forcé.

— Vous êtes en avance, mais bienvenue quand même, dit-il.

S'étant présentée, Sonja lui expliqua ce qui l'amenait. L'homme se figea, une lueur agacée traversa son regard, puis il soupira et fit "Oh là là". Pâle, le visage légèrement de travers, il avait recouvert son crâne dégarni d'une longue et large mèche de cheveux. La forme de sa bouche évoquait une certaine amertume.

— Le secteur va déjà assez mal comme ça ! se plaignit-il. Les commerces en ligne et les grandes surfaces sont en train d'envahir le marché.

Sonja tenta d'avoir l'air compréhensive. Ce matin-là, elle avait erré au hasard dans le quartier, se renseignant auprès de passants. Un jeune homme dans un salon de coiffure lui avait indiqué que le mendiant de Bublanski stationnait souvent devant la boutique, regardant fixement les écrans de télé à l'intérieur.

— Quand l'avez-vous remarqué pour la première fois ? demanda-t-elle au vieillard.

— Il est entré avec ses gros sabots il y a quelques semaines et s'est planté devant une télé, répondit Kurt Widmark.

— Il a regardé quelle émission ?

— Le journal, et un entretien musclé avec Johannes Forsell à propos du krach boursier et de la mobilisation.

— En quoi ça l'intéressait ?

— Aucune idée.

— Aucune ?

— Non ! Comment voulez-vous que je le sache ? Nom de Dieu ! J'essayais surtout de le faire sortir, mais pas méchamment. Finalement, peu importe de quoi les gens ont l'air. Mais je lui ai fait remarquer qu'il effrayait la clientèle.

— Comment ça ?

— Il marmonnait dans sa barbe, il sentait mauvais. Bref, il avait l'air d'un cinglé.

— Vous avez entendu ce qu'il disait ?

— Oh oui ! Il m'a très clairement demandé en anglais si Forsell était célèbre, maintenant. Ça m'a un peu étonné, et je lui ai répondu : "Ah oui, ça, on peut le dire. Il est ministre de la Défense et très riche."

— Il avait l'air de connaître Forsell avant qu'il ne devienne un personnage public ?

— Je ne sais pas trop. Mais je me souviens qu'il a dit : *"Problem, now he has problem ?"* Comme s'il attendait une confirmation.

— Qu'avez-vous répondu ?

— Je lui ai dit : "Absolument. Il a de gros problèmes." Il a magouillé avec ses actions et fait des révolutions de palais.

— Ce ne sont que des rumeurs, tout de même...

— Nombreux sont ceux qui l'affirment.

— Et le mendiant, qu'est-ce qu'il a fait ?

— Il s'est mis à hurler, alors je l'ai pris par le bras et j'ai essayé de le faire sortir. Mais il était fort. Il me montrait son visage. *"Look at me. See what happened to me ! And I took him. And I took him !"* il criait. Enfin, quelque chose dans le genre. Il avait l'air bouleversé, alors je l'ai laissé rester encore un moment. Après l'entretien avec Forsell, il y a eu un sujet sur l'école suédoise avec cette affreuse petite sainte-nitouche, comme d'habitude.

— De quelle affreuse petite sainte-nitouche voulez-vous parler ?

Sonja Modig éprouvait une irritation croissante.

— Lindås. Quelle bourgeoise, celle-là ! Elle se croit vraiment au-dessus des autres. Le mendiant l'a dévisagée comme s'il avait vu un ange. Et puis il a marmonné : *"Very, very beautiful woman. Is she critical to Forsell also ?"* J'ai essayé de lui répondre qu'ils n'avaient aucun rapport l'un avec l'autre, mais il n'a pas eu l'air de comprendre. Il était complètement à côté de la plaque. Et puis il est reparti.

— Vous l'avez revu par la suite ?

— Pendant une semaine, il est revenu tous les jours à la même heure, juste avant la fermeture. Il regardait fixement à l'intérieur et demandait aux gens des numéros de journalistes. Il avait quelque chose à raconter. Il m'a tellement énervé, à la fin, que j'ai appelé la police. Et bien sûr, ils s'en sont souciés comme d'une guigne.

— Alors vous n'avez obtenu aucun nom ni aucun autre renseignement sur l'homme ?

— Il m'a dit qu'il s'appelait Sardar.

— Sardar ?

— *"Me Sardar."* C'est ce qu'il m'a dit, un soir, quand j'essayais de le faire partir.

— C'est mieux que rien, dit Sonja Modig.

Ayant remercié le vieil homme, elle repartit vers Mariatorget avec l'intention de se rendre au siège de la police. Dans le métro en direction de Fridhemsplan, elle tapa "Sardar" sur son moteur de recherche et découvrit qu'il s'agissait d'un vieux mot persan en usage au Moyen-Orient, en Asie centrale et en Asie du Sud-Ouest. Il désignait un prince, un aristocrate, un chef de clan ou de tribu et pouvait également s'écrire "sirdar", "sardaar" ou "serdar". *Un prince…* songea Sonja Modig. Un prince en habit de mendiant. Intéressant. Enfin, dans la vie, les choses ne sont jamais comme dans les contes.

IL LEUR AVAIT FALLU un certain temps avant de se mettre en route. Premièrement, ils n'avaient pas retrouvé la moindre trace de Lisbeth Salander. Deuxièmement, Ivan Galinov, l'ancien agent du GRU, était occupé par d'autres dossiers, et Camilla voulait à tout prix l'emmener. Galinov, âgé de soixante-trois ans, était quelqu'un d'instruit et avait une longue expérience du renseignement et de l'infiltration.

Polyglotte, il parlait couramment onze langues et pouvait, dans plusieurs d'entre elles, passer insensiblement d'un dialecte à l'autre. On le prenait pour un locuteur natif en Angleterre, en France et en Allemagne. Coiffé d'une toison grisonnante et doté de favoris blancs, élégant malgré la forme de son visage qui évoquait vaguement celle d'un oiseau, grand et mince, il se tenait droit et se montrait toujours courtois, voire chevaleresque. Pourtant, il avait quelque chose d'effrayant. Les histoires qu'on racontait sur lui étaient devenues comme une sorte d'appendice à son caractère, ou un prolongement de son corps.

L'une d'elles concernait l'œil qu'il avait perdu pendant la guerre de Tchétchénie. Il l'avait remplacé par une prothèse fabriquée à l'aide de techniques de pointe – le nec plus ultra de l'œil de verre. D'après l'histoire – inspirée d'une vieille blague sur un chef des dépôts dans une banque –, personne ne pouvait distinguer l'œil de verre du vrai, jusqu'au jour où un subalterne de Galinov découvrit la vérité : "L'œil dans lequel on détecte une lueur d'humanité est la prothèse."

Une autre histoire s'était déroulée au niveau moins deux du bâtiment du GRU, à Khodynka – l'étage du crématoire. Galinov y aurait amené un collègue qui avait vendu des documents classés aux Anglais et l'y aurait brûlé vif. On disait de Galinov que lorsqu'il torturait un ennemi, il bougeait comme au ralenti et cessait de cligner des yeux. Probablement du baratin, de simples exagérations devenues des mythes. Certes, Camilla avait exploité le potentiel de ces histoires pour obtenir ce qu'elle voulait, mais ce n'était pas la raison pour laquelle elle avait fait appel à lui.

Galinov était un ancien proche de son père. Tout comme elle, il l'avait aimé et admiré puis, tout comme elle, il avait été trahi par lui. Cette expérience partagée les avait soudés. Camilla trouvait en Galinov non pas de la cruauté, mais de la compréhension et une tendresse quasiment paternelle. Elle n'éprouvait aucune difficulté à distinguer l'œil de verre du vrai. Galinov lui avait appris à se relever et, encore récemment, lorsqu'elle avait pris conscience du coup fatal qu'avait représenté pour lui la défection de Zalachenko vers la Suède, elle lui avait demandé :

— Comment tu as survécu ?

— Comme toi, Kira.

— Comment j'ai fait ?

— Tu as survécu en devenant comme lui.

Elle n'avait jamais oublié ces paroles effrayantes dans lesquelles elle puisait néanmoins de la force et, souvent, comme en cet instant où le passé la pourchassait, elle voulait avoir Galinov auprès d'elle. En sa présence, elle osait se montrer petite. Il était le seul homme à l'avoir vue pleurer depuis longtemps. Dans le jet privé qui les emmenait à l'aéroport d'Arlanda, à quelques dizaines de kilomètres de Stockholm, elle scruta son visage en quête d'un sourire.

— Merci d'être venu, dit-elle.

— On la coincera, mon cœur, on la coincera, répondit-il en lui caressant paternellement la main.

APRÈS AVOIR VU CAMILLA et son entourage partir pour l'aéroport, Lisbeth avait dû aller se coucher, car elle se réveilla dans son lit et trouva un mot sur la table de chevet : Paulina était partie petit-déjeuner. Il était 11 h 10. Le restaurant était fermé. Renonçant à quitter la chambre, Lisbeth jura en se souvenant qu'il ne restait plus rien à grignoter dans le minibar. Elle but de l'eau à même le robinet et mangea des miettes de chips éparpillées autour de l'ordinateur. Puis, après avoir pris une douche et enfilé un jean et un tee-shirt noir, elle ouvrit sa boîte mail. Elle avait reçu deux fichiers de dix gigabits accompagnés d'un message de la médecin légiste Fredrika Nyman.

> [Bonjour,
> Je ne suis pas une idiote. J'avais déjà fait la demande de séquençage du génome entier. Je l'ai reçu ce matin, mais je me demande si les bio-informaticiens ont été méticuleux. Ils ont en tout cas noté certaines bizarreries. J'ai mes propres spécialistes, bien sûr, mais ça ne peut pas faire de mal que vous y jetiez un coup d'œil aussi. Je vous envoie un fichier avec mes commentaires et un FastQ brut, au cas où vous préféreriez. Merci de me faire parvenir vos remarques le plus vite possible.
> F]

Lisbeth ne remarqua pas l'énervement qui suppurait entre les lignes. Enfin, elle n'était pas très concentrée. Elle surveillait en même temps l'arrivée en Suède de Camilla, qui se trouvait sur l'E4, entre Arlanda et Stockholm. Serrant les poings, elle se demanda si elle ne ferait pas mieux d'y aller tout de suite, elle aussi. Et puis, non. Elle téléchargea les fichiers de Fredrika Nyman et fit défiler les pages, qui scintillèrent sous ses yeux comme un microfilm. Et si elle envoyait valser ce maudit séquençage ?

Enfin, autant le parcourir tout en concoctant un plan d'action. Elle se mit au travail. En cela, elle était spéciale, elle l'avait toujours su.

Lisbeth avait la capacité de synthétiser rapidement des contenus, même informes et fragmentés. Elle préférait donc, comme Nyman l'avait à juste titre supposé, travailler sur des données brutes. Cela lui évitait d'être influencée par les points de vue d'autres lecteurs. Grâce au programme *Sam Tools*, elle transforma le séquençage en fichier BAM, c'est-à-dire en un document contenant la totalité du patrimoine génétique – et cela faisait un paquet de données.

Ainsi, elle se retrouvait face à un immense cryptogramme constitué seulement de quatre lettres : A, C, G et T, c'est-à-dire les bases d'azote : adénine, cytosine, guanine et thymine. À première vue, une masse incompréhensible – mais elle cachait une vie entière. Pour commencer, Lisbeth chercha des divergences, n'importe lesquelles, à l'aide d'index et de graphiques. Puis elle ouvrit son *BAM Viewer* – son IGV – et compara des signes particuliers ou sélectionnés au hasard avec des séquences ADN d'autres individus, qu'elle trouva dans le 1000 Genomes Project – un site réunissant des informations génétiques collectées dans le monde entier. Elle découvrit alors une anomalie dans la fréquence rs4954 du gène EPAS1, qui régule la production d'hémoglobine du sujet.

L'anomalie était si remarquable qu'elle lança immédiatement une recherche à son sujet dans la base de données PubMed. Peu après, elle jurait tout haut, secouant la tête. Était-ce possible ? Elle en avait eu le pressentiment, mais elle ne pensait pas en obtenir aussi vite la preuve noir sur blanc. Plongée dans une profonde concentration, elle en oublia même sa sœur, et ne remarqua pas l'arrivée de Paulina, qui entra dans la chambre et, sur le chemin de la salle de bains, cria : "Hé ho ! Hé ho !"

Lisbeth était complètement absorbée par la mutation du gène EPAS1 qu'elle venait de découvrir. Elle buvait les informations. Le gène était non seulement très rare, mais son histoire spectaculaire permettait de remonter jusqu'à l'homme de Denisova, une branche du genre *Homo* disparue depuis quarante mille ans.

L'homme de Denisova était resté longtemps inconnu. On l'avait décrit lorsqu'en 2008 des archéologues russes avaient trouvé un fragment d'os et une dent ayant appartenu à une femme dans la grotte de Denisova, dans les montagnes de l'Altaï, en Sibérie. On découvrit ultérieurement que l'homme de Denisova s'était, au cours de l'histoire, accouplé avec des représentants de la branche *Homo sapiens* en Asie du Sud, et avait ainsi transmis une partie de son patrimoine génétique à l'humain actuel, dont cette mutation (ou allèle) de l'EPAS1.

L'allèle permet une meilleure adaptation de l'organisme à des atmosphères pauvres en oxygène. Grâce à son action fluidifiante, il accélère la circulation sanguine et diminue les risques de caillots et d'œdèmes. Il est particulièrement utile aux individus vivant ou exerçant une activité en très haute altitude. Tout cela collait avec les premières suppositions de Lisbeth basées sur l'analyse au carbone 13 et les descriptions des lésions du mendiant.

Malgré cet indice tangible, elle n'était sûre de rien. L'allèle était rare, mais répandu dans le monde entier. Un examen poussé des séquençages du chromosome Y et de l'ADN mitochondrial lui révéla que le sujet appartenait à l'haplogroupe C4a3b1. Après une ultime vérification, ses derniers doutes s'évanouirent.

Le groupe n'existait que chez des populations qui, établies dans l'Himalaya, au Népal et au Tibet, travaillaient fréquemment comme porteurs ou guides de haute montagne.

L'homme était un Sherpa.

II

LE PEUPLE DE LA MONTAGNE

Le groupe ethnique sherpa vit dans l'Himalaya, au Népal.
De nombreux Sherpas travaillent comme guides ou porteurs dans des expéditions de haute montagne.

La plupart sont d'obédience *nyingma*, une tradition ancienne du bouddhisme, et croient que des dieux et des esprits habitent les montagnes. Ils les vénèrent selon des rituels religieux précis.

Un *lhawa*, ou chamane, a le pouvoir de soulager un Sherpa malade ou victime d'un malheur.

12

LE 25 AOÛT

LE VENT SOUFFLAIT au large de Sandhamn. Mikael, devant son ordinateur, surfait sans but précis, plus ou moins attiré par les pages sur Forsell. Il le rencontrait de temps à autre en personne, l'été, à l'épicerie ou au port. Trois ans auparavant, au moment de sa nomination au ministère de la Défense, c'est-à-dire en octobre 2017, Mikael l'avait interviewé. Il se rappelait l'avoir attendu dans une grande salle aux murs couverts de cartes géographiques. Puis Johannes Forsell avait passé la tête par la porte, comme un petit garçon espiègle venant d'arriver à la fête.

— Mikael ! Quel plaisir !

Il n'avait pas l'habitude d'être accueilli ainsi par un homme politique. D'ailleurs, il aurait peut-être dû l'interpréter comme une tentative de racolage. Cependant, l'enthousiasme de Forsell lui semblait authentique, et Mikael se rappelait à quel point la conversation avait eu sur lui un effet stimulant. Forsell était un homme cultivé à l'esprit agile. De plus, à mille lieues d'une quelconque politique partisane, il répondait vraiment aux questions qu'on lui posait, paraissant même sincèrement s'y intéresser. Pour achever le tableau, il y avait eu le grand plateau de délicieuses viennoiseries danoises. Mikael s'en souvenait encore. A priori, Forsell n'était pourtant pas du genre à se gaver de pâtisseries.

Trop grand, trop sportif. Un modèle de culture physique et de vie saine. Selon ses propres dires, il courait cinq kilomètres par jour et faisait deux cents pompes tous les matins. Il ne montrait d'ailleurs aucun signe de frivolité. Peut-être les viennoiseries étaient-elles censées pointer chez lui une faiblesse humaine qui lui donnerait un profil plus populaire – l'aspiration d'un membre de l'élite à paraître ordinaire –, exactement comme quand, dans *Aftonbladet,* il avait avoué adorer le concours de l'Eurovision et s'était ensuite montré incapable de répondre à la moindre question sur le sujet.

Mikael et lui avaient le même âge, avaient-ils constaté, même si Forsell paraissait certainement plus jeune et aurait obtenu de meilleurs résultats à n'importe quel examen de santé. Il bouillonnait d'énergie et d'optimisme.

— Nous vivons des temps difficiles, mais les choses avancent. Il y a de moins en moins de guerres, ne l'oublions pas, avait-il dit en offrant à Mikael un livre de Steven Pinker – que Mikael n'avait toujours pas lu à ce jour.

Johannes Forsell, né à Östersund d'un père patron d'un petit hôtel et d'un village de vacances à Åre, avait très tôt montré de bonnes aptitudes scolaires et une prédisposition pour le ski de fond. Il avait fréquenté le lycée de ski de Sollefteå et, ayant été admis à la Haute École d'interprètes de la Défense, y avait effectué son service militaire. Cela lui avait permis d'apprendre couramment le russe avant de devenir officier de renseignement. Ces années à la direction du Renseignement et de la Sécurité militaires demeuraient, pour des raisons évidentes, les plus secrètes de sa vie. Il aurait participé à l'élaboration du rapport sur les activités du GRU en Suède ; c'était en tout cas ce qu'on pouvait déduire d'informations divulguées par le *Guardian* lorsque, fin 2008, Forsell, alors attaché à l'ambassade de Suède, avait été expulsé de Russie.

L'année suivante, en février, son père était décédé. Forsell avait démissionné et repris l'entreprise familiale. En un rien de temps, il l'avait transformée en trust. Après avoir construit des hôtels à Åre, Sälen, Vemdalen, Järvsö, et même en Norvège, à Geilo et Lillehammer, il avait vendu l'entreprise en 2015 pour près de deux cents millions de couronnes à un consortium allemand de voyagistes, conservant néanmoins quelques actifs à Åre et Abisko.

Cette année-là, il avait adhéré au parti social-démocrate et, sans expérience politique préalable, avait été élu conseiller municipal à Östersund. Grâce à son énergie et à son amour inconditionnel pour l'équipe de foot de la ville, sa cote de popularité n'avait pas tardé à monter. Puis, subitement, il avait été nommé ministre de la Défense, ce qui avait longtemps paru un très bon choix – on pouvait même parler de coup de communication pour le gouvernement.

On le décrivait comme un héros et un aventurier, en faisant référence, bien sûr, à deux grands exploits en marge de sa carrière professionnelle : la traversée de la Manche à la nage, l'été 2002, et l'ascension du mont Everest six ans plus tard, en mai 2008. Peu après, cependant, le vent avait tourné. On pouvait dater le retournement de situation à ses accusations implacables concernant le présumé soutien clandestin de la Russie au parti xénophobe des Démocrates de Suède pendant la campagne électorale suédoise.

À cette époque, les attaques qu'il subissait, de plus en plus violentes, n'étaient pourtant rien à côté de ce qui l'attendait. Après le krach boursier du mois de juin, des flots de *fake news* circulèrent à son sujet. Ce n'était pas difficile de sympathiser avec son épouse norvégienne, Rebecka, qui, dans une interview au quotidien *Dagens Nyheter*, qualifiait les mensonges de honteux, et racontait que ses enfants étaient obligés d'avoir des gardes du corps. L'ambiance était haineuse et surexcitée, et le ton se durcissait toujours plus.

Sur ses photos les plus récentes, Forsell apparaissait fatigué et amaigri. Exit l'enthousiasme sans faille et l'énergie inépuisable. D'après les nouvelles, il avait pris une semaine de vacances. On parlait même de dépression. Non, décidément, Mikael ne pouvait pas le nier, il éprouvait toujours de la sympathie pour Forsell – ce qui n'était pas le meilleur parti pris pour enquêter sur ses liens éventuels avec le mendiant, voire avec l'historien militaire Mats Sabin.

En tout état de cause, Forsell ne pouvait pas être clean à cent pour cent, comme il aimait le paraître. Dans la vaste campagne de diffamation menée contre lui, on lisait notamment qu'il aurait fait une partie de sa traversée de la Manche sur la barque qui l'accompagnait. Il y avait aussi, bien sûr, les déclarations comme quoi il n'avait jamais gravi l'Everest. Mais Mikael ne trouvait aucun fondement à ces accusations, à part, peut-être, les événements épouvantables qui avaient eu lieu lors de l'ascension de l'Everest – une sorte de tragédie grecque. Mais quelle que soit la quantité d'encre qui avait coulé à ce sujet, il demeurait difficile d'élucider ce qui s'était réellement passé.

D'ailleurs, Forsell n'était pas le principal protagoniste du drame. Lorsque la spectaculaire et riche Américaine Klara Engelman et son guide, Viktor Grankin, moururent à une altitude de huit mille trois cents mètres, Forsell se trouvait loin de l'épicentre. Mikael ne s'attarda pas sur les événements, préférant se concentrer sur la carrière militaire de Forsell.

Ses activités dans le renseignement étaient sans aucun doute classées confidentielles, mais il y avait eu une fuite au moment de son expulsion de Russie. Cependant, malgré la quantité de rumeurs absurdes à son sujet et la campagne de haine dirigée contre lui, le commandant en chef des forces armées suédoises, Lars Granath, s'entêtait à décrire la conduite de Forsell à Moscou comme "exemplaire, tout simplement".

On manquait toutefois de données factuelles, et Mikael finit par abandonner la piste. Résultat : Johannes et Rebecka avaient deux fils, Samuel et Jonathan, âgés de onze et neuf ans. La famille résidait à Stocksund, dans la banlieue de Stockholm, et possédait une maison de campagne située non loin de celle de Mikael, au sud-est de l'île de Sandön. S'y trouvaient-ils ?

Forsell avait donné à Mikael son numéro personnel. "Appelez si vous avez des questions", lui avait-il dit, avec son inimitable chaleur.

Mikael n'avait pas de raison valable de le déranger. Au contraire, mieux valait laisser tomber tout cela et faire la sieste. Il se sentait au bout du rouleau. Comment ? Se reposer ? Pas question ! Il appela le commissaire Bublanski ; ils discutèrent de Lisbeth. Puis Mikael lui raconta ce que le mendiant avait vraisemblablement dit sur Mats Sabin, concluant par un : "Enfin, ce n'est sûrement rien."

EN SORTANT DE LA SALLE DE BAINS de l'hôtel, vêtue d'un peignoir blanc, Paulina Müller trouva Lisbeth scotchée à l'écran de son ordinateur. Elle posa discrètement la main sur son épaule. Lisbeth qui, au moins, n'avait plus les yeux rivés sur la villa de la banlieue de Moscou, parcourait un article. Comme d'habitude, Paulina ne parvint pas à suivre son rythme. Elle n'avait jamais rencontré quelqu'un qui lisait aussi vite. Les phrases défilaient en scintillant sur l'écran.

Elle saisit néanmoins quelques mots au passage... *Denisovan genome and that of certain South Asian...* Intéressant. Dans *Geo*, elle avait publié des articles sur les origines de l'*Homo sapiens* et ses liens de parenté avec les Néanderthaliens et les Dénisoviens.

— J'ai travaillé sur la question, dit-elle.

Lisbeth ne répondit pas, ce qui énerva Paulina. La frêle jeune femme lui offrait sa protection et tout le reste, certes, mais Paulina se sentait souvent seule et rejetée. Elle ne supportait pas ces silences ni ces heures interminables devant l'ordinateur. La nuit, c'était encore pire – elle avait pourtant déjà assez de mal à trouver le sommeil comme ça. Toutes les souffrances que Thomas lui avait infligées résonnaient alors en elle, et elle devenait obsédée par l'idée de vengeance et de réparation. Dans ces moments-là, elle aurait eu bien besoin du soutien moral de Lisbeth.

Mais Lisbeth vivait son propre enfer. Parfois, son corps était si tendu que Paulina n'osait même pas se serrer contre elle, et comment était-ce possible de dormir aussi peu ? Chaque fois que Paulina se réveillait, elle trouvait Lisbeth étendue à côté d'elle, les yeux grands ouverts, écoutant les bruits provenant du couloir, ou bien à son bureau, regardant des enregistrements de caméra de surveillance et des images satellites. Paulina ne supporterait plus longtemps d'être ainsi exclue, elle le sentait. Elles étaient devenues trop proches. Elle avait envie de crier : *Qui te traque ? Qu'est-ce que tu fabriques ?*

— Qu'est-ce que tu fais ? dit-elle.

Pas de réponse. Mais Lisbeth se tourna et lui adressa un regard qui ressemblait malgré tout un peu à une main tendue – une lueur douce traversa ses yeux.

— Qu'est-ce que tu fais ? répéta Paulina.

— J'essaie d'identifier un homme.

— Un homme ?

— Un Sherpa âgé d'un peu plus de cinquante ans, mort, sans doute originaire de la vallée du Khumbu, dans le Nord-Ouest du Népal. Il pourrait aussi être du Sikkim ou de Darjiling, mais la plupart des indices pointent vers le Népal, en particulier la région autour de Namche Bazar. Plus anciennement, il descend de populations de l'Ouest du Tibet. Il semble avoir eu une alimentation très pauvre en graisse dans son enfance.

De la part de Lisbeth, cela équivalait à un roman. Paulina, ravie, s'assit sur la chaise à côté.

— Autre chose ?

— J'ai son ADN et un rapport d'autopsie. Étant donné ses lésions, je suis quasi sûre qu'il était porteur ou guide de haute montagne. Et certainement très doué.

— Comment ça ?

— Il possédait une quantité exceptionnelle de fibres musculaires du type 1, qui lui permettait de porter de lourdes charges sans débauche d'énergie. Mais surtout, il bénéficiait d'un gène qui régule la quantité d'hémoglobine dans le sang. Il devait faire preuve de force et de résistance même dans des milieux pauvres en oxygène. À part ça, je dirais qu'il a traversé des épreuves épouvantables. Il avait un certain nombre de lésions dues au froid. La plupart de ses doigts et de ses orteils étaient amputés.

— Tu as ses données Y ?

— J'ai son génome entier.

— Regarde avec Y-full !

Y-full était une entreprise russe dirigée par une bande de mathématiciens, de biologistes et de développeurs – Paulina avait écrit un article à leur sujet un an plus tôt – qui récoltaient dans le monde entier des ADN de chromosomes Y d'individus ayant participé à des études universitaires ou fait réaliser un séquençage afin d'en savoir plus sur leurs origines.

— J'allais ouvrir Familytree ou Ancestry, mais tu disais Y-full ?

— À mon avis, les meilleurs. Les patrons sont des gens comme toi, une bande de geeks désinhibés.

— D'accord. Mais je crois que ça va être difficile.

— Pourquoi ?

— Je devine que l'homme appartient à un groupe dans lequel on ne fait pas très souvent réaliser des séquençages de son propre ADN.

— Et on ne peut pas trouver des données provenant de personnes apparentées dans un quelconque article scientifique ? Il y a des études qui démontrent pourquoi les Sherpas sont d'aussi bons grimpeurs en haute altitude, dit Paulina, fière de participer enfin.

— Vrai, dit Lisbeth, soudain distraite.

— Il doit s'agir d'une assez petite population, en plus, non ?

— Les Sherpas sont un peu plus de vingt mille dans le monde.

— Alors ?

Paulina espérait qu'elles fassent une tentative ensemble, mais Lisbeth cliqua sur un autre lien, sans doute une carte de Stockholm.

— Pourquoi c'est si important pour toi ?

— Ça ne l'est pas.

Le regard de Lisbeth redevint noir. Embarrassée, Paulina se releva, s'habilla en silence et sortit marcher dans la ville, cette fois vers le château de Prague.

13

LE 25 AOÛT

REBECKA FORSELL QUI, à l'époque, s'appelait Loew, était tombée amoureuse de la force et de la bonne humeur de Johannes. Elle avait été embauchée par Viktor Grankin en tant que médecin de son expédition sur l'Everest. Longtemps sceptique envers sa mission, elle avait été sensible aux critiques formulées à l'époque contre ce genre d'ascension – on parlait de commercialisation de l'Everest.

Les clients s'achetaient une place au sommet, disait-on, comme d'autres s'achètent une Porsche. La pureté de l'alpinisme était souillée. De plus, les pratiques commerciales augmentaient les risques d'accidents. Dans l'expédition de Grankin, de nombreux participants manquaient d'expérience, surtout Johannes, justement, et cela inquiétait Rebecka. Il n'avait jamais été au-delà de cinq mille mètres.

Cependant, lorsqu'ils arrivèrent au camp de base, que les autres furent pris de quintes de toux, de maux de tête et de doutes, elle n'eut quasiment pas à se préoccuper de lui. Bondissant à travers les moraines, il se liait d'amitié avec tout le monde, y compris les autochtones, qu'il appréhendait à la fois avec respect et impertinence. Rieur, il les faisait marcher avec ses histoires, tout comme ses camarades d'expédition.

C'était dans sa nature. La plupart des gens considéraient sa bonne composition comme authentique, mais Rebecka ne la prenait pas pour argent comptant. De son point de vue, Johannes était un intellectuel qui avait décidé une fois pour toutes de prendre les choses du bon côté – ce qui, en fin de compte, le rendait encore plus attirant. À l'époque, elle n'avait qu'une envie : partir avec lui, prendre la vie à bras-le-corps.

Certes, après les décès de Klara et de Viktor, il traversa une crise existentielle. Pour une raison obscure, il vécut la tragédie encore plus mal que les autres.

Il alternait sans transition les moments de profonde morosité et de bonne humeur. Il emmena Rebecka à Paris et Barcelone, puis, l'année suivante, en avril – quelques mois seulement après la mort de son père –, ils se marièrent à Öresund. Elle quitta Bergen, en Norvège, et ne souffrit jamais du mal du pays.

Elle aimait Östersund, Åre, le ski. Par-dessus tout, elle aimait Johannes. Elle ne fut pas étonnée de la croissance exponentielle de son entreprise, de son enrichissement, de son élection au conseil municipal. Elle comprenait que les gens fussent attirés par lui. Il était phénoménal. Toujours dynamique, courant à droite et à gauche, il trouvait tout de même, on ne sait comment, le temps de méditer. Parfois, cela la rendait folle. Il n'arrêtait pas. D'après lui, quel que soit le problème, il suffisait de retrousser ses manches et de fournir un effort supplémentaire. D'ailleurs, avec les garçons, il mettait la barre un peu trop haut. "Vous pouvez mieux faire", leur disait-il.

Avec elle, il se montrait toujours encourageant. Cela dit, il avait rarement le temps d'écouter ses soucis. En général, pour toute réponse, il l'embrassait et lui disait : "Tu vas y arriver, Becka, tu vas y arriver." De plus en plus occupé, surtout depuis qu'il avait été nommé ministre, il travaillait souvent jusqu'au petit matin et se levait quand même tôt pour courir ses cinq kilomètres et faire son "Navy SEALs", comme il disait, c'est-à-dire sa gymnastique. Cette cadence inhumaine paraissait néanmoins lui convenir. De plus, il ne semblait pas se soucier d'être haï après avoir été tant aimé.

Finalement, elle le prenait plus mal que lui. Le soir et le matin, elle tapait compulsivement son nom sur Google et ne pouvait s'empêcher de lire des fils interminables pleins d'accusations ignobles à son égard. Parfois, dans ses moments les plus moroses, elle se disait que tout était sa faute – à cause de ses racines juives. Même Johannes – l'Aryen modèle – était dorénavant victime de campagnes de haine antisémites. Longtemps, il parvint à les ignorer et à garder espoir : "Ça nous rend plus forts, Becka. Bientôt, le vent tournera."

Les mensonges avaient dû finir par l'atteindre, malgré tout. Il ne se plaignait pas, non, bien sûr que non, mais son enthousiasme semblait réglé en mode automatique. Le vendredi précédent, il avait pris une semaine de vacances – sans un mot d'explication –, ce qui avait dû donner bien du souci à son équipe. Voilà pourquoi ils se trouvaient sur l'île de Sandön, dans leur grande maison au bord de l'eau. Les garçons étaient chez leur grand-mère, et Rebecka et Johannes étaient accompagnés de leurs sempiternels gardes du corps, auxquels elle faisait la conversation pour qu'ils ne s'ennuient pas trop. Johannes s'était réfugié dans son bureau, à l'étage. La veille, elle l'avait entendu crier au téléphone. Le matin, il n'avait même pas fait ses exercices. Il avait pris son petit-déjeuner en silence avant de monter s'isoler.

Quelque chose clochait. Dehors, le vent se levait. Elle prépara une salade de betterave rouge à la feta et aux pignons de pin. L'heure du déjeuner approchait. Elle appréhendait de l'annoncer à Johannes.

Elle monta et – elle aurait pourtant dû l'éviter – entra dans son bureau sans frapper. Il écarta nerveusement quelques papiers. S'il n'avait pas eu ce geste suspect, elle n'aurait même pas posé les yeux sur ce tas. Elle eut néanmoins le temps de voir qu'il s'agissait d'un dossier médical, plus exactement psychiatrique, ce qui lui parut bizarre. Enfin, peut-être s'agissait-il d'un contrôle de routine à l'embauche d'un collaborateur. Elle tenta de lui faire son sourire ordinaire :

— Qu'est-ce qu'il y a ? demanda-t-il.

— Le déjeuner est prêt.

— Je n'ai pas faim.

"D'habitude, tu as *toujours* faim !" eut-elle envie de rétorquer.

— Il est arrivé quelque chose ? dit-elle calmement.

— Non, rien.

— Enfin, Johannes… Je vois bien que ça ne va pas.

Elle sentait la colère bouillonner en elle.

— J'ai dit : rien.

— Tu es malade, ou quoi ?

— Qu'est-ce qui te fait penser ça ?

— Tu lis des dossiers médicaux, c'est normal que je me pose des questions, non ? vociféra-t-elle.

Erreur fatale, elle le comprit immédiatement. Il la regarda, le visage miné par l'angoisse. Elle en eut le sang glacé. Elle marmonna un vague "pardon". Lorsqu'elle ressortit, ses jambes la portaient à peine.

Qu'est-ce qui nous arrive ? se dit-elle.

Nous qui étions si heureux…

LISBETH AVAIT ÉPIÉ CAMILLA qui se trouvait dans un appartement de Strandvägen, à Stockholm, accompagnée de son hacker Jurij Bogdanov et du vieil agent du GRU Ivan Galinov, un autre gangster. Il fallait agir, mais comment ? Alors qu'elle avait décidé de laisser tomber le sherpa de Mikael, elle reprit pourtant le dossier – fuite en avant ? Peut-être. Grâce à son *BAM Viewer*, elle obtint soixante-sept marqueurs divergents dans le segment d'ADN. Les parcourant l'un après l'autre, elle en déduisit l'haplogroupe paternel de l'homme : DM174 – très rare, lui aussi, ce qui était bon ou mauvais. Cela dépendait du point de vue.

Elle tapa le groupe dans le moteur de Y-full, à Moscou – l'entreprise de séquençage moscovite que lui avait suggérée Paulina – et attendit. Trop longtemps, à son goût :

— C'est quoi, ce merdier ? C'est super lent !

Incroyable. D'ailleurs, pourquoi faisait-elle tout cela ? *Arrête !* se dit-elle. *Concentre-toi sur Camilla !* Mais la réponse de Y-full la fit siffler : deux cent douze résultats répartis sur cent cinquante-six noms de famille. C'était mieux que ce qu'elle aurait cru. Elle ferma les yeux, se donna quelques gifles et parcourut les informations, puis se pencha sur d'autres divergences rares présentes dans le segment. Un nom aberrant revenait sans arrêt : Robert Carson à Denver, dans le Colorado.

Il avait, certes, l'air un peu asiatique, mais à part ça, c'était le parfait Américain : coureur de marathon, skieur alpin et géologue à l'université locale. Âgé de quarante-deux ans, père de trois enfants, démocrate militant et, depuis que son fils aîné avait réchappé d'une fusillade dans son école, à Seattle, opposant farouche au lobbying de la National Rifle Association, la fameuse NRA.

À ses heures perdues, Carson s'intéressait également à la généalogie. Voilà pourquoi, deux ans plus tôt, il avait fait analyser son chromosome Y. D'après les résultats, Robert Carson possédait la même mutation génétique de l'EPAS1 que le mendiant.

"J'ai le super-gène", écrivait-il dans un post sur le site *Rootsweb.ancestry.com*. Il avait ajouté une photo sur laquelle, guilleret, en survêtement, coiffé d'une casquette de l'équipe de hockey Colorado Avalanche, il bandait ses biceps devant un ruisseau des montagnes Rocheuses.

Il racontait que son grand-père paternel, Dawa Dorje, avait grandi dans le Sud du Tibet, non loin de l'Everest, et fui le pays en 1951, sous l'occupation chinoise, pour s'installer chez des parents dans la vallée du Khumbu, au Népal, non loin du monastère de Tengboche. Une photo montrait son grand-père en compagnie de sir Edmund Hillary lors de l'inauguration de l'hôpital du village de Kunde. L'ancêtre avait eu six enfants, parmi lesquels Lobsang, "écervelé, beau gosse et, incroyable mais vrai, fan inconditionnel des Rolling Stones", écrivait Robert.

Il poursuivait : "Je n'ai jamais eu la joie de le rencontrer, mais ma mère m'a raconté qu'il était le grimpeur le plus résistant de l'expédition et, bien sûr, le plus beau et le plus charismatique. (Le point de vue de ma mère peut ici être considéré comme biaisé, avouons-le – le mien aussi, d'ailleurs.)"

Lobsang Dorje avait participé à une ascension du versant ouest de l'Everest en septembre 1976. Le groupe comprenait une ornithologue américaine, Christine Carson, censée étudier les oiseaux pendant la randonnée préliminaire – "la grande diversité de passereaux" – sur les pentes de l'Himalaya. Non mariée et sans enfants, professeure à l'université du Michigan, elle avait alors quarante ans. Au camp de base, elle fut prise de violentes nausées et de forts maux de tête et décida de retourner à Namche Bazar, plus bas, pour y consulter un médecin. Le 9 septembre, elle apprit que six membres de l'expédition, y compris Lobsang Dorje, avaient succombé non loin du sommet.

En rentrant aux États-Unis, elle était enceinte de Lobsang Dorje – une situation de toute évidence délicate. Lobsang avait vingt et un ans de moins qu'elle. Âgé de dix-neuf ans à l'époque, il était fiancé à une jeune fille de la vallée du Khumbu. Cependant, Christine décida de garder l'enfant et donna ainsi naissance à Robert en avril 1977 à Ann Arbor, dans le Michigan. Sans en être sûr à cent pour cent – il y avait toujours une part de hasard dans la transmission génétique –, on pouvait supposer que quatre ou cinq générations étaient passées entre Robert et le mendiant, c'est-à-dire qu'ils soient cousins au troisième ou quatrième degré. Ils avaient dû avoir un ancêtre commun au XIXᵉ siècle, un lien de parenté assez éloigné, certes, mais Lisbeth présumait que Mikael arriverait à combler les lacunes. L'intérêt de Robert Carson pour la généalogie ne pouvait que lui faciliter la tâche. De plus, Carson paraissait d'un naturel loquace et enthousiaste. Lisbeth trouva des photos de lui en visite dans la famille de son père, dans la vallée du Khumbu, l'année précédente.

Elle écrivit à Mikael :

[Ton mec est sherpa. Il a probablement été porteur ou guide lors d'expéditions de haute montagne au Népal, par exemple sur le Lhotse, l'Everest ou le Kangchenjunga. Il a un parent à Denver. Je t'ai mis des informations sur lui en annexe. Tu ne relis pas ton article sur les usines à trolls ?]

Elle effaça la dernière phrase. Mikael était quand même responsable de son propre travail, nom d'un chien… Elle envoya le message et sortit retrouver Paulina.

JAN BUBLANSKI SE PROMENAIT le long de Norr Mälarstrand en compagnie de Sonja Modig – sa dernière lubie était en effet de tenir ses réunions en marchant. "On réfléchit mieux, comme ça", expliquait-il.

Il s'agissait sans doute plus de s'attaquer à son surpoids et d'améliorer un peu sa condition physique. En effet, il s'essoufflait pour un rien et avait même du mal à suivre le rythme de Sonja. Ayant parlé un moment de tout et de rien, ils abordèrent l'affaire que Mikael leur avait signalée. Sonja raconta sa visite à la boutique d'électronique de Hornsgatan, ce qui fit soupirer Jan. Pourquoi tout le monde était-il obsédé par Forsell ? À croire qu'il était la racine de tout mal. Bublanski espérait profondément que ce ne soit pas en lien avec son épouse juive.

— Je comprends, dit-il.

— Ça m'a quand même l'air très confus.

— Pas d'autres mobiles envisageables ?

— Éventuellement la jalousie.

— Comment ce pauvre homme aurait-il pu éveiller la jalousie ?

— Même tout en bas de l'échelle, il y a des jalousies.

— C'est vrai.

— J'ai parlé à une certaine Mirela, roumaine, reprit Sonja. Elle m'a dit que notre mendiant empochait plus que tous les autres, dans le coin. Il émanait de lui une espèce de dignité qui incitait les gens à la générosité et provoquait la colère de certains anciens du quartier.

— Ça ne me paraît pas un mobile suffisant pour le meurtre.

— Peut-être, mais il avait parfois sur lui des sommes considérables. C'était un habitué du kiosque à saucisses de Bysistorget et du McDonald's de Hornsgatan. Et bien sûr, de la boutique d'alcools de Rosenlundsgatan, où il achetait sa bière et sa vodka. Et puis…

— Oui ?

— Il aurait été aperçu plusieurs fois au petit matin vers Wollmar Yxkullsgatan. Il y achetait de l'alcool au noir.

— Vraiment ?

Bublanski se perdit dans ses pensées.

— Je devine ce que tu penses, dit Sonja. On devrait parler aux revendeurs.

— Exact.

Bublanski inspira un bol d'air avant d'entamer l'ascension de la côte vers Hantverkargatan. Il pensait à Forsell et à sa femme, Rebecka, qu'il avait rencontrée à un rassemblement de la communauté juive. Elle l'avait beaucoup marqué.

Grande – elle mesurait sûrement plus d'un mètre quatre-vingt-cinq –, élancée, la démarche légère et élégante, de grands yeux sombres qui pétillaient, pleins de chaleur humaine et de dynamisme… Un bref instant, il avait eu l'impression de comprendre la rage que provoquait le couple.

Les gens de la sorte, qui irradient une énergie inépuisable, finissent toujours par énerver. En comparaison, les autres se sentent minables et mous.

14

LE 25 AOÛT

MIKAEL MARMONNA dans sa barbe en lisant le mail de Lisbeth :

— Ça alors...

Il était 17 heures. Fébrile, il se leva de son bureau et alla regarder la mer. Le vent soufflait encore plus fort au large, où un voilier voguait dans la tempête. Un sherpa... se dit-il. Un sherpa... Qu'est-ce que ça peut bien signifier ?

Il ne voyait aucun lien évident avec le ministre de la Défense, mais enfin... On ne pouvait pas l'ignorer : Johannes Forsell avait gravi l'Everest en mai 2008. Mikael décida donc tout de même de fouiller dans cette direction. Il ne manquait pas de documentation. En raison de la participation de Klara Engelman, le drame avait été abondamment commenté.

Klara Engelman, jolie fausse blonde aux lèvres et aux seins refaits, glamour à souhait, mariée au tapageur magnat de l'industrie Stan Engelman qui possédait des hôtels et des immeubles à New York, Moscou et Saint-Pétersbourg, avait tout pour alimenter la presse à sensation. La Hongroise n'était pas issue de la haute société mais du mannequinat. Dans son adolescence, au cours d'un voyage aux États-Unis, elle avait remporté un concours Miss Bikini à Las Vegas, où elle avait fait la connaissance de Stan, qui était membre du jury – le genre de détail croustillant qu'adorent les tabloïds.

Cependant, en 2008, Klara avait déjà trente-six ans. Elle était mère d'une fillette de douze ans, Juliette. Elle avait obtenu un diplôme en relations publiques au Saint Joseph's College, à New York, et semblait vouloir prouver qu'elle était capable de réussir sans l'aide de personne. Avec une décennie de recul, on comprenait mal l'indignation qu'elle avait provoquée au camp de base. Son blog, publié dans *Vogue*, contenait, certes, quelques photos ridiculement stylisées sur lesquelles elle portait des tenues à la mode mais, a posteriori, il ne faisait pas de doute qu'elle avait essuyé des réactions sexistes et méprisantes. Les reporters avaient fait d'elle la bimbo par excellence, l'antithèse de la montagne et des populations locales – la vulgarité occidentale contre la pureté des espaces indomptés –, alors qu'en réalité elle n'était pas si cruche que ça.

Elle avait participé à la même expédition que Johannes Forsell et son ami et dorénavant secrétaire d'État Svante Lindberg. Ils avaient donc payé soixante-quinze mille dollars chacun pour être guidés jusqu'au sommet, ce qui contribuait certainement à l'indignation générale. On s'alarmait en effet de ce que l'Everest ne devienne un repaire de nouveaux riches en quête de sensations fortes pour booster leur ego. L'expédition, dirigée par le Russe Viktor Grankin, était forte de trois guides, d'un chef de camp de base, d'un médecin et de quatorze sherpas – en plus des dix clients. Il en fallait, du monde, pour faire monter les riches.

Le mendiant aurait-il pu être l'un de ces sherpas ? L'idée avait traversé l'esprit de Mikael. Avant de se pencher sur ce drame, il avait fait des recherches sur chacun des participants. Un sherpa aurait-il pu se retrouver en Suède ou avoir un lien particulier avec Forsell ? Difficilement vérifiable. Sur la plupart des autochtones, il n'obtint aucune documentation. L'incident le plus intéressant concernait le jeune sherpa Jangbu Chiri.

Forsell et lui s'étaient revus à Chamonix, trois ans après l'expédition. Ils avaient pris une bière. Bien sûr, on pouvait tout supposer : par exemple, qu'après cela ils soient devenus ennemis mortels. Cependant, sur une photo publiée sur Internet, ils avaient l'air ridiculement heureux, pouces en l'air. Pas un seul sherpa de l'expédition ne semblait avoir dit du mal de Forsell. Il y avait eu des accusations anonymes – qui ressurgissaient dans le cadre de la campagne de désinformation – comme quoi Forsell aurait contribué à la mort de Klara Engelman en retardant et en dispersant le groupe pendant l'ascension mais, d'après d'autres témoignages, c'était plutôt le contraire : Klara aurait elle-même retardé l'expédition. De plus, au moment fatal, Forsell et Svante Lindberg avaient déjà quitté le groupe pour gravir seuls le sommet.

Non, décidément, Mikael n'y croyait pas. Ou ne voulait-il pas y croire ? Au cours d'un travail d'enquête, les affects pouvaient vous jouer des tours. Mikael restait vigilant, comme l'exigeait l'éthique de son métier. Mais il avait vraiment beaucoup de mal à imaginer que l'homme que les trolls haïssaient tant aurait été mêlé à l'empoisonnement d'un pauvre clochard à Stockholm. Enfin... Merde alors !

Il relut le message de Lisbeth et le document joint sur le parent présumé du mendiant, Robert Carson du Colorado. Celui-ci semblait d'ailleurs, mais peut-être Mikael était-il influencé par ses recherches, avoir un peu le même profil que Forsell, gai et énergique. Sans réfléchir, Mikael appela le numéro que Lisbeth lui avait indiqué :

— Bob, répondit une voix.

Mikael se présenta, puis hésita, ne sachant pas comment introduire l'affaire. Il décida de commencer par flatter son interlocuteur.

— J'ai lu sur Internet que vous aviez un super-gène.

Robert Carson rit.

— Impressionnant, hein ?

— Très. J'espère que je ne vous dérange pas.

— Pas du tout. Je suis en train de lire une thèse rébarbative. Je préfère parler de mon ADN. Vous travaillez pour une revue scientifique ?

— Pas exactement. J'enquête sur une mort suspecte.

— Hou là... dit Carson, inquiet.

— Il s'agit d'un sans-abri âgé de cinquante-quatre à cinquante-six ans qu'on a trouvé mort contre un arbre à Stockholm, il y a quelque temps. Il avait des doigts et des orteils amputés. En remontant quatre ou cinq générations, vous avez probablement un lien de parenté avec lui.

— C'est triste. Comment s'appelait-il ?

— Voilà le problème. Nous n'en savons rien. Ce que nous avons trouvé de plus précis sur son identité, pour l'instant, c'est ce fameux lien avec vous.

— Et en quoi puis-je vous être utile ?

— En fait, je ne sais pas vraiment. Ma collègue pense que l'homme était un grimpeur extraordinairement doué, qu'il travaillait comme porteur dans des expéditions de haute montagne et qu'il aurait vécu un terrible drame qui lui a valu ses lésions. Auriez-vous des sherpas qui correspondent à cette description dans votre famille ?

— Mon Dieu… Beaucoup, j'en suis sûr, surtout si on examine toute la branche. On est un peu extrêmes, il faut bien le dire.

— Aucune idée concrète ?

— Laissez-moi réfléchir un peu, et j'en aurai sûrement. J'ai établi un arbre généalogique auquel j'ai ajouté des notes biographiques. Vous pouvez m'envoyer d'autres informations ?

Mikael réfléchit un instant, et dit :

— Si vous me promettez de rester discret, je peux vous envoyer son rapport d'autopsie et son analyse d'ADN.

— Je vous le promets.

— Alors à bientôt. Je vous serais reconnaissant d'y jeter un coup d'œil le plus vite possible.

Robert Carson resta silencieux.

— Vous savez, dit-il ensuite, je considère ça comme un honneur. Et je trouve très sympathique l'idée d'avoir eu un parent en Suède même si, malheureusement, il a vécu dans des conditions difficiles.

— Oui, c'est le cas. Une de mes amies l'a rencontré de son vivant.

— Comment ça s'est passé ?

— Il semblait bouleversé et a tenu un discours incohérent sur Johannes Forsell, notre ministre de la Défense actuel qui a fait l'ascension de l'Everest en mai 2008.

— En mai 2008, vous dites ?

— Oui.

— Ce n'est pas à ce moment-là que Klara Engelman est morte ?

— Si.

— Bizarre.

— Pourquoi ?

— Un parent à moi a participé à cette expédition. D'ailleurs, c'était une légende à lui tout seul. Mais il est mort il y a trois ou quatre ans.

— Dans ce cas, il ne pouvait pas être à Stockholm il y a quelques semaines.

— Non.

— Je peux vous envoyer une liste des sherpas dont je sais qu'ils se trouvaient sur la montagne à l'époque. Ça pourrait vous donner des pistes.

— Ce serait très utile.

— Enfin, je ne crois pas vraiment que sa mort ait un rapport avec l'Everest, dit Mikael, qui pensait tout haut. Le lien avec le ministre de la Défense est un peu tiré par les cheveux.

— Disons que vous n'excluez aucune éventualité.

— Oui, c'est ça. Vous savez, je trouve votre histoire passionnante.

— Merci, dit Robert Carson. Je vous tiens au courant.

Mikael raccrocha et se perdit dans ses pensées. Puis il écrivit à Lisbeth pour la remercier et lui faire un compte rendu des dernières avancées : Forsell, l'Everest, Mats Sabin et tout le reste. Autant qu'elle ait tous les éléments en main.

LISBETH VIT LE MAIL à 22 heures, mais ne l'ouvrit pas. Elle avait d'autres soucis. Et, par-dessus le marché, elle était en pleine dispute.

— Tu ne peux pas décoller de ton foutu ordinateur ? vociféra Paulina.

Lisbeth décolla de son foutu ordinateur et regarda Paulina, ses longues boucles détachées, ses yeux légèrement bridés, si expressifs, pleins de larmes et de colère.

— Thomas va me tuer.

— Tu avais dit que tu pouvais aller chez tes parents, à Munich.

— Là-bas, il viendra me chercher. Il est capable de complètement manipuler mes parents, qui l'adorent. Enfin, c'est ce qu'ils croient.

Lisbeth hocha la tête et tenta de rassembler ses esprits. Fallait-il attendre, malgré tout ? Non, décida-t-elle. Impossible de faire marche arrière, ou d'emmener Paulina à Stockholm. Lisbeth devait partir immédiatement – seule. Elle ne pouvait plus rester les bras ballants, bloquée dans le passé. Il fallait passer à l'action, suivre la traque de plus près. Sinon, d'autres pourraient en pâtir, surtout avec des gens comme Galinov sur le terrain. Elle répondit :

— Tu veux que je leur parle ?

— À mes parents ?

— Oui.

— Jamais de la vie.

— Pourquoi pas ?

— Parce que sur le plan de la communication, tu es un ovni, Lisbeth. Tu ne le savais pas ? la rembarra Paulina.

Elle saisit son sac à main et sortit en claquant la porte. Lisbeth se demanda si elle devait lui courir après mais, comme d'habitude, elle demeura figée devant son ordinateur. Elle décida de poursuivre ses efforts pour pirater les caméras de surveillance qui entouraient l'appartement de Strandvägen, où se trouvait encore Camilla. Pas facile. Il y avait des interférences. Le souvenir de la crise de Paulina. Des pensées. Le mail de Mikael aussi, même si l'affaire semblait relativement peu urgente – comparée au reste.

Il disait :

[Je ne pige pas comment tu fais. Applaudissements. Chapeau bas. J'aurais aussi dû te dire que le mendiant a divagué sur le ministre de la Défense, Johannes Forsell : *"Me took him, I left Mamsabin."* Quelque chose du genre (peut-être Mats Sabin). Obscur. Cela dit, Johannes Forsell a réellement fait l'ascension de l'Everest en mai 2008. Il a même failli y passer. Je te joins une liste des sherpas qui se trouvaient sur le versant sud de la montagne à ce moment-là. Tu découvriras peut-être quelque chose. J'ai parlé avec Robert Carson. Il est d'accord pour me filer un coup de main.

Prends soin de toi. Un grand merci.

M

PS : Mats Sabin a bien existé : commandant de l'artillerie côtière et historien militaire, mort à Abisko il y a quelques années. Il avait eu une dispute envenimée avec Forsell.]

— Ah bon, marmonna Lisbeth. Ah bon…

Rien de plus. Elle mit le dossier de côté et reprit son piratage des caméras de surveillance, mais ses doigts semblaient mus par une volonté propre. Une demi-heure plus tard, elle tapait "Forsell" et "Everest", et se plongeait dans des reportages interminables sur une dénommée Klara Engelman.

Cette Klara Engelman lui rappelait vaguement Camilla. Enfin, c'était une version bon marché de sa sœur, mais elle paraissait avoir le même genre de charisme – et, certainement, la même habitude d'être le centre d'attention. Pourquoi Lisbeth s'attarderait-elle sur un pareil personnage ? Elle avait autre chose à faire. Pourtant, elle poursuivit sa lecture, enfin, distraitement. Très distraitement. Elle écrivit un message à Plague à propos des caméras, puis appela Paulina, qui ne répondait pas. Petit à petit, sans même le remarquer, elle replaçait les pièces de l'ascension de Johannes Forsell.

Son ami Svante Lindberg et lui avaient atteint le sommet à 13 heures, le 13 mai 2008. Sous un ciel dégagé, ils étaient restés un moment là-haut, contemplant la vue et prenant des photos. Ils avaient informé le camp de base de leur position.

Peu après, cependant, sur le Hillary Step, un étroit passage rocheux qui devait les conduire au sommet sud, les ennuis commencèrent.

À 15 h 30 – ils n'étaient pas arrivés au-delà du dénommé Balcon, à huit mille cinq cents mètres d'altitude –, ils s'inquiétèrent de l'oxygène qui leur restait et de leurs possibilités d'atteindre le camp 4. La visibilité s'était détériorée. Forsell ne saisit pas bien ce qui se passait autour d'eux, mais il eut le pressentiment qu'il était arrivé un malheur.

Il avait entendu des voix paniquées à la radio mais, à ce stade, il était trop épuisé pour comprendre l'ampleur de la catastrophe, comme il l'avait dit plus tard. Il continua sa descente à travers l'immensité, tenant à peine sur ses jambes.

Peu après, le mauvais temps atteignait le sommet. Ils se retrouvèrent dans un chaos blanc fouetté par les vents et un froid extrême : près de moins soixante degrés. Gelés, ils distinguaient à peine le haut du bas. Peut-être n'était-ce pas étonnant que leurs comptes rendus respectifs de la descente jusqu'aux tentes, sur le versant sud-ouest, manquent de précision.

La plage horaire entre 19 et 23 heures demeurait la moins bien documentée. Lisbeth remarqua certaines incohérences mineures entre les deux récits, surtout en ce qui concernait la gravité de l'état de Forsell.

Elle eut l'impression que la crise de Forsell s'était progressivement apaisée. On pouvait certainement la considérer comme un incident mineur en comparaison avec le véritable drame qui se déroulait ailleurs sur la montagne, où Klara Engelman et son guide, Viktor Grankin, moururent cet après-midi-là. Pas surprenant qu'on ait fait couler des litres d'encre à ce sujet. Et de toutes les personnes qui se trouvaient sur la montagne ce jour-là, pourquoi était-ce justement la cliente de prestige qui avait succombé ? Le personnage le plus célèbre et le plus moqué.

On avait parlé de jalousie, de conflit de classes et de misogynie mais, après le tumulte, il était apparu qu'on avait fait tous les efforts possibles pour sauver Klara Engelman et que, de toute façon, depuis sa chute inexplicable dans la neige, elle était perdue. L'aspirant guide Robin Hamill avait même déclaré : "On n'en a pas fait trop peu pour sauver Klara, au contraire, on en a trop fait. Viktor la considérait comme tellement importante pour l'expédition que nous avons mis de nombreuses vies en péril pour la secourir."

Lisbeth trouva cela logique. La valeur publicitaire de Klara Engelman était si importante que personne n'avait osé la renvoyer en bas à temps. Elle se traînait, ralentissant toute l'expédition. Peu avant 13 heures, dans un geste d'exaspération, elle avait arraché son masque à oxygène. Par la suite, elle s'était irrémédiablement affaiblie.

Elle était tombée à genoux, puis s'était effondrée en avant de tout son long. Paniqué, Viktor Grankin, qui n'avait manifestement pas sa force de caractère habituelle ce jour-là, avait crié aux autres de s'arrêter. On avait fait des efforts considérables pour la redescendre. Peu après, le temps s'était assombri. L'expédition avait dû lutter contre une tempête de neige. Plusieurs participants, en particulier le Danois Mads Larsen et l'Allemande Charlotte Richter, étaient tombés gravement malades. Pendant quelques heures, tous avaient cru la catastrophe inévitable.

Mais les sherpas de l'expédition, sous le commandement de leur *sirdar*, Nima Rita, avaient trimé dans la tempête pour faire redescendre les participants à l'aide de cordes ou en les soutenant par l'épaule. Le soir venu, tous étaient sauvés sauf Klara Engelman et Viktor Grankin. Ce dernier avait refusé de quitter Klara, à la manière d'un capitaine de navire en perdition.

Le drame avait fait l'objet d'une enquête approfondie et, à ce jour, on avait répondu à la plupart des interrogations. La seule bizarrerie qui n'avait pas été élucidée – on l'attribuait hypothétiquement aux courants d'altitude qui soufflaient là-haut – était le lieu où on avait retrouvé le corps de Klara Engelman, un kilomètre plus bas, malgré les déclarations unanimes des témoins affirmant que Viktor Grankin et elle étaient morts ensemble, enlacés dans la neige.

Lisbeth pensa à tous les corps étendus sur les versants, s'accumulant d'année en année sans que personne n'ait la possibilité de les redescendre pour les enterrer. Insensiblement, l'heure avançait. Elle passait les comptes rendus au crible. Pour finir, elle se dit que, tout de même, quelque chose clochait dans cette histoire. Elle fit quelques recherches sur Mats Sabin, mentionné par Mikael, puis abandonna et perdit son temps à lire des potins. Une idée lui traversa alors l'esprit, mais elle n'eut pas le temps de l'approfondir.

En effet, la porte s'ouvrit avec fracas et Paulina entra, complètement ivre, la traitant d'avorton et de parasite. Lisbeth répliqua avec force et véhémence. Elles finirent par se jeter l'une sur l'autre et faire l'amour dans une étreinte enragée et pleine de désespoir.

15

LE 26 AOÛT

CE MATIN-LÀ, MIKAEL COURUT dix kilomètres le long du rivage. Lorsqu'il revint chez lui, son téléphone sonnait. Erika Berger lui annonça que le prochain numéro de *Millénium* devait partir à l'impression le lendemain. Elle n'était pas entièrement satisfaite, mais pas exagérément mécontente non plus.

— On a retrouvé un niveau qualitatif à peu près normal, dit-elle.

Elle lui demanda ce qu'il fabriquait. Il lui répondit qu'il était en vacances, s'était mis à courir et, en marge, s'intéressait à la cabale contre le ministre de la Défense.

— Bizarre, observa Erika.

— Pourquoi bizarre ?

— C'est le sujet de l'article de Sofie Melker.

— Et elle en dit quoi ?

— Elle décrit les attaques contre les enfants de Forsell et parle des policiers qui patrouillent devant l'École juive.

— Ah oui, j'ai lu quelque chose à ce propos.

— Dis-moi… dit-elle sur le ton profondément méditatif qu'elle prenait toujours pour lui suggérer un sujet de reportage. Puisque tu refuses de poursuivre ton enquête sur le krach boursier, tu pourrais faire un portrait de Forsell en essayant de l'humaniser un peu, pour changer. Vous vous entendez bien, il me semble.

Mikael regarda la mer.

— Oui, dans le temps.

— Alors, qu'est-ce que tu en dis ? Tu pourrais en profiter pour fournir quelques données objectives à nos lecteurs.

Il garda le silence.

— Bonne idée, finit-il par dire.

Il pensait au sherpa et à l'Everest.

— Justement, il paraît que Forsell a pris une semaine de vacances. Il n'a pas une maison pas loin de la tienne ?

— De l'autre côté de l'île.

— Dans ce cas…

— Je vais y réfléchir.

— Il fut un temps où tu ne réfléchissais pas tant. Tu agissais.

— Je suis en vacances.

— Tu n'es jamais en vacances.

— Ah bon ?

— Avec ton complexe de culpabilité et ton addiction au travail, les vacances, tu ne sais même pas ce que c'est.

— Tu veux dire que ça ne vaut même pas la peine d'essayer ?

— C'est ça, rit-elle.

Mikael rit aussi, comme il se devait, soulagé qu'elle ne lui propose pas de venir le voir.

Il ne voulait pas compliquer encore les choses avec Catrin. Il souhaita bonne chance à Erika, puis se perdit dans ses pensées en contemplant la mer fouettée par la tempête. Que faire ? Lui montrer qu'il était capable de prendre des vacances ? Ou se mettre au travail ?

Finalement, un entretien avec Forsell, il n'avait rien contre, mais il devait d'abord se renseigner plus précisément sur les ignominies qu'on avait écrites sur lui. Après quelques lamentations et soupirs, puis une longue douche, il prit le taureau par les cornes. Il eut d'abord un sentiment de profond dégoût, comme s'il s'enlisait à nouveau dans la vase des usines à trolls.

Petit à petit, il se laissa absorber. Il ne ménagea pas ses efforts pour retrouver les sources de toutes les déclarations infamantes, et les chemins tortueux qu'avaient empruntés les données de base, de plus en plus déformées alors qu'elles se répandaient aux quatre coins du Net. Il retomba sur les événements de l'Everest et, soudain, sursauta. Son téléphone sonnait. Cette fois, c'était Bob Carson de Denver.

L'Américain semblait exalté.

CHARLIE NILSSON, ASSIS sur un banc devant le centre de traitement des dépendances Prima Maria – le "Séchage", comme il l'appelait –, fronçait les sourcils. Il n'aimait pas discuter avec la police et encore moins en présence de ses copains. Mais la femme, une dénommée Modig, c'est-à-dire "courageux" en suédois, l'intimidait. Il s'agissait d'éviter les ennuis.

— Tu plaisantes ? dit-il. Je ne vendrais jamais rien de frelaté.

— Ah bon ? Et tu goûtes toutes tes bouteilles avant de les refiler ?

— Tu déconnes.

— Je déconne ? dit Modig. Au contraire, je crois que tu ne te rends pas compte à quel point je suis sérieuse.

— Arrête… essaya-t-il. N'importe qui aurait pu lui filer la bouteille empoisonnée, pas vrai ? Tu sais comment on appelle cet endroit ?

— Non, Charlie, je ne le sais pas.

— Le Triangle des Bermudes. Les gens font le circuit entre le Séchage, la boutique d'alcools et le troquet à bière, là-bas. Ensuite, ils disparaissent.

— Qu'est-ce que tu veux dire par là ?

— Qu'il se passe un tas de trucs louches ici. Il y a des drôles de zozos, tu vois, ils vendent de la came coupée et des cachetons bizarres. Mais ceux qui, comme moi, ont une affaire sérieuse, ceux qui restent là qu'il vente ou qu'il pleuve, nuit après nuit, ceux-là ne peuvent pas se permettre de faire ce genre de bêtises. On doit livrer de la qualité, il faut qu'on puisse l'assumer le lendemain, sinon, on est foutus.

— Je n'en crois pas un mot, dit Modig. À mon avis, tu n'es pas si consciencieux que tu le dis. Je voudrais aussi te faire remarquer que tu es dans une situation assez délicate. Tu vois ces messieurs en uniforme, là-bas ? Ce sont des policiers.

Charlie les voyait. À vrai dire, il les lorgnait discrètement depuis tout à l'heure, évitant de trop attirer leur attention.

— Eh bien, si tu ne me dis pas ce que tu sais, on te cueille tout de suite. Alors, tu as vendu quelque chose à ce type, c'est bien ça ? reprit Modig.

— Oui, on a fait affaire. Mais il me mettait mal à l'aise. Je l'évitais autant que possible.

— Pourquoi ça ?

— Il avait un truc dans les yeux, les mains mutilées et une horrible tache au visage, et puis il divaguait à propos de la lune. *Luna, luna…* Ça veut dire lune, non ?

— Je crois.

— En tout cas, une fois, il a dit ça. Il est venu de Krukmakargatan en boitant, s'est frappé la poitrine et a dit que *luna* était seule et l'appelait, elle et quelqu'un d'autre, un certain Mam Sabib ou un truc du genre. Franchement, il m'a fait peur. Complètement schizo. Il n'avait pas assez pour me payer, mais je lui ai quand même filé ce qu'il voulait, et ça ne m'a pas étonné du tout qu'il devienne violent.

— Il est devenu violent ?

Putain de merde, pensa Charlie Nilsson. Il avait promis de ne rien dire. Enfin, trop tard. Ça passe ou ça casse.

— Oui, mais pas contre moi.

— Contre qui ?

— Heikki Järvinen.

— C'est qui ?

— Un de mes clients, un type assez stylé, pour changer. Il a croisé le gars à Norra Bantorget en pleine nuit. Enfin, ça devait être lui. Selon Heikki, un petit Chinois sans doigts qui portait un anorak énorme et disait qu'il était allé dans les nuages ou quelque chose comme ça. Heikki ne l'a pas cru, et l'autre lui a mis une grosse beigne. Heikki a été bien sonné. Fort comme un ours, ce Chinois, d'après Heikki.

— Et où est-ce que j'ai une chance de croiser Heikki Järvinen ?

— Oh, lui, toujours en vadrouille. Pas facile.

La dénommée Modig, ou "courageuse", prit des notes, hocha la tête et posa encore quelques questions indiscrètes. Puis elle repartit. Charlie Nilsson poussa un soupir de soulagement. Il était louche, ce Chinois. Charlie s'en doutait depuis le début. Il se dépêcha d'appeler Heikki Järvinen avant que la police ne le dégote.

MIKAEL TROUVA LA VOIX de Bob Carson légèrement altérée, comme s'il avait attrapé un rhume ou manquait de sommeil.

— Je n'appelle pas à une heure indécente, au moins ? demanda l'Américain.

— Pas du tout.

— Ici, on est en pleine nuit. J'ai l'impression que ma tête va exploser. Je vous ai dit qu'un parent à moi était sur la montagne en 2008, vous vous en souvenez ?

— Parfaitement.

— Et qu'il était mort.

— Exact.

— C'était le cas. Enfin, présumé mort. Bref, je vais commencer par le début, ça vaut mieux.

— Bonne idée.

— J'ai appelé mon oncle à Khumbu. Il est au courant de tout ce qui se passe dans le coin, une vraie agence de presse. Nous avons parcouru ensemble la liste que vous m'aviez envoyée. Le seul parent que nous y avons reconnu est celui dont je vous avais parlé. Je me suis dit : autant laisser tomber, il est mort. Il n'aurait pas pu atterrir à Stockholm pour décéder à nouveau. Mais comme on n'a jamais retrouvé son corps, je me suis quand même penché sur la question. L'âge correspondait, la taille aussi.

— Comment s'appelle-t-il ?

— Nima Rita.

— C'était un des chefs, non ?

— Oui, il était *sirdar*, c'est-à-dire chef du groupe de sherpas. C'est lui qui a trimé le plus ce jour-là, sur le flanc de la montagne.

— Je sais. Il a sauvé Mads Larsen et Charlotte quelque chose.

— Sans lui, le bilan aurait été bien pire. Mais il l'a payé cher. Il a monté et descendu la montagne comme un galérien dans le froid. Résultat : des lésions graves au visage et à la poitrine, des orteils et des doigts amputés.

— Vous croyez qu'il s'agit de lui ?

— Je ne vois pas d'autre explication. Il avait une roue bouddhique tatouée sur le poignet.

— Mon Dieu… dit Mikael.

— En effet. Et tout le reste colle aussi. Nima Rita est mon cousin au troisième degré. Ce n'est pas étonnant que nous partagions les allèles du chromosome Y qu'a remarqués votre collègue chercheur.

— Vous voyez une raison plausible pour laquelle il se serait trouvé en Suède ?

— Non, aucune. Mais l'épilogue de l'histoire est intéressant.

— Allez-y. Je n'ai pas eu le temps de m'imprégner suffisamment des événements.

— Pour commencer, les aspirants guides Robin Hamill et Martin Norris ont récolté tous les honneurs pour le travail de sauvetage, enfin, si on peut parler d'honneurs après la mort de Klara Engelman et Grankin. Mais dans les premiers reportages fouillés sur l'expédition, il apparaissait que Nima Rita et ses sherpas avaient joué un rôle déterminant. Enfin, je ne sais pas si Nima en a tiré une quelconque satisfaction.

— Pourquoi ?

— Parce qu'à cette époque, sa vie était déjà un enfer. Il souffrait de gelures extrêmement douloureuses au quatrième degré. On a quand même attendu le dernier moment pour l'amputer. L'alpinisme était son gagne-pain, les médecins le savaient. Il avait eu des revenus assez élevés, c'est vrai, enfin, pour un indigène de la vallée du Khumbu, mais bas selon les standards européens. Il avait les poches trouées. Il buvait, il n'avait rien économisé. Le pire, c'est qu'on avait sali sa réputation. En plus, on peut dire qu'il avait ses propres démons à combattre.

— C'est-à-dire ?

— On a appris plus tard qu'il avait reçu une somme de Stan Engelman pour s'occuper plus spécialement de Klara. Sur ce plan, il avait échoué à cent pour cent. Il a été accusé de l'avoir ralentie. Personnellement, je n'y crois pas. Nima Rita était quelqu'un de loyal mais, comme beaucoup de sherpas, il était aussi superstitieux et considérait l'Everest comme un être vivant susceptible de punir les grimpeurs pour leurs péchés, et Klara Engelman... Vous avez une idée du personnage, je suppose ?

— J'ai lu les articles dans la presse.

— Elle agaçait un certain nombre de sherpas. Au camp de base, on murmurait dans son dos qu'elle allait attirer la malchance sur l'expédition. Elle énervait sûrement Nima aussi. En tout cas, a posteriori, il a éprouvé un profond sentiment de culpabilité. Il souffrait d'hallucinations, dit-on, peut-être même d'une pathologie neurologique. Ses séjours au-dessus de huit mille mètres lui avaient laissé des séquelles au cerveau. Il devenait de plus en plus acariâtre et bizarre. Il a perdu quasiment tous ses amis. Personne ne le supportait plus, sauf sa femme, Luna.

— Luna Rita, je présume. Où se trouve-t-elle en ce moment ?

— Justement. Après les opérations de Nima, Luna a dû subvenir à leurs besoins. Elle faisait du pain, cultivait des pommes de terre et passait parfois du côté tibétain pour acheter de la laine et du sel qu'elle revendait au Népal. Mais ça ne suffisait pas. Elle s'est mise à faire de la haute montagne, elle aussi. Nettement plus jeune que Nima, elle était forte. Elle a vite gravi les échelons, passant d'aide-cuisinière à sherpani grimpeuse. En 2013, lors d'une expédition hollandaise au Cho Oyu, le sixième plus haut sommet du monde, dans des circonstances chaotiques, elle est tombée dans une crevasse.

Un vent violent avait déclenché une avalanche, et les grimpeurs ont été obligés de faire demi-tour. Ils ont laissé Luna mourir seule. Nima est devenu fou de chagrin. Il considérait l'abandon de Luna comme raciste. Selon lui, si elle avait été *sahib*, on serait allé la chercher.

— Mais il s'agissait d'une modeste autochtone.

— Je ne saurais dire si ça a été déterminant. J'en doute. En général, je trouve la plupart des alpinistes dignes d'estime. Mais Nima ne s'en est jamais remis. Il a essayé de monter une expédition pour offrir à sa femme un enterrement convenable. Ça n'intéressait personne. Finalement, il est parti seul, bien trop vieux et pas entièrement sobre, à ce qu'on m'a dit.

— Doux Jésus…

— D'après ma famille du Khumbu, c'est cette ascension-là, plus que toutes ses expéditions sur l'Everest, qui constitue sa véritable prouesse. Ayant atteint son but, il a aperçu Luna au fond de la crevasse, éternellement conservée par le froid. Il voulait la rejoindre en bas et s'étendre à ses côtés, afin qu'ils renaissent ensemble. Mais à ce moment-là…

— Oui ?

— La déesse de la montagne lui a chuchoté d'aller de par le monde raconter son histoire.

— Ça paraît…

— Complètement fou, en effet, poursuivit Bob Carson. Et même s'il a vraiment voyagé à travers le monde, au moins jusqu'à Katmandou, pour raconter son histoire, personne ne l'a comprise. Il devenait de plus en plus incohérent. Il lui arrivait de pleurer sous les drapeaux du stoupa de Bodnath, où il a été aperçu plusieurs fois. Dans le quartier commercial de Thamel, il accrochait sur les murs des journaux manuscrits quasiment indéchiffrables, en mauvais anglais. Klara Engelman l'obsédait toujours, il en parlait beaucoup.

— Que disait-il à son propos ?

— À ce stade, il souffrait de troubles mentaux graves, ne l'oublions pas. Dans la confusion, peut-être mélangeait-il Luna, Klara et le reste. Il avait la tête sous l'eau. Après une agression contre un touriste anglais et une journée en garde à vue, sa famille l'a fait interner à l'hôpital psychiatrique de Jeetjung Marg, à Katmandou. Il y a fait plusieurs séjours jusqu'à la fin septembre 2017.

— Que s'est-il passé ?

— La même chose que d'habitude. Il a mis les voiles pour aller boire de la bière et de la vodka. Il était méfiant vis-à-vis des traitements prescrits par les médecins. Il disait que la seule chose qui faisait taire les cris dans sa tête était l'alcool. Je crois que, bon gré mal gré, le personnel médical l'a laissé faire. On ne l'a pas retenu, sachant qu'il revenait toujours de son propre chef. Mais cette fois, il a disparu pour de bon. Le personnel hospitalier a commencé à s'inquiéter. Apparemment, Nima avait parlé d'une visite qu'il attendait avec impatience.

— Quelle visite ?

— Je n'en sais rien. Un journaliste, peut-être. La commémoration des dix ans de la mort de Klara Engelman et Viktor Grankin a donné lieu à un certain nombre d'articles et de films documentaires. Nima était ravi qu'on l'écoute enfin.

— Vous n'en savez pas plus sur ce qu'il avait à dire ?

— Non, à part que son histoire était assez impénétrable. Il s'agissait beaucoup de fantômes et d'esprits.

— Rien sur Forsell, notre ministre de la Défense ?

— Pas à ma connaissance, mais je n'ai que des informations de seconde main, et je ne crois pas que vous aurez facilement accès aux dossiers médicaux de l'hôpital.

— Qu'a-t-on fait quand on s'est rendu compte qu'il ne revenait pas ?

— On l'a cherché, bien sûr, surtout dans les endroits où il avait l'habitude de traîner. Aucun résultat. Pas une trace, hormis un vague témoignage selon lequel on aurait vu son cadavre sur les berges du fleuve Bagmati, où les morts sont traditionnellement incinérés. Enfin, on n'a pas retrouvé son corps. Après un an, l'enquête a été classée. On avait perdu tout espoir. Sa famille a tenu une cérémonie du souvenir à Namche Bazar, ou peut-être plutôt… Comment dire… Un moment de prière. On m'a dit que c'était très beau. Il avait mauvaise réputation à la fin de sa vie, mais ça a permis de le réhabiliter. Nima Rita avait gravi onze fois l'Everest sans oxygène – onze fois ! – et son ascension du Cho Oyu, eh bien…

Bob Carson continua son récit exalté. Mikael ne l'écoutait plus que d'une oreille, faisant parallèlement des recherches sur Nima Rita. Il trouva pas mal de choses, y compris des pages Wikipédia en anglais et en allemand, mais seulement deux photos. Sur l'une, il était avec la star autrichienne de l'alpinisme Hans Mosel, après une ascension de l'Everest par le versant nord, en 2001. Sur l'autre, postérieure, on le voyait de profil devant une maison en pierre dans le village de Pangboche, à Khumbu. Comme sur la première photo, il était un peu trop éloigné de l'objectif pour pouvoir être identifié par un quelconque programme de reconnaissance faciale. Cela dit, dans l'esprit de Mikael, ça ne faisait aucun doute : les yeux, la tache noire sur la joue. C'était bien lui.

— Vous êtes toujours là ? demanda Bob Carson.

— Oui, juste un peu stupéfait.

— Je comprends. Vous avez un sacré mystère à élucider.

— On peut le dire. Mais dites-moi, Bob, en toute franchise…

— Oui ?

— Vous avez des super-gènes, c'est certain. Vous avez été vraiment formidable.

— Les super-gènes concernent les efforts en altitude, pas le travail de détective.

— Vous devriez faire une petite recherche sur vos gènes de détective aussi.

Bob Carson émit un rire fatigué.

— Puis-je vous demander de ne pas ébruiter l'affaire jusqu'à nouvel ordre ? Ce serait dommage de répandre des informations incomplètes.

— J'en ai déjà parlé à ma femme.

— Eh bien, que ça reste en famille, alors.

— Promis.

Mikael écrivit à Fredrika Nyman et Jan Bublanski pour leur faire part de ces révélations, puis poursuivit ses lectures sur Forsell et, dans l'après-midi, appela le ministre dans l'espoir de décrocher une interview.

JOHANNES FAISAIT DU FEU dans le poêle, à l'étage. Rebecka, dans la cuisine, en sentait l'odeur. Elle l'entendait également marcher de long en large. Elle n'aimait pas cela. Surtout, elle ne supportait plus son silence ni l'étrange éclat dans ses yeux. Elle aurait fait n'importe quoi pour le voir sourire à nouveau.

Quelque chose ne va pas, se dit-elle. *Vraiment pas.* Sur le point de monter lui demander des explications, elle le vit descendre l'escalier tournant. D'abord, elle s'en réjouit. Il était en tenue de sport, chaussé de ses Nike, ce qui aurait dû indiquer qu'il avait retrouvé sa vitalité. Mais quelque chose dans sa posture l'effraya. Elle monta quelques marches et, à mi-chemin entre les étages, lui caressa la joue.

— Je t'aime, dit-elle.

Le regard qu'il lui rendit était si chargé de désespoir qu'elle eut un mouvement de recul. Sa réponse ne la rassura pas non plus :

— Je t'aimerai toujours.

On aurait dit des adieux. Elle l'embrassa mais, l'esquivant, il lui demanda où étaient les gardes du corps. Elle mit un moment à lui répondre. De leurs deux terrasses, les gardes préféraient généralement le côté ouest, face à la mer. Ils allaient maintenant devoir se changer pour accompagner Johannes faire un jogging. Comme d'habitude, ils auraient du mal à le suivre. Parfois, Johannes faisait des allers et retours pour leur éviter de s'épuiser.

— Sur la terrasse ouest, répondit-elle.

Le souffle court et les épaules étrangement tendues, il hésita, sur le point de lui dire quelque chose. Rebecka remarqua des taches rouges sur son cou. Elle n'en avait jamais vu de la sorte sur sa peau.

— Qu'est-ce qu'il y a ? demanda-t-elle.

— J'ai essayé de t'écrire une lettre. Ça n'a pas marché.

— Nom de Dieu ! Pourquoi est-ce que tu veux m'écrire une lettre ? Je suis juste en face de toi !

— Je...

— Tu... ?

Elle était à deux doigts de se briser en mille morceaux. Cela dit, elle refusait d'abdiquer avant qu'il lui ait raconté ses soucis. Elle lui saisit les mains et le regarda dans les yeux. Sa réaction fut pire que tout.

Il se libéra, marmonna "pardon" et s'éclipsa en direction de l'autre terrasse, du côté est, celle qui donnait sur la forêt. Se retrouvant seule, elle hurla. Quand les gardes arrivèrent, elle était hors d'elle :

— Il est parti ! Il est parti !

16

LE 26 AOÛT

JOHANNES FORSELL COURUT à toute vitesse pendant long-temps. Ses tempes martelaient. Sa vie défilait dans son esprit endolori. Rien, pas même ses moments les plus heureux, ne lui apportait la moindre petite lueur d'espoir. En pensant à Becka et à leurs fils, il s'imaginait leur regard plein de désillusion et de honte. Quand, au loin, comme dans un autre monde, il entendit les oiseaux gazouiller, leur chant lui resta complètement étranger. Comment pouvait-on émettre des sons si gais ? Comment pouvait-on vouloir vivre ?

Il était plongé dans une noirceur sans fond et, néanmoins, il hésitait. En ville, il se serait jeté devant un poids lourd ou une rame de métro. Ici, il n'y avait que la mer – attirante, mais il se savait trop bon nageur pour parvenir, même dans sa profonde détresse, à étouffer son indomptable volonté de vivre.

Il continua donc à courir avec frénésie, comme pour fuir la vie elle-même. Comment en était-il arrivé là ? C'était incompréhensible. Il s'était cru capable de tout surmonter. Fort comme un ours. Mais il avait commis une erreur, et cette erreur l'avait entraîné dans une suite d'événements qu'il ne pouvait pas assumer. D'abord, il avait voulu rendre les coups, lutter. Mais ils le tenaient. Et ils en étaient bien conscients. Voilà comment Johannes en était arrivé là. Autour de lui, les oiseaux s'envolaient en battant des ailes. Un peu plus loin, un chevreuil apeuré bondit. *Nima, Nima…* Lui, d'entre tous. Johannes n'y voyait aucune logique.

Il aimait Nima, enfin, aimer n'était pas le mot, bien sûr. Il existait entre eux un lien privilégié, une sorte d'alliance. Nima avait été le premier à comprendre que la nuit, au camp de base, Johannes se faufilait dans la tente de Rebecka. Cela inquiéta le sherpa. Les activités sexuelles sur les pentes divines froissaient la déesse de l'Everest. *"Makes mountain very angry"*, avait-il dit.

Johannes s'était gentiment moqué de lui, il n'avait pas pu s'en empêcher et, bien que tous l'aient averti – "Inutile de plaisanter avec cet homme-là" –, Nima l'avait bien pris. Il avait ri. Rebecka et Johannes étaient tous deux célibataires. Cela rendait sans doute leurs écarts plus acceptables.

Pour Viktor et Klara, en revanche, c'était différent – bien pire, en réalité. Ils étaient tous deux mariés. Johannes se souvenait de Luna, la vaillante, la merveilleuse Luna, qui grimpait parfois jusqu'au campement le matin pour leur apporter du pain frais, du fromage de chèvre et du beurre de yak. Johannes avait décidé de leur donner un coup de pouce. Voilà ce qui avait tout déclenché. Il leur avait offert de l'argent – comme pour rembourser une dette qu'il n'était pas encore conscient d'avoir contractée.

Tant pis. Il fonçait en avant, dérivant malgré tout vers la mer. Sur la plage de sable, il arracha ses chaussures, ses chaussettes et son pull, puis se jeta à l'eau. Il pataugea d'abord et nagea ensuite comme il avait couru, furieusement. On l'aurait cru dans la finale d'un cent mètres. Il vit des oies blanches sur les flots. Plus loin dans le détroit, l'eau s'avéra plus froide qu'il ne le croyait, et le courant, plus fort. Mais au lieu de ralentir, il intensifia la cadence.

Nager pour oublier.

LES GARDES AVAIENT APPELÉ du renfort. Ne sachant que faire, Rebecka était montée dans le bureau de Johannes. Peut-être espérait-elle comprendre. Elle ne trouva aucune piste, hormis des traces de papier brûlé dans le poêle, et, frustrée, tapa du poing sur la table. Au même instant, quelque chose ronronna. Elle crut avoir elle-même provoqué le bruit.

Sur le téléphone portable de Johannes, l'écran s'alluma : Mikael Blomkvist. Rebecka s'abstint de répondre. Elle n'avait aucune envie de parler à un journaliste. Ces gens leur avaient empoisonné la vie. *Mais rentre donc, espèce d'idiot ! Nous t'aimons !* criait une voix dans sa tête. Puis ce fut le trou noir. Peut-être ses jambes avaient-elles cédé.

Se retrouvant assise par terre, elle pria – pour la première fois depuis qu'elle était petite fille. Le téléphone bourdonna de nouveau. Elle se leva, vacillante, et lut le même nom : Blomkvist. Blomkvist… songea-t-elle. Ne les avait-il pas défendus ? Il lui semblait que oui. Peut-être savait-il quelque chose. Pourquoi pas ? Sur un coup de tête, elle répondit :

— Allô ? Rebecka à l'appareil.

Elle entendit l'angoisse dans sa voix.

MIKAEL COMPRIT QUE quelque chose n'allait pas mais n'était pas en mesure d'évaluer la gravité de la crise. Il pouvait s'agir d'une querelle conjugale ou de n'importe quoi d'autre.

— Je vous dérange ? dit-il.

— Oui… Enfin, non, répondit Rebecka, parfaitement consciente de se trouver au bord du gouffre.

— Vous préférez que j'appelle plus tard ?

— Il s'est tiré ! hurla-t-elle. Il est parti en courant, il a faussé compagnie à ses gardes du corps ! Qu'est-ce qui nous arrive ?

— Vous êtes à Sandön ?

— Quoi ?… Oui, bredouilla-t-elle.

— Il comptait faire quoi, selon vous ?

— J'ai peur qu'il se fasse du mal ! Je suis morte de trouille !

Après quelques paroles réconfortantes – tout allait sûrement s'arranger –, Mikael se précipita vers son hors-bord amarré au ponton et démarra en trombe. Sandön faisait une surface de cinquante-quatre hectares, la maison des Forsell se trouvait assez loin et son bateau était lent. Il lui faudrait un certain temps pour s'y rendre. Ballottée par les vents, l'embarcation tanguait violemment. Le visage de Mikael était éclaboussé par des projections d'écume. Il jura dans sa barbe. Que fabriquait-il, à la fin ? Il n'en savait trop rien. C'était sa réaction habituelle à une situation de crise : foncer. Il accéléra. Peu après, il entendit un hélicoptère au-dessus de lui – sans doute à la recherche de Forsell.

Il repensa à sa femme. Elle avait semblé parler dans le vide, plongée dans une angoisse déchirante : *Qu'est-ce qui nous arrive ?* Il regarda la mer, au loin. Il était désormais poussé par le vent – un avantage. En approchant de la côte sud, il vit un runabout qui fonçait avec négligence et passa trop près de lui. Il fut violemment secoué par les remous. Il essaya de ne pas s'énerver contre le conducteur, sûrement un morveux survolté par les hormones.

Il filait, fouillant des yeux les alentours. Il n'y avait pas grand monde sur la plage. Pas de nageurs dans l'eau. Alors qu'il envisageait d'accoster et d'explorer les bois, il aperçut un point au milieu du détroit. Celui-ci disparut dans les vagues. Mikael mit le cap sur lui.

— Hé ! Attendez ! cria-t-il.

LE VENT ÉTOUFFAIT SES APPELS. De toute façon, Johannes Forsell était dans sa bulle, déconnecté du monde. Quand il perçut ses muscles tendus comme des arcs et les crampes naissantes dans ses bras, il se sentit libéré. Toujours concentré à cent pour cent, il comptait néanmoins nager sans relâche jusqu'à ce qu'il n'en puisse plus et se laisse sombrer au fond, loin de la vie. Rien n'était simple, pourtant. Il ne voulait pas vivre, mais n'était pas sûr de vouloir mourir. Il avait perdu espoir, voilà tout. La honte et la rage ne lui laissaient aucun répit, il avait l'impression d'imploser. L'épée s'était retournée contre lui. C'était insupportable.

Il songea à ses fils, Samuel et Jonathan, et il lui parut clair qu'aucune des options qu'il envisageait n'était acceptable : les trahir en se donnant la mort ou vivre et leur infliger une humiliation mortelle. Voilà pourquoi il continuait à nager, comme si la mer allait lui apporter la solution. Il entendit un hélicoptère au-dessus de sa tête et but la tasse, croyant s'être laissé surprendre par une vague – en réalité, ses forces diminuaient.

Il avait du mal à rester à la surface. Il passa du crawl à la brasse, mais cela ne changea pas grand-chose. Ses jambes appesanties le tiraient vers le bas. Soudain, sans comprendre comment, il se retrouva sous l'eau, incapable de remonter. La panique s'insinua dans chacune de ses cellules, il fit des moulinets avec les bras et sentit avec une clarté déchirante qu'il voulait peut-être mourir, mais pas ainsi. Il lutta pour remonter, haleta pour reprendre son souffle et fit demi-tour vers la plage. Il parcourut cinq mètres, puis dix, et sombra encore.

Dès lors, envahi par une épouvante qui n'allait plus le quitter, il retint son souffle tant qu'il le put. Mais il avalait de l'eau et, tout à coup, victime de ce que les médecins appellent le réflexe de laryngospasme, il cessa de respirer. Son corps lutta aussi longtemps que possible pour assurer sa survie dans ces conditions, puis il se mit à hyperventiler, irrémédiablement, pris d'une angoisse de mort galopante. Le liquide pénétrait dans ses poumons et dans son estomac.

Une douleur atroce lui déchira la poitrine et la tête – la peur aussi. Il perdit, puis reprit connaissance. À ce stade, il s'enfonçait déjà. Il pensa – dans la mesure où il le pouvait encore – à sa famille, à tout, à rien. Ses lèvres formèrent les mots "pardon" ou "à l'aide", difficile de le savoir.

LA TÊTE QUI AVAIT PLONGÉ dans les vagues réapparut.

— Attendez ! J'arrive ! cria Mikael.

Mais son bateau avançait trop lentement et, lorsqu'il chercha l'homme du regard, il ne vit que les flots, une mouette qui plongea et un voilier bleu au loin. Où avait-il aperçu le nageur ? Là ? Ou là ? Il choisit une direction au hasard, puis éteignit son moteur et fouilla des yeux les profondeurs. Troubles. Il avait lu quelque chose là-dessus : la pluie, les algues en fleur, les produits chimiques, les particules d'humus… Sans but précis, il fit signe à l'hélicoptère. Puis il se déchaussa et resta un instant immobile dans son bateau, qui tanguait fortement. Ensuite, il plongea.

L'eau était plus froide qu'il l'aurait cru. À grandes brassées, il s'enfonça sous la surface, regardant en vain autour de lui. Décidément, c'était sans espoir. Après une minute, il remonta, reprit sa respiration et nota que son bateau s'était déjà sensiblement éloigné. Tant pis. Il replongea dans une autre direction et, un peu plus loin, vit un corps sombrer, rigide, sans vie, comme une colonne qui file vers le bas. Il nagea vers lui et attrapa l'homme sous les bras. Le noyé se révéla lourd comme du plomb. De toutes ses forces, Mikael donna des coups de jambes et, lentement, un centimètre après l'autre, ils remontèrent. Mais Mikael avait fait un mauvais calcul.

Il pensait qu'à la surface la tâche serait plus aisée. Au contraire, il eut soudain l'impression de porter un tronc d'arbre. L'homme, très mal en point, pesait toujours autant. Il ne montrait aucun signe de vie. Ils se trouvaient au large, loin de la côte. Mikael n'aurait jamais la force de le ramener à terre. Mais il luttait. Il y avait fort longtemps, dans sa jeunesse, il avait fait un stage de secourisme et appris à changer régulièrement de prise pour faciliter le remorquage d'une victime.

Le corps s'alourdissait implacablement. Malgré ses efforts surhumains, Mikael avalait de l'eau dans les poumons et commençait à avoir des crampes. Il n'en pouvait plus. Tôt ou tard, il serait obligé de lâcher l'homme pour ne pas être lui-même entraîné vers le fond. Tantôt il décidait d'abandonner, tantôt il changeait d'avis. Il lutta jusqu'à ce que son champ de vision s'obscurcisse.

17

LE 26 AOÛT

TARD LE SOIR, DANS SON BUREAU, Jan Bublanski surfait sur des sites d'information. Johannes Forsell, le ministre de la Défense, se trouvait dans le coma, au service de réanimation de l'hôpital Karolinska, après avoir failli se noyer. Son état était décrit comme critique. Même s'il reprenait connaissance, de lourdes séquelles étaient envisageables. On parlait d'arrêt cardiaque, d'œdème pulmonaire osmotique et d'hypothermie, ainsi que d'arythmie et de lésions cérébrales. Ça s'annonçait mal.

Même les médias sérieux décrivaient l'incident comme une possible tentative de suicide. Une pareille information ne pouvait provenir que d'un proche du ministre. Tout le monde savait à quel point Forsell était bon nageur. On proposait une explication alternative : surestimant ses capacités, il serait allé trop loin et aurait été emporté pas des courants froids. Difficile d'en avoir le cœur net. D'après les comptes rendus, il avait été secouru par un particulier, hissé dans un bateau du sauvetage en mer, puis transporté en hélicoptère jusqu'à l'hôpital.

Certains articles sonnaient comme des nécrologies, faisant l'éloge de ce "ministre ferme et courageux, toujours prêt à défendre les valeurs humanistes fondamentales", cet "incurable optimiste qui préconisait toujours la négociation" et avait "lutté contre l'intolérance et les nationalismes destructeurs", récemment victime d'une "campagne de haine profondément injuste" sans doute menée par des usines à trolls russes.

— Facile à dire, maintenant, rouspéta Bublanski dans sa barbe.

Puis, l'air d'y trouver son compte, il se plongea dans une chronique de Catrin Lindås dans *Svenska Dagbladet*. Selon elle, l'incident était une conséquence logique d'un "climat social empoisonné qui attise les passions et diabolise certaines figures publiques".

Bublanski se tourna vers Sonja Modig, qui était assise dans le fauteuil élimé à côté de lui, son portable sur les genoux.

— Alors, dit-il. On avance, dans cette histoire ?

Elle leva la tête, l'air perdu.

— Pas vraiment. Nous sommes toujours à la recherche de Heikki Järvinen. Mais je viens d'interroger un des médecins qui se sont occupés de Nima Rita à l'hôpital de Katmandou, dont nous a parlé Blomkvist.

— Et il dit quoi ?

— Elle dit que Nima Rita souffrait d'une psychose grave et entendait des voix : des cris et des appels à l'aide. Il n'a jamais réussi à les faire taire. Ça le désespérait. Il semblait revivre sans arrêt le même événement.

— Quoi, comme événement ?

— Une épreuve qu'il avait traversée en montagne, un moment où il s'était senti impuissant. Elle m'a dit qu'ils avaient essayé de le mettre sous traitement médicamenteux et même de lui faire des électrochocs, mais c'était un cas difficile.

— Tu lui as demandé s'il parlait de Forsell ?

— Le nom lui disait quelque chose, rien de plus. Il parlait surtout de sa femme et de Stan Engelman. Il avait très peur de lui, m'a-t-elle dit. Je trouve qu'on devrait explorer cette piste. Engelman est du genre peu scrupuleux, si j'ai bien compris. Et elle m'a dit autre chose d'intéressant.

— Quoi ?

— Après le drame sur l'Everest en 2008, les journalistes voulaient tous interviewer Nima Rita, mais sa célébrité est vite retombée. Petit à petit, tout le monde a su qu'il était malade et incohérent. Bref, il a sombré dans l'oubli. Mais pour la commémoration des dix ans de la catastrophe, une certaine Lilian Henderson, journaliste à *The Atlantic*, l'a contacté. Elle écrivait un livre sur le drame. Elle lui aurait parlé au téléphone quand il était à l'hôpital.

— Et qu'est-ce qu'il lui a dit ?

— Pas grand-chose, en fait, à ce que j'ai compris. Henderson devait faire des recherches au Népal, et ils s'étaient mis d'accord pour se voir à ce moment-là. Mais quand elle est arrivée, il avait disparu. Finalement, le livre n'a pas vu le jour. La maison d'édition a voulu éviter d'éventuelles poursuites.

— Venant de qui ?

— D'Engelman.

— Et lui, de quoi avait-il peur ?

— Eh bien, c'est ce qu'on devrait chercher, je pense.

— Et on est sûrs à cent pour cent que le mendiant est Nima Rita ?

— Franchement, oui. Les correspondances sont trop nombreuses pour qu'il s'agisse d'un hasard. Et physiquement, ils se ressemblent.

— Comment Mikael Blomkvist a-t-il dégoté cette information ?

— Tout ce que je sais, c'est qu'il t'a écrit. J'ai essayé de le joindre, mais personne ne sait où il est, pas même Erika Berger. Elle dit s'inquiéter. Ils avaient parlé d'un projet de reportage sur Forsell. Depuis l'accident, elle l'appelle sans arrêt. Pas de réponse.

— Il n'a pas une maison à Sandön ?

— Si, à Sandhamn.

— Il n'aurait pas été enlevé par la direction du Renseignement militaire ou la Sûreté par hasard ? Avec toutes ces cachotteries autour de l'incident…

— En effet. Nous avons fait une demande au commandement de la Défense, mais ils ne nous ont rien donné.

— Radins.

— Et puis nous ne pouvons pas être sûrs que Mikael nous ait tout dit. Il a peut-être établi un lien entre Forsell et le sherpa.

— Cette histoire ne te met pas un peu mal à l'aise ?

— Qu'est-ce que tu veux dire ?

— Forsell accuse la Russie d'avoir influencé les élections suédoises et, brusquement, tout le monde le déteste, les diffamations se multiplient et il est poussé au suicide. Et après, comme par magie, réapparaît un sherpa mort qui le pointe du doigt. J'ai comme l'impression que quelqu'un veut coincer le ministre.

— Dit comme ça, oui, c'est plutôt vaseux.

— On n'a toujours aucune idée de la façon dont le mendiant est entré en Suède ?

— L'Agence de l'immigration vient de m'informer qu'il n'apparaît dans aucun de leurs fichiers.

— Bizarre.

— Il devrait au moins être dans nos bases de données.

— Peut-être que les renseignements font encore de la dissimulation, marmonna Bublanski.

— Ça ne m'étonnerait pas.

— Et on n'est pas autorisés à parler avec la femme de Forsell non plus, c'est bien ça ?

Sonja Modig secoua la tête.

— Il faudra quand même qu'on l'interroge assez vite, ils doivent bien le comprendre. On ne peut pas sans arrêt nous mettre des bâtons dans les roues.

— Malheureusement, c'est ce qu'ils ont l'air de croire.

— Eux aussi, ils ont la frousse ?

— On dirait.

— Bon. On va prendre les choses comme elles viennent et continuer à bosser sur ce qu'on a.

— D'accord.

— Quelle soupe, dit Bublanski, qui ne put s'empêcher de jeter un dernier coup d'œil aux sites d'information.

L'état de Johannes Forsell était toujours critique.

THOMAS MÜLLER OUVRIT la porte de son penthouse d'Østerbrogade, à Copenhague, après une longue journée de travail. En prenant une bière au frigo, il remarqua l'évier sale. Son assiette et sa tasse du petit-déjeuner n'avaient pas été mises au lave-vaisselle. Il jura tout haut et fit le tour de l'appartement. C'était un vrai bazar.

La femme de ménage s'était tout simplement fichue de lui – comme s'il n'avait pas déjà assez d'ennuis. Sa secrétaire était complètement neuneu. Il lui avait tellement crié dessus qu'il en avait eu mal au crâne. Et puis Paulina, par-dessus le marché. Comment osait-elle ? Après tout ce qu'il avait fait pour elle. C'était insupportable ! Quand ils s'étaient rencontrés, elle n'était rien qu'une petite journaliste de bas étage qui écrivait pour un torchon local. Il lui avait tout donné, sans même signer de contrat de mariage – une erreur monumentale, bien sûr. Sale gouine.

Quand elle reviendrait, toute dépitée, il ferait semblant d'être gentil avec elle. Et puis elle verrait. Il ne lui pardonnerait jamais, surtout pas après la carte postale. "Je te quitte, avait-elle écrit. J'ai rencontré une femme. Je suis amoureuse." Rien de plus. Il avait cassé son propre téléphone portable et un vase en cristal. Il avait même dû se mettre en arrêt maladie. Non, décidément, il préférait ne pas y penser.

Il retira sa veste et s'installa sur le canapé avec sa bière, se demandant s'il ferait bien d'appeler Fredrike, sa maîtresse. Mais il s'était lassé d'elle. Il alluma la télé, qui lui apprit que le ministre suédois de la Défense se trouvait entre la vie et la mort. Il s'en fichait pas mal. Encore un débile politiquement correct. Et magouilleur, en plus. Sale hypocrite. Il mit la chaîne Bloomberg et regarda le journal économique en laissant errer ses pensées. Il avait sûrement changé dix fois de chaîne quand on sonna à la porte. Il jura. *Qui vient ainsi inopinément à 22 heures ?* Il envisagea de ne pas bouger.

Puis il se dit que cela pouvait être Paulina, se leva et ouvrit la porte d'un coup sec. Ce n'était pas elle, mais une petite nana à la mine revêche et aux cheveux noirs, en jean et en sweat à capuche. Celle-ci resta dans le couloir, les yeux fixés sur le sol, un sac à la main.

— Je ne veux rien acheter, dit-il.

— C'est pour le ménage, dit-elle.

— Eh bien, dites à votre patronne d'aller se faire voir. Je n'ai pas le temps d'employer des gens qui ne font pas leur boulot.

— L'entreprise n'est pas responsable.

— Comment ?

— C'est moi qui ai annulé le ménage.

— Vous avez fait quoi ?

— Je l'ai annulé. Je vais le faire moi-même.

— Vous êtes bouchée, ou quoi ? Je ne veux plus de ménage. Disparaissez ! vociféra-t-il en claquant la porte.

Mais elle mit un pied dans l'entrebâillement et entra. Il remarqua alors son étrange démarche : elle ne bougeait ni les bras ni le torse et gardait la tête légèrement inclinée sur le côté, comme si elle fixait un point inexistant du côté de la fenêtre. Il craignit tout à coup qu'il ne s'agisse d'une criminelle ou d'une malade mentale. Les yeux brillants et le regard froid, elle paraissait bizarrement absente. Le plus fermement possible, il lui dit :

— Si vous ne déguerpissez pas, j'appelle la police.

Pas de réponse. Elle ne semblait pas l'avoir entendu. Se penchant en avant, elle sortit de son sac une longue corde et un rouleau de scotch. D'abord incapable de prononcer un mot, il lui saisit brusquement la main et cria :

— Dehors !

Inexplicablement, ce fut elle qui l'attrapa et le traîna vers la table. À la fois bouillonnant de colère et glacé par la peur, il s'arracha à son emprise et s'apprêta à la frapper ou à la bousculer, mais n'en eut pas le temps, car, rapide comme l'éclair, elle se précipita sur lui, le renversa en arrière, dos plaqué contre la table et, le transperçant de ses yeux brillants, glacés, elle le ligota. Puis elle dit d'une voix atone :

— Maintenant, je vais repasser votre chemise.

Elle le bâillonna à l'aide du scotch et posa sur lui le regard d'un fauve qui contemple sa proie. Thomas Müller n'avait jamais eu aussi peur de sa vie.

QUANT À MIKAEL, il avait été évacué dans le même hélicoptère que Forsell. Il souffrait d'hypothermie et de grandes quantités d'eau s'étaient introduites dans ses poumons. Pendant un certain temps, il était resté plus ou moins inconscient, mais il avait malgré tout récupéré assez rapidement. À une heure tardive, après la ronde du médecin et trois interrogatoires avec les services de renseignement de l'armée, on lui rendit ses affaires, entre autres son téléphone qu'on avait trouvé dans son bateau, au large.

On l'informa qu'il était autorisé à rentrer chez lui mais que les médecins lui recommandaient de passer la nuit à l'hôpital et qu'à la suite de la décision d'un procureur, un dénommé Matson, il était tenu au secret. Mikael s'apprêtait à contester la mesure et à appeler sa sœur, Annika Giannini.

Les lois qui obligeaient les journalistes au silence étaient bancales, il le savait. De plus, à ce qu'il avait pu voir, les agents des services de renseignement s'étaient comportés de façon arbitraire. Il décida néanmoins de laisser courir. De toute façon, il n'écrirait pas un mot sur cette histoire avant de l'avoir disséquée et étudiée en profondeur. Il resta assis sur son lit, tentant de rassembler ses esprits. Mais il n'eut pas longtemps la paix.

On frappa. Une femme d'une quarantaine d'années aux yeux injectés de sang entra et, pour une raison obscure – peut-être parce qu'il fixait la liste interminable de ses appels manqués, sur l'écran de son téléphone –, il mit un certain temps à comprendre qu'il s'agissait de Rebecka Forsell. Elle avait les cheveux châtains et portait un tailleur gris et un tee-shirt blanc. Ses mains tremblaient. Elle dit vouloir le remercier avant qu'il ne s'en aille.

— Il va mieux ? demanda Mikael.

— Le pire est passé, mais les médecins ne peuvent pas encore se prononcer sur les séquelles éventuelles. C'est trop tôt.

Il la pria de s'asseoir.

— Je comprends, dit-il.

— Il paraît que vous avez failli y passer aussi.

— C'est un peu exagéré.

— Tout de même… Est-ce que vous comprenez ce que vous venez de faire pour nous ? Vous le comprenez ? C'est énorme.

— Ça me touche beaucoup, dit-il. Merci.

— Y a-t-il quelque chose que nous puissions faire pour vous ?

Me dire tout ce que vous savez sur Nima Rita, pensa-t-il. *Allez, avouez…*

— Prenez bien soin de Johannes et dites-lui de trouver un travail moins stressant.

— Nous avons traversé une période très éprouvante.

— Je l'imagine.

— Vous savez…

L'air perdue, elle se frotta le bras.

— Oui ?

— J'ai jeté un coup d'œil aux discussions à propos de Johannes sur les réseaux sociaux. Tout à coup, les internautes sont adorables. Pas tous, bien sûr, mais beaucoup. Ça m'a semblé irréel. Comme si, brusquement, je voyais l'ampleur du cauchemar que nous avons vécu.

Il se pencha vers elle et lui prit la main.

— C'est moi qui ai déclaré à *Dagens Nyheter* qu'il s'agissait d'une tentative de suicide, reprit-elle, même si je n'en étais pas sûre. Vous trouvez ça affreux ?

— Vous aviez vos raisons.

— Je voulais qu'on comprenne que c'est allé très loin.

— Ça me semble normal.

— Les gens de la direction du Renseignement militaire m'ont raconté quelque chose de très bizarre, dit-elle, l'air accablée.

— De quoi s'agit-il ? lui demanda-t-il en mobilisant tout son self-control pour ne pas paraître exagérément curieux.

— Que Nima Rita avait été retrouvé mort à Stockholm et que c'est vous qui l'aviez identifié.

— En effet, c'est vraiment bizarre. Vous le connaissiez ?

— Je ne suis pas sûre d'oser en parler. Ils font pression sur moi pour que je me taise.

— Moi aussi, dit Mikael, puis il ajouta : Mais sommes-nous vraiment si obéissants ?

Elle sourit tristement.

— Peut-être pas.

— Bon… Vous le connaissiez ?

— Nous l'avons côtoyé une courte période, au camp de base. Nous l'appréciions beaucoup, et je crois que c'était réciproque. *"Sahib, sahib*, disait-il sans arrêt à Johannes. *Very good person."* Sa femme était ravissante.

— Luna.

— Luna, répéta-t-elle. Elle nous gâtait. Elle trimait sans relâche. Plus tard, nous les avons aidés à construire leur maison à Pangboche.

— C'est gentil.

— Je n'en suis pas si sûre. Nous nous sentions coupables de ce qui était arrivé à Nima.

— Est-ce que vous avez une idée de la façon dont il a pu disparaître de Katmandou, où il était présumé mort, puis réapparaître à Stockholm trois ans plus tard, et mourir, pour ainsi dire, une seconde fois ?

— Ça me donne mal au ventre, dit-elle, manifestement angoissée.

— Je comprends.

— Vous auriez dû voir les petits garçons, dans le Khumbu.

— Qu'est-ce qu'ils avaient ?

— Ils le vénéraient. Nima sauvait des vies. Et il l'a payé très cher.

— Il a dû interrompre sa carrière de grimpeur.

— On a noirci sa réputation.

— Tout le monde n'y a pas cru, quand même ?

— Mais beaucoup de gens.

— Qui ça ?

— Les proches de Klara Engelman.

— Son mari, par exemple ?

— Oui, lui aussi, bien sûr.

Il perçut une fêlure dans sa voix.

— Votre réponse m'intrigue.

— Vous savez… C'est une histoire plus compliquée qu'il n'y paraît. Des tas d'avocats s'en sont mêlés. L'année dernière, une maison d'édition américaine a dû annuler la publication d'un livre sur l'expédition.

— À cause des avocats d'Engelman ?

— Oui. Sur le papier, Engelman est un magnat de l'immobilier, un simple entrepreneur, en somme, mais en fait, c'est un gangster, un mafieux. Du moins, c'est ce que je crois. Et il avait des doutes sur sa femme, à la fin.

— Pourquoi ?

— Parce qu'elle était tombée amoureuse de notre guide, Viktor Grankin, et voulait le quitter. Elle nous avait confié vouloir divorcer et dévoiler à la presse que son mari était maladivement narcissique et se comportait comme un vrai salaud envers elle. Engelman est donc parvenu, avec un certain talent, je dois dire, à étouffer ces révélations. On peut en lire des bribes sur les sites people.

— Je vois, dit Mikael.

— L'ambiance était délétère.

— Nima Rita était au courant ?

— Klara et Viktor étaient très discrets, mais il le savait sûrement. Il était tout de même spécialement chargé de la sécurité de Klara.

— Et lui aussi s'est tu ?

— Je le crois. Du moins tant que son état psychologique était à peu près stable. Mais à ce qu'il paraît, après la mort de sa femme, il a progressivement perdu l'esprit. Ça ne m'étonnerait pas qu'il se soit mis à divaguer à propos de ces événements, et de beaucoup d'autres choses.

Mikael regarda Rebecka Forsell : ses yeux, son long corps recroquevillé sur la chaise. À contrecœur, il dit :

— Vers la fin, il divaguait aussi sur votre mari.

ELLE SENTIT LA COLÈRE MONTER en elle, bouillonnante, mais fit en sorte de ne pas le montrer – une réaction injuste, bien sûr. Blomkvist faisait son travail, ni plus ni moins. Et il avait sauvé la vie de son mari. Cependant, sa remarque avait ravivé en elle un soupçon d'autant plus inquiétant : que Johannes lui cachait quelque chose sur Nima et sur son ascension de l'Everest. Car en toute franchise, elle ne croyait absolument pas que son mari ait été brisé par une quelconque campagne de haine.

Johannes était un battant, un fou furieux de l'optimisme qui ne baissait jamais les bras et allait toujours de l'avant, malgré les mauvais pronostics. Les deux seules et uniques fois où elle l'avait vu s'effondrer, c'étaient ces derniers jours à Sandön et après son ascension de l'Everest. Elle s'était mise à soupçonner un lien entre les deux événements. Voilà ce qui la rendait furieuse, en réalité – pas les déclarations de Mikael. Elle éprouvait une brûlante envie de s'en prendre au porteur de mauvaises nouvelles.

— Je n'y comprends rien, dit-elle.

— Vraiment ?

Elle resta silencieuse, puis dit une chose qu'elle regretta immédiatement :

— Vous devriez en parler à Svante.

— Lindberg ?

— Oui.

Elle se méfiait de Svante. Johannes et elle avaient eu de violentes disputes quand il l'avait nommé secrétaire d'État. En surface, Svante était une copie conforme de Johannes : même énergie, même enthousiasme un peu martial. Mais la façade dissimulait autre chose. Johannes considérait les gens comme foncièrement bons jusqu'à preuve du contraire ; Svante, quant à lui, était un calculateur et un manipulateur.

— Que pourrait-il me dire ? demanda Mikael.

Ce qui l'arrange, songea Rebecka.

— Ce qui est arrivé sur l'Everest, répondit-elle, se demandant si elle trahissait ainsi Johannes.

Enfin, s'il lui cachait des choses sur l'expédition, c'était lui qui la trahissait. Elle se leva, fit une accolade à Blomkvist, le remercia encore et retourna au service de réanimation.

18

NUIT DU 26 AU 27 AOÛT

L'INSPECTRICE ULRIKE JENSEN conduisait un premier interrogatoire avec le plaignant Thomas Müller au Rigshospitalet, à Copenhague, où il était arrivé à 23 h 10, victime de brûlures sur les bras et la poitrine. Ulrike, âgée de quarante-quatre ans, était mère d'un enfant en bas âge et avait longtemps travaillé sur des crimes à caractère sexuel. Depuis sa mutation à la brigade des agressions, elle assurait souvent la permanence de nuit – l'horaire le plus pratique sur le plan familial, du moins provisoirement – et avait donc l'habitude des témoignages confus et alcoolisés. Mais là, c'était le pompon.

— Ça doit être très douloureux, je le comprends bien, et vous êtes sous l'effet de la morphine, dit-elle, mais essayons de nous en tenir aux faits. Concentrons-nous sur le signalement.

— Je n'avais jamais vu des yeux pareils, marmonna-t-il.

— Oui, vous me l'avez déjà dit. Mais il me faut des éléments plus concrets. Avait-elle un signe particulier ?

— Elle était jeune et petite. Elle avait les cheveux noirs et parlait comme un fantôme.

— C'est-à-dire ?

— Sans émotion, enfin… Comme si elle pensait à autre chose. Elle paraissait absente.

— Et qu'est-ce qu'elle a dit ? Vous pouvez me le répéter, pour qu'on essaie de mieux comprendre le déroulement des faits ?

— Elle a dit qu'elle ne repassait jamais ses propres habits, qu'elle ne savait pas très bien le faire et qu'il était important que je me tienne tranquille.

— C'est cruel.

— C'est complètement malade.

— C'est tout ?

— Qu'elle reviendrait me voir si je…

— Si vous… ?

Se tordant dans son lit d'hôpital, Thomas Müller lui lança un regard impuissant.

— Si vous… ? répéta-t-elle.

— Si je ne laissais pas ma femme tranquille. Il fallait que j'abandonne toute idée de la revoir et que je demande le divorce.

— Votre femme est en voyage, dites-vous ?

— Oui, elle…

Sa réponse se perdit dans un marmonnement.

— Est-ce que vous avez fait quelque chose à votre femme ?

— Pas du tout. C'est elle qui…

— Qui quoi ?

— Qui m'a quitté.

— Et pourquoi elle vous a quitté, d'après vous ?

— Parce que c'est une sale…

Il faillit dire une horreur mais eut la présence d'esprit de se retenir. *Décidément, il devait y avoir un prélude à cette affaire*, se dit Ulrike Jensen – sans doute pas joli joli non plus. Elle n'insista pas.

— Y a-t-il autre chose qui vous revienne à l'esprit ? Un détail qui pourrait nous aider ?

— Elle a dit que je n'avais *pas de chance*.

— Comment ça ?

— Qu'elle avait intériorisé un tas de merdes tout l'été et que ça l'avait rendue plus ou moins folle.

— Qu'est-ce qu'elle voulait dire par là ?

— Comment voulez-vous que je le sache ?

— Comment ça s'est terminé ?

— Elle a arraché le scotch de ma bouche et a tout répété.

— Que vous ne deviez pas vous approcher de votre femme ?

— D'ailleurs, je ne compte pas le faire. Je ne veux plus la voir, celle-là.

— Bien, dit Ulrike Jensen. Ça me semble plus raisonnable, du moins pour le moment. Vous n'avez pas parlé à votre femme ce soir non plus ?

— Je ne sais même pas où elle est, je vous dis ! Enfin, merde…

— Oui ?

— Vous devez faire quelque chose – et vite ! Cette femme est complètement malade. C'est un danger public.

— On fera de notre mieux, je vous le promets, mais on dirait…

— On dirait quoi ?

— Que toutes les caméras de surveillance de votre quartier étaient hors service cette nuit-là. Nous avons très peu d'indices.

Ulrike Jensen ressentit soudain une immense lassitude vis-à-vis de son travail.

PEU APRÈS MINUIT, DANS UN TAXI depuis l'aéroport d'Arlanda, Lisbeth faisait une recherche sur un avocat spécialisé dans les divorces que lui avait recommandé Annika Giannini, lorsqu'elle reçut un message crypté de Mikael. Elle se sentait trop épuisée pour le lire. Trop larguée. Elle interrompit ses recherches et laissa son regard errer à travers la vitre. Que lui arrivait-il ?

Elle appréciait Paulina. Peut-être l'aimait-elle, à sa manière tordue. Mais comment le montrer ? Elle l'avait renvoyée chez ses parents à Munich dans un état de désespoir profond et s'était ensuite attaquée à son mari à Copenhague, comme si la vengeance allait compenser le manque d'amour. Incapable de tuer sa sœur, pourtant si malfaisante, mais Thomas Müller, en revanche, oui, sans ciller.

Alors qu'elle le tenait plaqué contre la table, le fer à repasser dans une main, des souvenirs avaient défilé dans son esprit : Zalachenko, l'avocat Bjurman, le psychiatre Teleborian et toutes les autres ordures. Elle avait passé un cap, franchi une limite, agi comme si elle se vengeait de tout ce qu'elle avait elle-même enduré. Elle avait dû mobiliser toute sa volonté pour ne pas dérailler complètement. Merde... Il était temps de se ressaisir.

Sinon, cela se reproduirait à l'infini : elle hésiterait quand il faudrait frapper et péterait les plombs quand il faudrait garder son sang-froid.

Lors de sa douloureuse prise de conscience boulevard Tverskoï, quelque chose l'avait déstabilisée plus que le reste. Il ne s'agissait pas seulement de sa paralysie quand Zala venait chercher Camilla, la nuit, mais également de sa mère. Savait-elle ? Avait-elle fermé les yeux ? Le soupçon rongeait Lisbeth et la rendait de plus en plus méfiante vis-à-vis d'elle-même. Elle redoutait sa propre indécision ; et de se montrer piètre guerrière dans ce qui l'attendait inévitablement : la plus grande bataille de sa vie.

Plague l'ayant aidée à pirater les caméras de surveillance autour de l'appartement de Strandvägen, elle savait que Camilla avait reçu la visite de gens du MC Svavelsjö. Sa sœur employait donc tous les moyens à sa disposition pour la traquer. Si l'occasion se présentait, Camilla, elle, n'hésiterait pas. Alors merde ! Le temps était décidément venu de se ressaisir. Il fallait faire preuve de force et d'obstination, comme avant. Et pour commencer, elle devait trouver une planque.

Elle n'avait plus de logement à Stockholm. Elle envisagea plusieurs solutions et lut malgré tout, à la va-vite, le mail de Mikael sur Forsell et le sherpa. Sûrement passionnant, mais elle n'avait pas la force de s'y intéresser. Sur un coup de tête, elle lui répondit dans des termes qui la surprirent elle-même :

[Je suis en ville. On se voit tout de suite. À l'hôtel.]

Une proposition indécente, certes, ou, disons, lancée dans un état de solitude désespérée, mais aussi... une mesure de sécurité. Car il n'était pas improbable que Camilla et ses acolytes, faute de pistes, s'en prennent à ses proches. Dans ce cas, mieux valait barricader Blomkvist dans une chambre d'hôtel.

Cela dit, il était parfaitement capable de s'enfermer lui-même. Dix, quinze, vingt minutes passèrent. Il ne répondait toujours pas. Lisbeth eut une moue de mépris et ferma les yeux, se sentant l'envie de dormir pendant une éternité. D'ailleurs, peut-être somnola-t-elle, car quand Mikael répondit, elle sursauta, comme sous le coup d'une attaque surprise.

SA SŒUR, ANNIKA, lui procura des habits propres et le reconduisit à son appartement de Bellmansgatan. Mikael crut qu'il s'effondrerait sur son lit. Mais il s'assit devant son ordinateur et se mit à faire des recherches sur l'homme d'affaires Stan Engelman. Âgé de soixante-quatorze ans, remarié, Engelman faisait l'objet d'une enquête pour corruption et menace d'atteinte aux personnes dans le cadre de la vente d'un hôtel trois étoiles à Las Vegas et, bien qu'on ne fût sûr de rien – lui-même clamait son innocence –, son empire semblait vaciller. Des rumeurs circulaient : il se serait adressé à des relations d'affaires en Russie et en Arabie saoudite pour rechercher des soutiens.

Stan Engelman n'avait pas fait une seule déclaration sur Nima Rita. En revanche, il avait verbalement attaqué le défunt Viktor Grankin, guide de haute montagne, qui avait embauché Nima comme *sirdar*, et porté plainte contre son entreprise, Everest Adventures Tours. Un tribunal moscovite lui avait accordé un arbitrage et avait, dans la foulée, déclaré la faillite de l'entreprise. Engelman semblait vouer une véritable haine à tout ce qui avait trait à l'expédition. Enfin, cela n'expliquait pas pourquoi le sherpa était soudain apparu à Stockholm – autant dire au bout du monde. Trop épuisé pour se plonger dans les transactions immobilières, les histoires de femmes ou les déclarations fracassantes d'Engelman, Mikael décida de passer à autre chose : Svante Lindberg qui, en tout état de cause, devait être la personne la mieux renseignée sur les agissements de Forsell durant l'expédition.

Général de corps d'armée, ancien de la force d'élite côtière et probablement – lui aussi – officier de renseignement, Svante Lindberg était également un ami proche de Forsell depuis leur jeunesse. Alpiniste expérimenté, il avait gravi trois sommets de huit mille mètres, le Broad Peak, le Gasherbrum et l'Annapurna, avant de s'attaquer à l'Everest. C'était certainement la raison pour laquelle Viktor Grankin les avait autorisés, Johannes et lui, quand le groupe ralentissait, dans la matinée du 13 mai 2008, à devancer les autres et à se lancer seuls à l'assaut du sommet. Mais ce qui s'était réellement déroulé en chemin vers le Toit du Monde, Mikael le découvrirait plus tard, ça attendrait le lendemain. Pour l'instant, il constata que Svante Lindberg avait lui aussi été pris pour cible dans la campagne de haine contre Forsell.

Des rumeurs prétendaient que c'était lui qui détenait le véritable pouvoir au ministère de la Défense. Il donnait rarement d'interview. Ce que Mikael trouva de plus détaillé était un portrait paru trois ans plus tôt dans le magazine *Runner's World*. Peut-être le lut-il. A posteriori, il ne se souvenait plus que d'une formule : "Si vous êtes au bout du rouleau, c'est qu'il vous reste encore soixante-dix pour cent de vos forces." Il avait dû s'assoupir.

Il se réveilla devant son ordinateur, tremblant de tout son corps en revoyant Forsell sombrer vers le fond. *Je suis au bout du rouleau et en état de choc*, se dit-il. Il se traîna jusqu'à son lit, pensant retrouver le sommeil. Mais les pensées se bousculaient frénétiquement dans son esprit. Il finit par consulter son téléphone. Lisbeth avait répondu à son mail :

[Je suis en ville. On se voit tout de suite. À l'hôtel.]

À cause de la fatigue, il dut relire le message, qui le rendit… Quoi ? Gêné ? Ennuyé ? Difficile à dire… Il envisagea de l'ignorer, comme s'il ne l'avait même pas ouvert, mais avec Lisbeth, il y avait peu de chances que ça marche. Elle devait déjà avoir reçu une confirmation de lecture. Que faire ? Il ne se sentait pas capable de refuser sa proposition, mais n'avait pas non plus le courage de l'accepter. Il ferma les yeux et tenta de s'éclaircir les idées. Elle était à Stockholm et voulait le voir immédiatement à l'hôtel ? Cela signifiait-il autre chose que le fait qu'elle était à Stockholm et voulait le voir immédiatement à l'hôtel ?

— Enfin, Lisbeth, merde… marmonna-t-il.

Il fit nerveusement les cent pas dans l'appartement. Décidément, elle venait de le déstabiliser. Jetant un coup d'œil dans la rue, il aperçut devant le Bishop's Arms une silhouette qu'il reconnut immédiatement : le type à la queue de cheval de Sandhamn. Il sursauta comme s'il avait reçu un coup dans le ventre. Plus de doute possible…

Il était surveillé. Merde ! Son cœur martelait, sa bouche était sèche, il se dit qu'il devrait contacter Bublanski ou quelqu'un d'autre à la police, tout de suite. À la place, il écrivit à Lisbeth :

[Je suis suivi.]

Elle répondit :

[Ma faute. Je vais t'aider à t'en débarrasser.]

Il eut envie de crier qu'il n'avait pas la force de se débarrasser de qui que ce soit, qu'il voulait simplement dormir, se remettre en vacances et oublier tout ce qui n'était ni simple ni calme.

Il écrivit :

[D'accord.]

19

LE 27 AOÛT

KIRA AURAIT PRÉFÉRÉ COUPER les ponts avec le MC Svavelsjö. Elle aurait préféré virer ces misérables truands, ne plus voir leurs vestons ridicules, leurs habits cloutés, leurs capuches, leurs tatouages. Mais elle avait encore besoin d'eux. Elle les avait donc arrosés de fric, leur avait rappelé la figure tutélaire de Zalachenko et décrit la mission comme un geste en l'honneur de sa mémoire.

Ils l'écœuraient. Elle avait envie de les engueuler, de les traiter de minables, de losers, de les envoyer chez le coiffeur et chez le tailleur. Mais elle garda son habituelle et digne froideur, soulagée que Galinov l'ait accompagnée. Ce jour-là, assis en face d'elle dans un fauteuil rouge, vêtu d'un costume de lin blanc et de chaussures en cuir marron, il lisait un article sur le lien de parenté entre le suédois et le bas allemand, ou quelque chose du genre, comme s'il était en voyage d'étude. Il apaisait Kira, la reliait à son ancienne vie et, mieux encore : il faisait peur aux motards.

Quand ces ringards se cabraient, refusant d'obéir à une femme, il suffisait que Galinov baisse ses lunettes de lecture et fixe le récalcitrant de son regard bleu glacial pour que celui-ci obtempère en silence, visiblement conscient de ce dont Galinov était capable. Elle jugea donc inutile de se laisser agacer par sa passivité.

Son véritable travail commencerait plus tard. Pour le moment, Bogdanov et les lascars étaient occupés à traquer Lisbeth.

D'ailleurs, ils n'avaient toujours pas la moindre trace. Zéro. Ils semblaient pourchasser une ombre. Et cette nuit, comme si ça ne suffisait pas, ils avaient encore perdu un moyen de pression. Voilà pourquoi elle avait convoqué Marko Sandström, le président du Svavelsjö, qui entra dans le salon flanqué d'un autre malfrat, un dénommé Krille, croyait Kira. Enfin, c'était le dernier de ses soucis.

— Pas d'excuses bidon, dit-elle. Par contre, je veux un compte rendu objectif de ce qui est arrivé.

Marko eut un sourire inquiet, ce qui lui plut. Il était aussi grand et menaçant que les autres gars du Svavelsjö. Toutefois, il avait le bon goût de ne pas porter la barbe ni les cheveux longs, et de ne pas avoir de bide. Il était même plutôt beau gosse, et son torse... Elle aurait aimé y planter ses ongles, comme autrefois.

— Cette mission est impossible, dit Marko.

Il essayait manifestement de se donner de l'autorité, mais ne pouvait s'empêcher de jeter des coups d'œil en douce à Galinov, qui ne levait même pas la tête, ce qui plut également à Kira.

— Comment ça, impossible ? demanda-t-elle. Je voulais que vous le filiez, rien de plus.

— Oui, mais vingt-quatre heures sur vingt-quatre, ça demande des moyens. En plus, il ne s'agit pas exactement de M. Tout-le-Monde.

— COMMENT... C'EST... ARRIVÉ ? répéta-t-elle en détachant les mots.

— Ce connard... intervint celui dont elle croyait qu'il s'appelait Krille.

Marko le coupa.

— Laisse-moi faire. Camilla...

— Kira.

— Pardon. Kira, reprit-il, Blomkvist a disparu dans son hors-bord à toute vitesse hier après-midi. On n'avait pas une chance. Et puis ça n'a pas tardé à tourner au vinaigre. L'île fourmillait de flics et de militaires. On ne savait même pas où chercher. On a décidé de se séparer. Jorma est resté à Sandhamn et Krille est allé à Bellmansgatan. Et il a attendu.

— Et Mikael est arrivé ?

— Tard le soir, en taxi. Il avait l'air complètement vanné. Rien n'indiquait qu'il n'allait pas rentrer dormir, et je trouve que Krille mérite des applaudissements pour être resté. Blomkvist a éteint la lumière, mais il est ressorti à 1 heure du matin, une valise à la main. Il est allé prendre le métro à Mariatorget. Il ne s'est retourné qu'une fois. Sur le quai, il était affalé sur un banc, la tête dans les mains.

— Il avait l'air malade, ajouta Krille.

— Exactement, dit Marko. Ça nous a incités à baisser la garde. À être un peu plus relax. Dans le métro, il avait la tête appuyée contre la vitre et les yeux clos, l'air complètement épuisé… Mais après…

— Oui ?

— À Gamla Stan, juste avant que les portières ne se referment, il est sorti comme un boulet de canon et a disparu du quai. On l'a perdu.

Pendant un moment, Kira garda le silence. Elle échangea un regard avec Galinov, et vit que Marko l'avait remarqué. Puis elle fixa ses mains, impassible. Le silence et l'immobilité sont plus effrayants qu'une violente crise de colère, elle l'avait appris dès l'enfance. Puis, réfrénant son envie de hurler, elle dit sèchement :

— La femme que Blomkvist a emmenée à Sandhamn, on l'a identifiée ?

— Absolument. Elle s'appelle Catrin Lindås et habite Nytorget 6. C'est une pétasse des médias bien connue.

— Est-ce qu'il y a un lien affectif entre eux ?

— Ben… commença Krille.

Barbu, il portait une queue de cheval et avait le visage troué de petits yeux larmoyants. Bref, il n'avait pas la tête d'un expert en relations amoureuses. Il fit cependant preuve de bonne volonté.

— Ils avaient l'air amoureux. Ils passaient leur temps à se bécoter dans le jardin.

— Très bien, dit Kira. Dans ce cas, je veux qu'on garde aussi un œil sur elle.

— Merde, Camilla… Pardon, Kira… C'est beaucoup demander, tu sais. Ça fait trois adresses à surveiller, protesta Marko.

Elle resta assise en silence. Puis elle les remercia, soulagée de voir Galinov se lever et déployer son long corps svelte pour les raccompagner. Dans le meilleur des cas, il leur dirait quelques mots qui, à première vue, pourraient passer pour des politesses mais, par la suite, quand ces idiots les auraient digérés, les hanteraient.

Ce genre de manipulation n'avait pas de secret pour lui. D'ailleurs, ils en auraient bien besoin, se dit Kira, car elle ne dominait plus la situation. Elle jeta un regard coléreux autour d'elle : un appartement de cent soixante-dix mètres carrés acheté via un prête-nom deux ans auparavant. L'ameublement clairsemé était encore trop impersonnel mais cela faisait l'affaire, faute de mieux. Elle jura et se leva. Sans frapper, elle entra dans la chambre de droite, où Jurij Bogdanov, concentré sur ses écrans, sentait la sueur.

— Tu avances sur l'ordinateur de Blomkvist ?

— Ça dépend.

— Comment ça ?

— J'ai réussi à pirater son serveur, comme je te le disais.

— Et alors ? Quoi de neuf ?

Il se tortilla. Cela s'annonçait mal.

— Hier, Blomkvist a fait des recherches sur Forsell, le ministre de la Défense. C'est intéressant, bien sûr, non seulement parce que Forsell est une cible du GRU et que Galinov a eu affaire à lui, mais aussi parce que le ministre a fait une tentative…

— Je me fiche de Forsell, grogna-t-elle. Ce qui m'intéresse, ce sont les liens cryptés qu'il a reçus et envoyés.

— Je n'ai pas réussi à les décrypter.

— Comment ça, pas réussi ? Au boulot !

Bogdanov fixait la table. Il se mordilla la lèvre.

— Je ne suis plus connecté.

— Qu'est-ce que tu racontes ?

— Cette nuit, quelqu'un a nettoyé mon cheval de Troie.

— Merde ! Comment ça ?

— Je ne sais pas.

— Tes chevaux de Troie sont censés être inattaquables.

— Oui, mais…

Il se mordilla l'ongle.

— Tu veux dire que c'est un génie qui l'a fait, c'est ça ?

— On dirait bien, marmonna-t-il.

Sur le point de piquer une crise, Kira fut traversée par une idée. Au lieu de faire un scandale, elle sourit.

Lisbeth lui était désormais plus proche qu'elle ne l'aurait jamais rêvé.

À L'HÔTEL HELLSTEN, dans Luntmakargatan, Lisbeth, assise dans un fauteuil rouge derrière la fenêtre encadrée de rideaux, regardait d'un air absent Mikael, allongé sur le lit. Il n'avait dormi que quelques heures. *Décidément, ce n'était sans doute pas une bonne idée de venir*, songea-t-il. Ils n'avaient pas passé une nuit romantique ni même un bon moment entre amis. En fait, dès son arrivée, les choses avaient complètement déraillé.

Elle l'avait regardé comme si elle brûlait d'envie de lui arracher ses habits et, même si pendant le trajet, il avait pensé très fort à Catrin, il n'aurait pas su lui résister. Finalement, ce n'était pas sur lui qu'elle voulait se jeter, mais sur son ordinateur et son téléphone portable. Elle les lui avait pris des mains et avait disposé des écrans noirs tout autour d'elle sur le sol. Assise en tailleur dans sa cage, bizarrement penchée en avant, elle était restée immobile, en silence. Seuls ses doigts s'activaient fébrilement. Le temps avait passé. Finalement, Mikael n'avait plus supporté. À bout, il lui avait déclaré dans un grognement qu'il avait tout de même failli se noyer. Il avait besoin de dormir, ou du moins qu'elle lui explique ce qu'elle fabriquait.

— Chut, avait-elle répondu.

— Ben merde, alors…

Elle le rendait fou. Il n'avait qu'une envie : se tirer, l'envoyer balader. Finalement, il se déshabilla, s'allongea d'un côté du lit double et s'endormit en boudant. À l'aube, le rejoignant, elle murmura à son oreille :

— Tu avais un cheval de Troie, monsieur Je-sais-tout.

Cette tentative de séduction tordue acheva de lui gâcher la nuit. Il se mit à angoisser et à s'inquiéter pour ses sources. Il la somma de lui expliquer ce qui se passait, ce qu'elle fit bon gré mal gré. Lentement mais sûrement, il comprit la gravité vertigineuse de la situation, enfin, non, pas complètement, bien sûr, car Lisbeth était aussi loquace que d'habitude. D'ailleurs, bientôt, les paupières de la jeune femme battirent, elle appuya sa tête contre l'oreiller et sombra dans le sommeil, le laissant seul, bouleversé, convaincu qu'il ne pourrait pas se rendormir. Pourtant, sans le remarquer, il s'assoupit lui aussi. Lorsqu'il se réveilla, Lisbeth était assise dans le fauteuil, vêtue d'un slip et d'une chemise noire beaucoup trop longue, oscillant entre rêve et réalité. Fasciné, il observa les muscles de ses jambes et les cernes sous ses yeux, puis détourna le regard. C'est alors qu'il entendit sa voix.

— Il y a de quoi petit-déjeuner à côté.

— Tant mieux, dit-il.

Il alla préparer deux plateaux, qu'il posa sur le lit.

Il fit du café dans la machine Nespresso, puis s'assit en tailleur sur le matelas. Elle s'installa face à lui. Il la contempla à la fois comme une inconnue et une amie proche, puis il eut une révélation : il la comprenait, et il ne la comprenait pas.

— Pourquoi tu as hésité ? demanda-t-il.

LISBETH N'APPRÉCIA PAS la question. Elle n'aimait pas non plus l'expression de Mikael. Elle fut prise d'une forte envie de fuir ou de le renverser dans le lit pour le faire taire. Elle songea à Paulina, à son mari, au fer à repasser dans sa main et à pire encore, dans sa lointaine enfance. Elle n'était pas sûre de vouloir en parler, mais répondit :

— Je me suis souvenue d'un truc.

Mikael la fixait avec intensité. Elle regretta immédiatement de ne pas avoir su la boucler.

— De quoi ?

— De rien.

— Allez !

— De ma famille.

— De quoi en particulier ?

Laisse tomber, se dit-elle. *LAISSE TOMBER.*

— Je me suis dit… commença-t-elle sans pouvoir se retenir, comme si en elle, malgré tout, une voix voulait tout dire.

— Quoi ?

— Que ma mère savait que Camilla nous volait et mentait à la police pour protéger Zala. Elle savait que Camilla racontait des salades aux services sociaux, qu'elle a contribué à l'enfer qu'on a vécu.

— J'étais déjà au courant, dit Mikael.

— Ah bon ?

— Holger me l'a raconté.

— Mais est-ce que tu savais…

— Quoi ?

Valait-il mieux se taire ?

Elle lâcha le morceau :

— Que ma mère en a eu assez, à la fin, et qu'elle a menacé Camilla de la jeter dehors ?

— Non.

— Eh bien, c'est le cas.

— Camilla devait être petite.

— Elle avait douze ans.

— Tout de même…

— Elle a peut-être dit ça sous l'emprise de la colère. Mais elle était toujours de mon côté, ça, je le sais. Elle n'aimait pas Camilla.

— Ça peut arriver, dans une famille. Un enfant devient le chouchou d'un parent.

— Mais chez nous, ça a eu des conséquences. Ça nous a aveuglées.

— Qu'est-ce que vous n'avez pas vu ?

— Ce qui se passait.

— Quoi ?

Arrête, songea-t-elle. *ARRÊTE.*

Elle avait envie de hurler, de s'enfuir à toutes jambes. Pourtant, elle continua, poussée par une force incontrôlable :

— On se disait que Camilla avait Zala. Que dans notre guerre domestique, c'était nous deux contre eux deux. Maman et moi contre Zala et Camilla. Mais ce n'était pas vrai. Camilla était seule.

— Vous l'étiez tous.

— C'est elle qui a payé le prix le plus fort.

— Comment ça ?

Lisbeth détourna le regard.

— Parfois, la nuit, Zala entrait dans notre chambre. À l'époque, je ne comprenais pas ce qu'il fabriquait. Enfin, je ne me suis pas posé beaucoup de questions. Il était diabolique, il faisait ce qui lui plaisait. À l'époque, je ne le remettais pas en question, je ne pensais qu'à une chose.

— Tu voulais qu'il arrête de battre ta mère.

— Je voulais le tuer, et je savais que Camilla et lui faisaient bande à part. Je n'avais aucune raison de me faire du souci pour elle.

— C'est normal.

— Mais évidemment, j'aurais dû me demander pourquoi Zala avait changé.

— En quoi est-ce qu'il avait changé ?

— Il dormait plus souvent à la maison. Ça ne collait pas. Il avait l'habitude d'être bichonné, de vivre dans le luxe. Et tout à coup, il traînait chez nous, dans notre appartement minable. Il y avait forcément un élément nouveau. Boulevard Tverskoï, j'ai compris de quoi il s'agissait. Il était attiré par Camilla, comme tous les hommes.

— C'était elle qu'il venait voir la nuit ?

— Il la conduisait au salon. Après, en tendant l'oreille, je les entendais faire des messes basses, j'avais l'impression qu'ils échafaudaient des plans contre maman et moi. Mais ils faisaient peut-être aussi d'autres bruits que je n'ai pas su interpréter à l'époque. En plus, il l'emmenait souvent faire des tours en voiture.

— Il abusait d'elle.

— Il l'a bousillée.

— Tu n'as pas à te sentir coupable.

Elle eut envie de hurler.

Elle dit :

— Je répondais à ta question, c'est tout. Je me suis rendu compte que ni maman ni moi n'avons rien fait pour l'aider. Voilà, c'est cette prise de conscience qui m'a fait hésiter.

Mikael resta silencieux face à elle, sur le lit. Il semblait digérer ces révélations. Puis il posa la main sur son épaule. Elle l'esquiva, regardant par la fenêtre.

— Tu sais ce que je crois ? dit-il.

Elle ne répondit pas.

— Je crois que tu n'es pas du genre à abattre les gens froidement, comme ça.

— Foutaises.

— Non, Lisbeth. C'est la vérité. Je ne le crois pas.

Elle prit un croissant et marmonna :

— Mais j'aurais dû la tuer. Maintenant, elle s'en prendra à nous tous.

20

LE 27 AOÛT

JAN BUBLANSKI AVAIT APPORTÉ une bouteille de Grant's de douze ans d'âge – qu'il avait chez lui depuis une éternité sans jamais l'avoir ouverte. Bien sûr, c'était contre ses principes, mais le témoin lui avait demandé du whisky, et il avait décidé de ne pas pinailler. Depuis la veille, il se consacrait entièrement au décès de Nima Rita. Il n'avait pas ménagé ses efforts pour dégoter le dernier témoin ayant, d'après ce qu'on savait, vu le sherpa en vie. Le commissaire avait fini par trouver une adresse à Haninge, un petit appartement dans un immeuble jaune de Klockarleden.

Comme repaire, Bublanski avait vu pire, mais aussi mieux. Ça sentait mauvais. Des cadavres de bouteilles, des cendriers pleins et des restes de nourriture encombraient toutes les surfaces. Du témoin lui-même, en revanche, émanait une sorte d'élégance bohème. Il portait une chemise blanche et un béret basque.

— Monsieur Järvinen ? dit Bublanski.

— Commissaire.

— Ça vous convient ?

Bublanski lui montra la bouteille, Järvinen fit un petit sourire, puis ils s'assirent sur des chaises en bois bleues, dans la cuisine.

— Vous avez rencontré l'homme que nous avons identifié comme Nima Rita dans la nuit du vendredi 14 au samedi 15 août, c'est bien ça ? dit Bublanski.

— Exactement… Oui… Un fou à lier. Je n'étais pas dans mon assiette. J'attendais un type qui vend des boissons à

Norra Bantorget et le vagabond est apparu, complètement de traviole. Évidemment, j'aurais dû me taire. On voyait de loin qu'il était dingue. Mais je suis d'une nature bavarde, alors je lui ai demandé poliment, en toute discrétion, comment il allait. Il s'est mis à gueuler.

— En quelle langue ?

— En anglais et en suédois.

— Il parlait suédois ?

— Parlait, parlait… Il a dit quelques mots, en tout cas. Mais c'était inintelligible. Il criait. Il avait été dans les nuages, s'était battu contre les dieux et avait parlé aux morts.

— Est-ce que, par hasard, il parlait du mont Everest ?

— Possible. Je n'étais pas très attentif. En fait, j'avais une sacrée tremblote. Pas le courage de me farcir des salades.

— Est-ce que vous vous souvenez de quelque chose de concret dans son discours ?

— Il avait sauvé la vie de plein de gens. *"I saved many lives"*, il a dit, et il m'a montré ses moignons.

— Il a dit quelque chose à propos du ministre de la Défense, Johannes Forsell ?

Heikki Järvinen le regarda d'un air surpris et se servit d'une main tremblante un verre de whisky, qu'il avala cul sec.

— C'est bizarre que vous disiez ça.

— Bizarre ? Pourquoi ?

— Parce que je crois bien qu'il a parlé de Forsell, à un moment ou à un autre. Enfin, ça n'a rien de bien étonnant. Tout le monde parle de lui.

— Et il a dit quoi, au juste ?

— Qu'il le connaissait, je crois. Qu'il connaissait un tas de personnages importants. Enfin, c'était difficile à croire. Il jacassait tellement que ça m'a donné la migraine. Je ne supportais plus. Je lui ai dit un truc débile.

— C'est-à-dire ?

— Ben… Pas exactement une remarque raciste, mais un truc pas très fin. Je lui ai dit qu'il avait l'air d'un Chinetoque toqué. Il s'est énervé et m'a mis une beigne. J'en suis resté stupéfait, je n'avais aucune chance. À vrai dire, il m'a tabassé. Vous pouvez le croire ?

— Ça a dû être difficile à vivre.

— Je saignais comme un porc, poursuivit Järvinen, exalté. J'ai encore une blessure. Là.

Il désigna sa lèvre, qui présentait effectivement une entaille. Cela dit, il avait des plaies et des contusions un peu partout. Bublanski ne fut que moyennement impressionné.

— Et après ?

— Il s'est tiré. Il a eu un sacré bol. Enfin, je ne devrais peut-être pas dire ça, puisqu'il est mort le lendemain, mais à ce moment-là, c'est ce que j'ai pensé. Il a croisé un revendeur tout de suite, dans Vasagatan.

Bublanski se pencha vers lui.

— Un revendeur d'alcool ?

— Un type l'a arrêté sur le trottoir, devant l'hôtel… Vous voyez lequel je veux dire. Il lui a donné une bouteille ou, en tout cas, ça en avait tout l'air. Mais c'était un peu loin. Je peux me tromper.

— Que pouvez-vous me dire sur cet homme ?

— Le revendeur ?

— Oui.

— Rien de spécial. Mince, cheveux bruns, grand. Il portait un blouson noir, un jean et une casquette. Je n'ai pas vu son visage.

— Il avait l'air d'un alcoolique, lui aussi ?

— Non, franchement, il n'en avait pas la démarche.

— Qu'est-ce que vous voulez dire ?

— Il avait le pas trop léger. Les mouvements trop vifs.

— Comme un sportif ?

— Possible.

Bublanski contempla un moment Järvinen : un homme qui, en pleine déchéance irréversible, faisait tout de même l'effort de soigner les apparences. Il ne baissait pas complètement les bras, en somme.

— Et vous êtes allé où ?

— Plus loin, vers la gare centrale. Un moment, je me suis demandé si je n'allais pas essayer de rattraper le type. Mais je n'avais aucune chance.

— Ce n'était peut-être pas un revendeur ordinaire. C'est possible qu'il ait voulu donner une bouteille à Nima Rita et à personne d'autre, non ?

— Vous voulez dire… ?

— Rien du tout. Mais Nima Rita est mort empoisonné et, étant donné son style de vie, ce n'est pas complètement improbable qu'il ait ingéré le poison dilué dans de l'alcool. Vous comprenez peut-être pourquoi cet homme m'intéresse tant.

Heikki Järvinen but un deuxième verre.

— Dans ce cas, je devrais peut-être vous dire autre chose.

— Quoi ?

— Le fou a dit qu'on avait déjà essayé de l'empoisonner.

— Comment ?

— Eh bien… Ça aussi, c'était incompréhensible. Il gueulait trop fort. Il avait accompli un tas de choses formidables et connaissait un tas de gens distingués… En même temps, j'ai eu l'impression qu'il avait passé du temps en HP et refusé d'avaler ses médicaments. *"They tried to poison me,* il a dit. *But I ran. I climbed down a mountain to the lake."* Enfin, je crois que c'est ce qu'il a dit. Qu'il avait fui des médecins.

— En descendant une montagne vers un lac ?

— Il me semble.

— Vous avez eu l'impression qu'il avait été interné en Suède ou à l'étranger ?

— En Suède, je crois. Il pointait le doigt vers l'arrière, comme s'il parlait d'un endroit tout proche. Enfin, il pointait le doigt un peu partout. Le ciel et les dieux contre lesquels il s'était battu étaient peut-être aussi au coin de la rue.

— Je vois, dit Bublanski, désormais pressé de partir.

DEPUIS SA CHAMBRE D'HÔTEL, à son bureau, Lisbeth vit les hommes du Svavelsjö, notamment leur président, Marko

Sandström, quitter l'immeuble de Strandvägen. Elle se demanda quoi faire.

Ne trouvant pas de réponse, elle ferma son ordinateur. Mikael, habillé, consultait son téléphone, assis sur le lit. Il valait mieux le laisser tranquille. De toute façon, elle n'avait pas la force de répondre à d'autres questions sur sa vie, ni de réagir à d'autres théories sur sa bonté intrinsèque, enfin, si c'était bien ce que Mikael avait voulu dire.

— Qu'est-ce que tu fais ? lui demanda-t-elle.

— Quoi ?

— Qu'est-ce que tu fais ?

— Je travaille sur le sherpa.

— Ça avance ?

— Je m'intéresse à Stan Engelman.

— Sympa, comme mec, hein ?

— Oui, vraiment. Tout à fait ton genre.

— Il y a aussi Mats Sabin, dit-elle.

— Oui, lui aussi.

— Qu'est-ce que tu en penses ?

— Je n'en suis pas encore là.

— À mon avis, tu peux l'oublier.

Mikael leva les yeux, intrigué.

— Pourquoi tu dis ça ?

— C'est le genre de piste sur laquelle on tombe par hasard et qu'on trouve exaltante parce qu'elle a l'air de coller, mais je n'y crois pas.

— Pourquoi ?

Elle se leva, s'approcha de la fenêtre et regarda la rue à travers une fente entre les rideaux. Elle pensait à Camilla et au MC Svavelsjö. Une idée lui vint. Elle se demanda si elle n'avait pas intérêt à leur mettre la pression, malgré tout.

— Pourquoi ? répéta Mikael.

— Tu l'as trouvée un peu vite, cette piste. Avant d'être sûr de ce qu'avait dit le mendiant.

— Exact.

— Remonte plutôt à l'époque coloniale.

— Comment ça ?

— L'Everest, c'est une survivance du colonialisme, non ? Des grimpeurs blancs, des gens de couleur qui portent leurs affaires…

— Possible.

— Garde-le en tête et relis ce que disait Nima Rita.

— Tu ne peux pas parler en langage décodé, pour une fois ?

MIKAEL ATTENDIT LA RÉPONSE de Lisbeth, mais elle se replia de nouveau sur elle-même, exactement comme le matin dans le fauteuil. Il se mit à ramasser ses affaires. Autant vérifier les données par ses propres moyens, c'est-à-dire mettre les voiles et revoir Lisbeth plus tard. Il rangea son ordinateur dans son sac. Il pouvait toujours essayer de lui faire une accolade et lui dire de prendre soin d'elle. Bizarrement, elle ne réagit même pas à son approche.

— Lisbeth ! Ici la Terre, dit-il bêtement.

Le regard de Lisbeth retrouva son acuité et se riva sur le sac de Mikael, comme si l'objet lui était familier.

— Tu ne peux pas rentrer chez toi, dit-elle.

— Alors j'irai ailleurs.

— Je suis sérieuse. Tu ne peux pas rentrer chez toi ni aller chez une connaissance. Tu es surveillé.

— Je suis assez grand pour me débrouiller.

— Non. Donne-moi ton téléphone.

— Arrête. Ne recommence pas.

— Donne-le-moi.

Elle avait déjà assez tripoté son téléphone comme ça. Mikael s'apprêta à le mettre dans sa poche, mais elle le lui arracha. Il s'énerva ; en fait, il se mit presque en colère, ce qui n'eut manifestement aucun effet sur Lisbeth. Elle était déjà en train de taper des codes. Il la laissa faire. Elle avait toujours eu le contrôle de toutes ces machines. Après un moment, toutefois, il se fâcha :

— Qu'est-ce que tu fabriques ?

Elle leva les yeux. Un vague sourire se dessina sur son visage.

— J'aime ça, dit-elle.

— Quoi ?

— Cette phrase.

— Quelle phrase ?

— *Qu'est-ce que tu fabriques ?* Tu ne peux pas la redire au pluriel ? Sur le même ton.

— Qu'est-ce que tu racontes ?

— Allez, dis-la.

Elle lui tendit son téléphone.

— Quoi ?

— "Qu'est-ce que vous fabriquez ?"

— "Qu'est-ce que vous fabriquez ?" répéta-t-il.

— Parfait.

Elle fit une dernière manipulation et lui tendit le téléphone.

— Qu'est-ce que tu as fait ?

— Maintenant, je peux voir où tu te trouves et entendre ce qui se passe autour de toi.

— Ben merde alors !

— Exact.

— Je n'ai pas le droit d'avoir une vie privée ?

— Tu en as tout à fait le droit, je n'écouterai pas inutilement, sauf si tu prononces la phrase.

— Dans ce cas, je pourrai continuer à raconter des conneries sur toi.

— Quoi ?

— Je plaisante, Lisbeth.

— Ah bon.

Il sourit.

Elle sourit peut-être, ou peut-être pas. Il attrapa son téléphone, la regarda et lui dit merci.

— Ne te fais pas remarquer, dit-elle.

— D'accord.

— Bien.

— Heureusement que je ne suis pas célèbre.

— Quoi ?

Elle avait encore raté la perche. Il lui fit une accolade, sortit et tenta de se fondre dans la vie urbaine. Pas facile. Dans Tegnérgatan, un gamin voulut prendre un selfie avec lui. Il accepta, puis poursuivit son chemin vers Sveavägen et, bien qu'il eût mieux fait d'éviter les lieux publics, s'assit sur un banc dans les environs de la Bibliothèque de Stockholm. Il fit de nouvelles recherches sur Nima Rita et tomba sur un long article daté d'août 2008 dans le magazine *Outside*.

Jamais Nima Rita n'avait eu l'occasion de s'exprimer plus à son aise. Cela dit, inutile de s'enthousiasmer pour les citations. Mikael avait lu ce genre de choses avant : des répliques de circonstance, parfois empreintes de tristesse. Pourtant, après un moment, il bondit, mais ne comprit pas tout de suite pourquoi. Il relut la phrase simple et désespérée :

I really tried to take care of her. But Mamsahib just fell, and then the storm came, and the mountain was angry, and we couldn't save her. I am very, very sorry for Mamsahib.

Mamsahib…

Évidemment. *Mamsahib* – qui s'écrivait également *memsahib*, lut Mikael – était le féminin de *sahib*, le titre attribué aux Blancs dans l'Inde coloniale. Pourquoi n'y avait-il pas pensé plus tôt ? Durant ses recherches, il avait pourtant lu que de nombreux sherpas appelaient ainsi les grimpeurs blancs.

"I took Forsell and I left Mamsahib."

Voilà ce qu'il avait dit ! Selon toute logique, il devait parler de Klara Engelman. Mais qu'est-ce que cela signifiait ? Nima Rita aurait sauvé Johannes Forsell au lieu de Klara Engelman ? Cela ne collait pas avec le déroulement des faits tel que le connaissait Mikael.

Au moment crucial, Klara et Johannes se trouvaient en différents points de la montagne, et Klara était certainement déjà morte quand les ennuis de Forsell avaient commencé. Mais tout de même… S'était-il produit là-haut quelque chose de grave que les protagonistes avaient préféré dissimuler ? Possible.

Ou pas. Quoi qu'il en soit, Mikael, de plus en plus convaincu qu'il fallait élucider cette histoire, eut le sentiment vivifiant que ses vacances étaient définitivement terminées. Avant toute chose, il envoya un SMS à Lisbeth :

[Pourquoi tu es toujours aussi forte ??]

21

LE 27 AOÛT

ASSISE SUR SON LIT D'ADOLESCENTE, dans son ancienne chambre à Bogenhausen, Munich, Paulina Müller, en pyjama, parlait au téléphone et buvait du chocolat chaud. Sa mère la chouchoutait comme si elle avait à nouveau dix ans – ce qui, finalement, n'était pas si mal.

Elle avait besoin de retomber en enfance, de se dédouaner de toute responsabilité et de pleurer tout son soûl. Elle s'était trompée. Ses parents savaient très bien quel genre d'homme était Thomas. Elle n'avait pas détecté l'ombre d'un doute dans leur regard quand elle leur avait raconté ce qu'il lui avait fait subir. Pour le moment, après avoir prévenu qu'elle ne voulait pas être dérangée, elle s'était enfermée dans sa chambre.

— Et vous n'avez aucune idée de qui peut bien être cette femme ? lui demanda l'inspectrice Ulrike Jensen, sur un ton qui dénotait la plus grande incrédulité, ce qui était, somme toute, parfaitement normal.

Paulina avait immédiatement compris qui était la femme au fer à repasser. Elle avait même vu dans l'agression une sombre logique, et craint d'avoir encouragé l'acte par son comportement. Combien de fois, pendant le trajet, ne s'était-elle pas dit : *Je ne peux pas le revoir, je ne peux pas. Plutôt mourir.*

— Non, répondit-elle. Je ne crois pas connaître cette personne.

— Votre mari a déclaré que vous aviez rencontré une femme dont vous étiez tombée amoureuse.

— J'ai dit ça pour l'énerver.

— Pourtant, l'agresseuse semblait avoir un lien affectif avec vous. Et même agir pour votre compte. Comme si le message qu'elle voulait faire passer vous concernait. Elle a forcé votre mari à promettre qu'il ne vous importunerait plus.

— Bizarre.

— Vraiment ? Vos voisins nous ont raconté qu'avant votre départ, ils vous ont vue le bras bandé. Vous leur auriez dit vous être brûlée avec le fer à repasser.

— C'est exact.

— Ils ne vous ont pas tous crue, sachez-le. Ils entendaient des cris provenant de votre domicile. Des disputes.

Paulina hésita avant de répondre :

— Ah bon ?

— Peut-être que c'est votre mari qui vous avait brûlée.

— Peut-être.

— Alors vous devez comprendre que nous soupçonnons un acte de vengeance exécuté par une personne qui vous serait proche.

— Je ne sais pas.

— Vous ne savez pas…

Elles continuèrent leur match de ping-pong pendant un moment, jusqu'à ce qu'Ulrike Jensen change brusquement de ton :

— D'ailleurs…

— Oui ?

— Je pense que vous n'avez plus rien à craindre.

— Comment ça ?

— Votre mari semble avoir été sérieusement effrayé. Je crois qu'à l'avenir il vous laissera tranquille.

Paulina hésita encore, puis dit :

— C'est tout ?

— Pour le moment, oui.

— Des remerciements s'imposent, j'imagine.

— Qui remerciez-vous ?

— Aucune idée.

Pour la forme, Paulina lui dit espérer que Thomas récupère vite, ce qui n'était pas tout à fait vrai non plus. À peine avait-elle raccroché, toujours assise sur son lit, tentant de digérer la nouvelle, que son téléphone sonna à nouveau. Une certaine Stephanie Erdmann, avocate spécialisée dans les divorces – Paulina avait lu des articles dans la presse à son sujet –, voulait la représenter. Inutile de se soucier des honoraires, tout était déjà réglé.

LORSQUE SONJA MODIG le croisa dans le couloir du siège de la police, elle secoua la tête. Elle voulait dire que Nima Rita n'était pas fiché au conseil régional non plus, devina-t-il. Au moins, ils avaient obtenu une commission rogatoire pour faire une recherche nominale dans les registres, ce qui représentait déjà une petite victoire en soi. Mais d'autres obstacles les attendaient. Depuis le début de l'enquête, les échanges avec les services de renseignement militaires ne se faisaient qu'à sens unique, ce qui agaçait de plus en plus Bublanski. Il regarda Sonja d'un air pensif et dit :

— On a peut-être un suspect.

— Ah bon ?

— Enfin, pas de nom et un vague signalement.

— Tu appelles ça un suspect ?

— Bon, une piste, alors.

Il lui décrivit l'homme que Heikki Järvinen avait vu dans les environs de Norra Bantorget entre 1 heure et 2 heures du matin, la nuit du vendredi au samedi 15 août, et qui avait peut-être procuré une bouteille d'alcool à Nima Rita.

Sonja prit des notes pendant qu'ils se dirigeaient vers le bureau de Bublanski, où ils s'assirent face à face et restèrent silencieux. Puis Bublanski se tortilla. Un autre détail titillait son subconscient.

— Pas de trace de lui dans le système de santé suédois ?

— Pas encore, répondit Sonja, mais je ne baisse pas les bras. Il aurait pu être interné sous un autre nom. On a demandé au juge une nouvelle commission rogatoire pour effectuer une recherche plus large, à partir de ses signes distinctifs.

— Est-ce que nous avons une idée du temps qu'il aurait passé en ville ?

— Les gens ont un sens de la durée assez flou, en général, mais rien n'indique qu'il ait traîné dans le secteur plus de deux ou trois semaines.

— Il aurait pu venir d'un autre quartier ou d'une autre ville.

— Oui, mais je ne le crois pas. Une intuition.

Bublanski se pencha en arrière dans son fauteuil et, regardant Bergsgatan par la fenêtre, comprit soudain où il voulait en venir.

— L'Aile sud, dit-il.

— Quoi ?

— Le service psychiatrique fermé de l'Aile sud. C'est peut-être là qu'il a été interné.

— Qu'est-ce qui te fait penser ça ?

— Ça collerait.

— Comment ça ?

— C'est exactement le genre d'endroit où on internerait quelqu'un qu'on voudrait cacher. L'Aile sud ne dépend même pas de la région. C'est une fondation privée et je sais d'expérience qu'elle est utilisée par l'armée. Tu te souviens d'Andersson, le vétéran des casques bleus fou furieux qui avait fait le Congo ? Celui qui se jetait sur les gens dans la rue ? Il avait été interné à l'Aile sud.

— Oui, je m'en souviens. Un peu léger, comme piste.

— Mais le meilleur est à venir, parce que, heureusement, je n'ai pas fini.

— Continuez, cher commissaire.

— D'après Järvinen, Nima aurait dit qu'il avait descendu une montagne pour recouvrer la liberté, et serait arrivé à un lac – ça colle, non ? L'Aile sud se trouve sur une falaise qui tombe à pic dans l'Årstaviken, pas vrai ? En plus, ce n'est pas très loin de Mariatorget.

— Pas mal.

— Peut-être un coup pour rien.

— Je vais voir ça tout de suite.

— Entendu, mais…

— Quoi ?

— Ça n'expliquerait pas comment Nima Rita s'est retrouvé en Suède ni comment il a passé les contrôles à la frontière sans que son nom soit enregistré nulle part.

— En effet. Mais ce serait un début.

— Un autre début consisterait à interroger Rebecka Forsell. Mais on ne nous y autorise pas non plus, apparemment.

— Non… dit Sonja Modig, pensive.

— Qu'est-ce qu'il y a ?

— Une autre femme connaissait Nima Rita et Klara Engelman, et elle se trouve à Stockholm.

— Qui ça ?

Sonja lui donna les détails.

EN MARCHANT LE LONG de Götgatan, Catrin Lindås tenta une nouvelle fois d'appeler Mikael. Toujours pas de réponse. Son téléphone sonnait parfois occupé. Elle jura. Qu'est-ce que cela pouvait bien lui faire ? Elle ne manquait pas d'occupations. Elle venait d'achever l'enregistrement d'un podcast, un débat sur la cabale contre Johannes Forsell avec la ministre de la Culture Alicia Frankel et le professeur en journalisme Jörgen Vrigstad – ce qui ne l'avait pas avancée à grand-chose. Comme d'habitude après un enregistrement, elle se sentait déstabilisée.

Il y avait toujours une réplique ou une question qui la rongeait après coup. Cette fois, elle craignait d'y être allée trop fort et de s'être montrée aussi aveugle que les médias qu'elle critiquait, bref, d'avoir exigé des réactions nuancées alors qu'elle ne l'était pas elle-même. Cela dit, elle avait tendance à l'autocritique la plus virulente. D'ailleurs, elle le savait bien, le déchaînement contre Forsell la touchait personnellement. Sans doute prenait-elle le sujet trop à cœur.

Elle ne connaissait que trop les ravages provoqués par la haine et les mensonges. Même si elle n'avait jamais envisagé de se supprimer, il lui arrivait de perdre pied et de s'automutiler, comme dans son adolescence. Ce jour-là, depuis son réveil, à l'aube, elle avait préparé l'enregistrement avec un sentiment de malaise et l'intuition trouble que quelque chose d'ancien, de sombre, refaisait surface. Elle l'avait balayé sous le tapis. Götgatan était bondée. Devant elle, sur le trottoir, une classe de jardin d'enfants faisait du tapage, des ballons à la main. Elle prit Bondegatan jusqu'à Nytorget, où elle souffla un peu.

Nytorget était considéré comme un des lieux les plus chics de Söder et, même si le qualificatif pouvait avoir une connotation péjorative, synonyme des coteries de l'élite médiatique, la place et ses environs l'apaisaient, lui donnaient l'impression d'être chez elle et, en même temps, ailleurs. Elle était criblée de dettes, certes, mais depuis que son émission de radio avait du succès – c'était désormais le podcast le plus écouté de Suède –, elle se sentait à peu près tirée d'affaire. D'ailleurs, elle pouvait toujours vendre son appartement et s'installer en banlieue. Pour elle, la possibilité de tout perdre du jour au lendemain était une évidence.

Elle se hâta, croyant entendre des pas derrière elle. Son imagination lui jouait des tours, bien sûr. Ses vieux démons resurgissaient. Cela dit, elle n'avait qu'une envie : rentrer chez elle et oublier le monde extérieur en se plongeant dans une comédie romantique ou autre, bref, dans quelque chose qui n'aurait aucun rapport avec sa vie.

ASSIS SUR UN BALCON dans le quartier d'Östermalm, plus précisément dans la Jungfrugatan, Mikael interviewait la femme dont lui avait parlé Sonja Modig. Il avait passé la journée à faire des recherches à la Bibliothèque nationale et commençait enfin à y voir clair dans le déroulement des événements ou, du moins, à cerner ses propres lacunes, c'est-à-dire ce qu'il lui restait encore à découvrir.

Voilà pourquoi il s'était invité chez Elin, épouse Felke, une femme élégante et un peu guindée de trente-neuf ans. Elle avait le teint pur, des traits réguliers et une silhouette filiforme. En 2008, elle s'appelait Malmgård. Célébrité du fitness, elle tenait à l'époque une chronique dans *Aftonbladet*. En outre, elle avait participé à l'expédition de Greg Dolson sur l'Everest.

Le groupe de Dolson se lança à l'assaut du sommet le même jour que celui de Viktor Grankin, c'est-à-dire le 13 mai. Les deux expéditions s'étaient côtoyées au camp de base, pendant la période d'acclimatation, et Elin avait noué des liens d'amitié avec ses concitoyens Forsell et Lindberg, ainsi qu'avec Klara Engelman.

— Merci de me recevoir, dit Mikael.

— Pas de quoi. Enfin, comme vous le comprenez certainement, je commence à me lasser de cette histoire. J'ai donné quasiment deux cents conférences à ce sujet.

— Vous avez dû gagner une somme rondelette.

— C'était en pleine crise financière, vous vous souvenez ? Les honoraires avaient chuté.

— J'en suis désolé. Parlez-moi de Klara Engelman. Je sais qu'elle avait une aventure avec Viktor Grankin, inutile de faire des cachotteries là-dessus.

— Vous allez me citer ?

— Seulement si vous m'y autorisez. Ce dont j'ai vraiment besoin, c'est de mieux comprendre ce qui s'est passé.

— Très bien, ils étaient ensemble. Mais discrètement. Même au camp de base, rares étaient ceux qui le savaient.

— Mais vous, oui ?

— Klara m'avait fait la confidence.

— N'est-ce pas un peu étrange que Klara ait participé à l'expédition de Viktor Grankin ? N'aurait-elle pas dû, étant donné sa fortune et ses relations, choisir une équipe américaine, celle de Dolson, par exemple, qui avait une réputation plus solide ?

— Grankin avait bonne réputation, lui aussi, et d'une manière ou d'une autre, il connaissait Stan Engelman.

— Et il s'est quand même permis d'avoir une aventure avec sa femme ?

— Oui. Pour Engelman, ça a dû être une gifle en pleine face.

— D'après ce que j'ai lu, vous trouviez Klara Engelman malheureuse, les premiers temps, au camp de base.

— Pas du tout. Je la considérais comme excessivement arrogante et hautaine. Mais petit à petit, je me suis rendu compte qu'elle était effectivement malheureuse et que, pour elle, cette aventure sur l'Everest était une façon de s'émanciper. Elle espérait y trouver le courage de divorcer. Un soir, alors qu'on buvait du vin sous sa tente, elle m'a dit qu'elle avait embauché un avocat.

— Charles Mesterton, c'est bien ça ?

— Peut-être, je ne sais plus. Elle avait également pris contact avec une maison d'édition. Elle voulait écrire un livre sur son ascension, mais aussi dénoncer Stan : ses aventures avec des prostituées et des stars du porno, ses relations dans le monde du crime.

— On peut supposer qu'Engelman l'ait considérée comme une menace.

— Ça m'étonnerait.

— Pourquoi ?

— Klara avait un avocat. Lui, il en avait vingt. Ce que je sais, c'est qu'elle avait la frousse. "Il va m'anéantir", disait-elle.

— Et il est arrivé quelque chose.

— Notre héros à tous l'a séduite.

— Grankin.

— Exactement.

— Comment s'y est-il pris ?

— Aucune idée. Enfin, c'était facile de tomber sous le charme de Viktor. Confronté à une difficulté matérielle, il faisait preuve d'un calme olympien. Il était merveilleux. Il suffisait de le regarder pour se dire : Viktor va nous tirer de là. Il avait le charme paisible d'un ours. Avec son rire cristallin, il dissipait toutes les peurs. À l'époque, j'étais jalouse de ne pas faire partie de son expédition.

— Et Klara a succombé à son charme.

— Complètement.

— Pourquoi, à votre avis ?

— Après coup, je me suis demandé si ce n'était pas en rapport avec Stan. Klara s'imaginait sans doute qu'elle gagnerait plus facilement la bataille contre son mari avec Viktor à ses côtés. Il était du genre à rester souriant en pleine fusillade.

— Mais quelque chose a changé.

— Oui.

— Racontez-moi.

— Viktor a commencé à montrer des signes d'anxiété. Ça nous a tous déstabilisés. Vous savez, c'était un peu comme quand l'hôtesse de l'air la plus solide commence à s'inquiéter en plein vol. On se dit que l'avion risque vraiment de s'écraser.

— Qu'est-ce qui s'était passé, d'après vous ?

— Je l'ignore. Peut-être qu'il a pris pleinement conscience que Stan n'était pas du genre à rigoler et que son aventure pouvait avoir de sérieuses conséquences. Honnêtement…

— Oui ?

— Je le comprends. À l'époque, j'étais jeune, leur histoire d'amour me paraissait super romantique. J'avais l'impression qu'on m'avait confié le secret du siècle. Mais avec le recul, je trouve ça complètement irresponsable. Pas vis-à-vis de Stan ni de la femme de Viktor, mais à l'égard des grimpeurs. Viktor était chargé d'assurer leur sécurité. Il devait éviter le favoritisme. En faisant une fixation sur Klara, il les a en quelque sorte trahis. À mon avis, ça explique en partie pourquoi les choses se sont si mal passées. Il voulait à tout prix lui faire atteindre le sommet.

— Alors qu'il aurait dû la renvoyer en bas.

— Absolument. Enfin, il n'en a probablement pas eu le cran. À cause de son potentiel médiatique, mais aussi par mépris pour la presse. Il voulait montrer au monde qu'elle en était capable.

— Certains témoins prétendent que Grankin n'était pas au mieux de sa forme quand ils ont commencé l'ascension du sommet.

— C'est ce que j'ai entendu dire aussi. Il s'est peut-être épuisé à vouloir les garder groupés.

— Quelle était sa relation avec Nima Rita ?

— Viktor avait un immense respect pour lui.

— Et la relation de Klara avec Nima Rita ?

— Là, par contre, c'était… spécial.

— Comment ça ?

— Ils vivaient dans deux univers différents.

— Elle le traitait mal ?

— Il était très superstitieux.

— Elle se moquait de lui ?

— Peut-être, mais ça m'étonnerait qu'il s'en soit soucié. Il faisait son travail, un point c'est tout. Ce qui a mis de l'eau dans le gaz, c'est autre chose.

— Quoi ?

— Il était marié.

— Avec Luna.

— Oui, c'est ça. Elle s'appelait Luna. Elle était tout pour lui. Je crois qu'on aurait pu dire n'importe quoi à Nima, l'ignorer ou le traiter comme un chien, ça ne l'aurait pas atteint. Par contre, si vous disiez du mal de sa femme, il avait le regard noir. Un matin, Luna est arrivée au camp de base avec du pain frais, du fromage, des mangues et des litchis dans un très joli panier. Elle a fait le tour des tentes pour distribuer les bonnes choses. Tout le monde était ravi et reconnaissant. Mais quand elle est passée devant la tente de Klara, je crois qu'elle a glissé sur des crampons, ou un sac à main complètement déplacé dans un lieu pareil. Le panier s'est déversé sur les cailloux et Luna s'est écorché les mains. L'incident n'a peut-être rien d'extraordinaire, mais Klara était juste à côté quand ça s'est produit et, au lieu d'aider Luna, elle a vociféré : "Regarde où tu mets les pieds !" Cette écervelée faisait sa diva. Nima a failli perdre son sang-froid. Je l'ai vu sur son visage, j'ai cru qu'il allait piquer une grosse crise de colère. Mais avant que ça ne tourne au vinaigre, Johannes Forsell est intervenu. Il a aidé Luna à se relever et a ramassé tout ce qui était tombé.

— Johannes Forsell était ami avec Nima et Luna ?

— Avec tout le monde. Vous le connaissez ? Je veux dire, vous le connaissiez avant la cabale ?

— Je l'ai interviewé quand il venait d'être nommé ministre de la Défense.

— Dans ce cas, vous ne pouvez pas comprendre. À l'époque, tout le monde l'adorait. C'était une vraie tornade. Toujours le pouce levé, tout sourire. Il avait une énergie folle, mais vous avez peut-être raison de dire qu'il entretenait un lien privilégié avec Nima. *"Let me bow to the mountain legend"*, disait-il sans arrêt, enfin, ce genre de choses, et puis : *"What a wife you have ! What a beautiful woman !"* Bien sûr, Nima était aux anges.

— Est-ce que Nima lui a renvoyé l'ascenseur ?

— Que voulez-vous dire ?

Ne sachant comment s'exprimer, Mikael hésita. Il voulait éviter de prononcer des accusations sans fondement.

— Je me demande si Nima a aidé Johannes Forsell sur la montagne, peut-être au détriment de Klara Engelman.

Elin le regarda, déconcertée.

— Je ne vois pas comment il aurait pu faire ça. Nima était avec Viktor et Klara, n'est-ce pas, et Svante et Johannes sont partis en avance vers le sommet, seuls.

— Je sais, mais je parle d'événements postérieurs. On lit partout que Klara était perdue, mais était-ce vraiment le cas ?

Il se produisit alors une chose inattendue : Elin s'énerva.

— Bien sûr qu'elle l'était ! Enfin, merde ! J'en ai ras le bol de ces conneries, de tous ces imbéciles qui n'ont jamais mis le pied en altitude et croient tout savoir. Eh bien, je vais vous dire…

Elle s'interrompit, cherchant ses mots, puis reprit en vociférant :

— Vous croyez pouvoir vous imaginer ce que c'est, là-haut ? Eh bien, détrompez-vous : on a à peine la force de penser, il fait horriblement froid, chaque mouvement est une véritable épreuve. Au mieux, vous arrivez à vous débrouiller en mettant un pied devant l'autre. Personne, pas même Nima Rita, ne peut soulever un individu sans vie étendu dans la neige, le visage congelé, à huit mille trois cents mètres d'altitude. Voilà ce qui s'est passé. Nous les avons vus de nos propres yeux en redescendant. Mais vous le savez, n'est-ce pas ? Viktor et Klara, enlacés dans la neige.

— Oui, je le sais.

— C'était foutu. Il n'y avait pas la moindre chance de la sauver. Elle était morte.

— Je ne veux rien laisser au hasard, voilà tout.

— Je n'en crois pas un mot. Vous faites des insinuations. Vous voulez coincer Forsell, comme tous les autres.

Non, c'est faux ! voulut-il crier. *Vous faites erreur !* Il inspira un grand bol d'air.

— Désolé, dit-il. Je trouve seulement…

— Vous trouvez quoi ?

— Que dans cette histoire, quelque chose ne colle pas.

— Quoi, par exemple ?

— Postérieurement, Klara n'a pas été retrouvée étendue avec Viktor. Je sais que ça date de l'année suivante, et qu'il a pu arriver beaucoup de choses entre-temps : des avalanches, des tempêtes, mais tout de même…

— Quoi ?

— En plus, Svante Lindberg ne m'inspire pas confiance. J'ai l'impression qu'il ne dit pas toute la vérité.

Elin se calma et regarda la cour à travers la fenêtre.

— Je peux le comprendre, dit-elle.

— Comment ça ?

— Parce que Svante était la plus grande énigme du camp de base.

22

LE 27 AOÛT

CATRIN LINDÅS, BLOTTIE dans son canapé avec son chat, consultait son téléphone. Elle avait essayé de joindre Mikael un nombre incalculable de fois. Cela commençait à devenir gênant – et la rendait furieuse contre elle-même. En outre, après une pareille mise à nu, elle n'avait reçu qu'un énigmatique SMS :

> [Je crois que le mendiant t'a dit Mamsahib, c'est-à-dire Mamsahib Klara Engelman. Tu ne te souviens de rien d'autre ? Le moindre mot serait précieux.]

Mamsahib... se dit-elle en consultant un dictionnaire : "Titre respectueux s'adressant à une femme blanche dans l'Inde coloniale, le plus souvent écrit : Memsahib." Est-ce bien ce qu'avait dit le mendiant ? Peut-être, et alors ? Et qui diable était Klara Engelman ?

De toute façon, elle s'en fichait éperdument, et Mikael pouvait aller se faire pendre. Pas même une petite formule de politesse, pas le moindre : "Bonjour, comment ça va ?" Rien. Et encore moins, bien sûr : "Tu me manques", comme elle le lui avait écrit dans un accès de faiblesse incompréhensible. Qu'il aille se faire voir.

Elle alla chercher quelque chose à manger dans la cuisine. Et puis non, finalement, elle n'avait pas faim. Elle claqua la porte du frigo et saisit brutalement une pomme dans un bol, mais ne la mangea pas, peut-être parce qu'une petite alarme s'était déclenchée quelque part dans son esprit. Klara Engelman ? Ce nom lui disait quelque chose. Il évoquait un certain glamour… Une brève recherche lui rafraîchit la mémoire.

Il y avait très longtemps, elle avait lu un reportage à son sujet dans *Vanity Fair*. Faute de mieux, elle contempla des poses de Klara Engelman, dont une série de clichés pris au camp de base cette année-là, ainsi que des photos de son guide, Viktor Grankin, décédé avec elle sur l'Everest. Au-delà de la beauté un peu vulgaire de Klara Engelman, on détectait en elle une certaine tristesse, ou plutôt une joie forcée, comme si le fait de sourire sans relâche était sa seule arme contre la dépression. Grankin, en revanche, semblait… Quoi, en fait ?

Ingénieur et alpiniste professionnel, lut-elle. Consultant auprès d'agences spécialisées dans les voyages d'aventures. Catrin lui trouvait l'air d'un militaire, d'un soldat d'élite, par exemple, surtout lorsque, sur l'Everest, il se tenait bien droit à côté de… Johannes Forsell. Poussant une exclamation de surprise, elle en oublia sa colère envers Mikael, et lui répondit :

[Qu'est-ce que tu as trouvé ?]

UN INSTANT PLUS TÔT, ELIN FELKE piquait une crise de colère indignée. Tout à coup, elle sembla néanmoins incertaine, pensive, bref, capable de passer sans transition d'un extrême à l'autre.

— Mon Dieu… Qu'est-ce que je pourrais bien vous dire sur Svante ? Il ne doutait vraiment de rien. Il avait une arrogance folle. Il était capable de convaincre n'importe qui de n'importe quoi. On s'était tous mis à boire sa foutue soupe de myrtilles, au camp. Franchement, il aurait dû devenir vendeur. Enfin, les choses n'ont peut-être pas tourné comme il l'attendait non plus, là-haut.

— C'est-à-dire ?

— Svante avait deviné qu'il se passait quelque chose entre Viktor et Klara, et ça avait l'air de le déranger.

— Pourquoi, à votre avis ?

— Je ne peux pas être plus précise, c'est une impression. Il était peut-être jaloux, qu'est-ce que j'en sais ? Je crois que Viktor l'a remarqué. Je crois même que c'est ce qui le rendait nerveux.

— Pourquoi est-ce que ça aurait eu un quelconque effet sur lui ?

— Comme je vous le disais, quelque chose le travaillait. Il n'était plus le modèle de stabilité sans faille sur lequel nous pouvions tous compter à cent pour cent. Il devenait de plus en plus anxieux. Parfois, je me demande s'il n'avait pas un peu peur de Svante.

— Pourquoi ?

— Simple supposition, mais je crois qu'il redoutait que Svante ne le dénonce à Stan Engelman.

— Svante et Stan Engelman auraient été en contact ?

— Peut-être pas, mais…

— Oui ?

— Petit à petit, j'ai compris que Svante était quelqu'un de profondément sournois. Parfois, il parlait d'Engelman comme s'il le connaissait. Dans sa manière de prononcer *Stan*, il y avait une certaine… familiarité. Enfin, je me fais peut-être des idées. Difficile de se souvenir de ce genre de détail aussi longtemps après. Mais une chose est sûre : à la fin, même Svante a cessé de faire le malin. On aurait dit qu'il marchait sur des œufs.

— Quelque chose le rendait nerveux, lui aussi ?

— On était tous nerveux.

— Évidemment. Mais vous avez dit de lui que c'était la grande énigme du camp de base.

— C'est vrai. La plupart du temps, il se prenait pour le roi. Cela dit, il était également anxieux et parano. Tantôt prodigue, tantôt méchant. Il pouvait flatter les gens à les faire rougir et, sans transition, leur faire un commentaire désobligeant.

— Comment était sa relation avec Forsell ?

— Une partie de lui adorait Johannes.

— Mais…

— Il le surveillait. Il essayait de trouver des points faibles, des moyens de pression.

— Pourquoi dites-vous ça ?

— Je ne sais pas trop. Enfin, je suis sûrement influencée par toutes les sottises qu'on débite sur Forsell dans les médias.

— Que voulez-vous dire ?

— Tout ça me semble tellement injuste… Je me demande parfois si Johannes n'est pas en train de payer pour une bévue de Svante. Enfin, je parle trop.

Mikael eut un petit rire discret.

— Possible, mais je suis heureux que vous m'aidiez à raisonner. Ne vous en faites pas pour mon article, je le répète. J'adore émettre des hypothèses, moi aussi, mais dans mes publications, je suis obligé de m'en tenir aux faits.

— C'est triste.

— Sans doute. Un peu comme l'alpinisme, je suppose. On ne peut pas savoir à l'avance où se trouve la prochaine falaise. Il faut connaître le terrain, sinon, on risque de s'attirer des ennuis.

— Exact.

Il regarda son téléphone et vit que Catrin avait répondu à son mail, ce qui constituait une raison comme une autre de conclure l'entretien. Il prit aimablement congé d'Elin Felke et sortit dans la rue, valise en main, sans la moindre idée d'où il pourrait bien aller.

EN RENTRANT CHEZ ELLE, à Trångsund, tard l'après-midi, Fredrika Nyman vit dans sa boîte un long mail du psychiatre Farzad Mansoor, médecin-chef du service de soins psychiatriques fermé de l'Aile sud, en réponse à ses demandes d'informations détaillées visant à établir si Nima Rita avait été interné dans sa clinique.

Fredrika n'y croyait pas. Elle pensait la déchéance du sherpa trop avancée pour qu'il puisse être pris en charge par une quelconque institution, même si les traces de substances antipsychotiques présentes dans ses tissus tendaient à démontrer le contraire. Elle lut fébrilement le mail du médecin – pour les raisons de l'enquête, bien sûr, mais pas seulement.

Elle avait trouvé au Dr Mansoor un ton doux et chaleureux quand elle lui avait parlé au téléphone. Elle avait également apprécié les photos de lui sur Internet, l'étincelle dans son regard, l'amabilité de son sourire et, pourquoi pas, son intérêt pour le vol à voile, dont il rendait compte sur sa page Facebook. Toutefois, son mail, adressé à Bublanski et à elle-même, était plein de paroles virulentes qui sentaient la défensive à plein nez.

[Tout d'abord, je dois vous dire que l'incident, qui nous a bien entendu bouleversés, a eu lieu à un moment très peu propice de l'année, c'est-à-dire pendant la seule semaine de juillet où ni le chef de clinique, Christer Alm, ni moi-même n'étions présents. Je suis au regret d'ajouter que l'affaire est passée à la trappe.]

Quel incident ? Quelle affaire ? Quelle trappe ? se demanda Fredrika, énervée, comme si cela la dérangeait que son doux pilote perde à ce point le nord. Après avoir parcouru la longue et méandreuse missive, elle en conclut que Nima Rita avait effectivement été interné à l'Aile sud, mais sous un autre nom, et qu'il avait fait défection le soir du 27 juillet de l'année en cours sans que, dans un premier temps, sa disparition ne soit signalée, et ce pour une série de raisons qui semblaient toutes plus ou moins en lien avec les congés des responsables. Elle comprit également qu'une procédure particulière, classée secrète, devait être appliquée au patient, et qu'on l'avait ignorée – par appréhension ou par sentiment de culpabilité.

Farzad Mansoor écrivait :

[Comme vous le savez peut-être, j'ai succédé à Christer Alm à la direction de l'Aile sud au mois de mars. Nous avons alors découvert une série de dysfonctionnements. Plusieurs patients avaient par exemple été enfermés et avaient subi des mesures coercitives dont nous estimons qu'elles ont eu des effets exclusivement négatifs sur l'évolution de leur état. L'un d'eux était un homme interné en octobre 2017 sous le nom de Nihar Rawal. Il ne possédait pas de papiers d'identité. Selon son dossier médical, il était âgé de cinquante-quatre ans et souffrait de schizophrénie paranoïaque et de lésions neurologiques difficiles à évaluer. Il venait des montagnes du Népal.]

Fredrika regarda ses filles qui, comme d'habitude, étaient installées dans le canapé, scotchées à leurs téléphones. Mansoor poursuivait :

[Malgré certaines pathologies dentaires et cardiaques qui auraient dû être traitées d'urgence, le patient avait été privé des soins correspondants. On lui avait prescrit une thérapie médicamenteuse lourde. Par périodes, on l'avait tenu ligoté. Bref, il avait subi un traitement parfaitement indécent. Selon certaines données – que malheureusement, je ne suis pas en mesure de vous communiquer –, il aurait eu un comportement dangereux. Il est possible que nous n'ayons pas pris conscience de la gravité de sa situation. Nous ne nions pas notre responsabilité dans cette affaire. Mais pour Christer Alm et moi-même, j'aimerais que vous le compreniez, il était primordial de prendre enfin en compte l'intérêt du patient. Nous voulions restaurer sa dignité et recréer un climat de confiance. Il était désorienté. Il n'a jamais entièrement compris où il se trouvait. De plus, il accumulait la colère et la frustration parce que, selon lui, personne ne voulait écouter son récit. Nous avons fortement réduit son traitement médicamenteux et entamé une thérapie psychologique qui, je le crains, n'a pas eu les effets escomptés.

Ses délires étaient trop avancés, et sa volonté de s'exprimer freinée par l'immense méfiance qu'il en était venu à ressentir envers notre service. Nous avons tout de même pu corriger certains malentendus. Nous avons par exemple commencé à l'appeler Nima ou *sirdar* Nima – c'était important pour lui. Nous avons également compris qu'il faisait une fixation pathologique sur son épouse décédée, Luna. Le soir, il l'appelait le long des couloirs de la clinique. Dans des accès de violence difficilement interprétables, il parlait aussi d'une certaine Mme – une Mam Sahib. Christer Alm et moi pensions qu'il s'agissait encore de sa femme, étant donné les similitudes des récits. Mais en lisant les résultats de votre enquête, nous devinons qu'il n'a pas vécu seulement une expérience traumatisante, mais deux.

Vous jugerez peut-être incompétent de notre part de ne pas avoir su élucider son récit, mais sachez que nous étions extrêmement mal informés au départ. D'ailleurs, j'aimerais malgré tout souligner nos progrès. Fin juin, nous lui avons rendu son anorak, qu'il réclamait, et qui semblait lui apporter un réconfort considérable. Il nous demandait constamment de l'alcool, sûrement une conséquence de la diminution de ses doses de sédatifs, mais il semble tout de même que certaines nuits, les voix aient cessé de crier en lui. En tout cas, ses frayeurs nocturnes avaient diminué.

Christer Alm et moi sommes donc partis en congé en toute bonne conscience, pensant que, tant concernant le patient que la clinique en général, nous étions sur la bonne voie.]

Bien sûr, se dit Fredrika. *Bien sûr, mais Nima Rita est quand même mort.* De toute évidence, la direction avait sous-estimé sa volonté désespérée de quitter la clinique. On pouvait comprendre qu'on lui ait donné accès à la terrasse, mais le laisser s'y rendre sans aucune surveillance… Eh bien, c'était au moins contraire à tous les règlements.

L'après-midi du 27 juillet, il avait disparu. On avait déduit d'un fragment de tissu arraché à son pantalon qu'il s'était glissé à travers l'étroite trappe entre le plafond et la haute grille de la terrasse. Il avait ensuite dû descendre les falaises abruptes et s'éloigner de l'Årstaviken, puis, tôt ou tard, échouer dans le quartier de Mariatorget.

Le plus révoltant était qu'on n'ait pas signalé sa disparition avant le retour de vacances de Christer Alm, le 4 août, et qu'alors, on n'ait pas jugé bon de prévenir la police "parce que selon les instructions concernant le patient, tout incident, tout événement inattendu devait être signalé au contact indiqué". *Quelle langue de bois...* se dit Fredrika. Cela sentait le secret à plein nez. Aucun doute : on leur cachait des éléments importants. Après de plus amples recherches sur la clinique de l'Aile sud et un entretien avec le commissaire Bublanski, Fredrika fit exactement comme la première fois.

Elle appela Blomkvist.

MIKAEL N'AVAIT TOUJOURS PAS répondu au mail de Catrin. À vrai dire, il tentait d'élaborer un plan d'action en buvant une Guinness au Tudor Arms, dans Grevgatan. Il fallait évidemment contacter Svante Lindberg, un personnage clé du drame – Mikael en était de plus en plus convaincu. Cependant, quelque chose lui disait qu'auparavant il valait mieux être bien informé, et la source la plus évidente pour y parvenir était bien sûr Johannes Forsell lui-même.

Mikael n'était pas au courant de l'évolution de son état. Il n'arrivait à joindre ni Rebecka Forsell ni le secrétaire de presse du ministre, Niklas Keller. Finalement, il décida d'oublier un moment l'affaire et de se concentrer sur sa recherche de logement provisoire. Il lui fallait un endroit où dormir et travailler. Il comptait ensuite reprendre l'enquête, mais n'eut le temps de rien du tout, car son téléphone sonna.

Fredrika Nyman voulait lui annoncer des découvertes intéressantes. Il lui demanda de raccrocher et lui écrivit un SMS : elle devait installer l'appli Signal, qui leur permettrait de communiquer par un canal sécurisé.

Elle répondit :

[Impossible. Je n'y comprends rien. Je déteste les applis. Ces trucs me rendent dingue.]

Il écrivit :

[Vous n'avez pas des filles adolescentes qui passent leur temps sur leurs téléphones ?
Pas la peine de chercher plus loin.
Demandez-leur de vous télécharger l'appli. Dites-leur qu'elles doivent vous aider à devenir détective et espionne.]

Elle répondit :

[Ha ha, je vais essayer.]

Le temps passa. Laissant ses pensées errer, il but sa Guinness en regardant deux femmes pousser des landaus. Puis il reçut un SMS sur un autre ton.

[T'es genre Mikael Blomkvist *pour de vrai* ?]

Il décida de se montrer high-tech et renvoya un selfie sur lequel il faisait un V.

[Cool.]

[Pas tant que ça.]

[Maman va devenir détective et espionne ?]

[Absolument.]

Recevant un smiley en retour, il se dit qu'il n'était pas si nul dans le domaine. Du moment qu'il n'envoyait pas encore un cœur rouge par mégarde… Dans ce cas, il risquait de faire la une de la presse du soir. Il expliqua à la dénommée Amanda comment s'y prendre et, un quart d'heure plus tard, reçut un coup de fil de Fredrika Nyman via l'appli. Il sortit répondre dans la rue.

— Je suis remontée dans l'estime de mes filles.

— Dans ce cas, ce sera ma bonne action de la journée. Quoi de neuf ?

FREDRIKA NYMAN BUVAIT un verre de vin dans sa cuisine.

— Alors personne ne sait comment ni pourquoi il a atterri là-bas ? lui demanda Mikael.

— Visiblement, son dossier est classé secret. Secret militaire, je crois.

— Il peut s'agir d'une question de sécurité nationale ?

— Aucune idée.

— Cela dit, en général, la confidentialité protège plutôt des individus que des nations, dit Mikael.

— En effet.

— Vous ne trouvez pas ça étrange ?

— Si, dit-elle, pensive. Je crois aussi que ça pourrait faire scandale. Le patient semble avoir passé plusieurs années enfermé dans une pièce minuscule sans avoir le droit de consulter un dentiste ni qui que ce soit d'autre. Vous connaissez l'endroit ?

— Dans un lointain passé, j'ai lu la déclaration de principes de Gustav Stavsjö.

— Un beau discours, n'est-ce pas ? Les plus malades doivent recevoir le plus de soins. La dignité d'une société se définit par rapport à sa capacité à prendre en charge ses éléments les plus vulnérables.

— Il brûlait pour sa cause, tout de même, non ?

— Sûrement, reprit-elle, mais c'était une autre époque. Sa croyance en la parole et en la thérapie était naïve, du moins en ce qui concerne ce genre de pathologies graves. D'ailleurs, la psychiatrie a pris une autre direction. Elle s'est orientée vers les traitements médicamenteux et coercitifs. L'établissement se trouve sur un site magnifique, au bord de l'eau. Ça ressemble à une résidence de prestige. Progressivement, ça s'est transformé en une sorte de débarras où l'on relègue les cas désespérés, principalement des réfugiés victimes de traumatismes de guerre. À mesure que la réputation de la clinique se détériorait, la direction a eu de plus en plus de mal à recruter du personnel qualifié.

— C'est ce que j'avais compris.

— Certains projets de fermeture prévoyaient d'intégrer les patients au parcours de soins régional, mais les fils de Gustav Stavsjö, qui dirigeaient la fondation, s'y sont opposés et sont parvenus à persuader le Dr Christer Alm, un clinicien renommé, d'en prendre la direction. Il a modernisé l'établissement. C'est dans ce cadre que son collègue et lui ont découvert le cas de Nima, inscrit sous le nom de Nihar Rawal.

— On lui avait laissé ses initiales.

— Il y a autre chose de louche là-dedans. Une personne devait être exclusivement tenue au courant de tout incident le concernant, et la clinique refuse de divulguer son nom. Je me demande qui ça peut bien être. Il doit s'agir d'un gros bonnet, de quelqu'un qui intimidait le personnel.

— Par exemple le secrétaire d'État Lindberg.

— Ou le ministre Forsell.

— Quelle poisse…

— Comment ça ?

— Trop de questions.

— Beaucoup trop.

— On ne vous a pas dit si Nima avait parlé de Forsell pendant ses séances de thérapie ?

— Non.

— Je vois.

— Finalement, Bublanski a peut-être raison, soupira Fredrika Nyman. Sa fixation sur Forsell peut avoir été déclenchée par l'émission de télé qu'il a vue dans la boutique de Hornsgatan. C'est sûrement peu après qu'il s'est procuré votre numéro.

— Je vais continuer à fouiller.

— Bonne chance.

— Merci, j'en aurai besoin.

— Puis-je vous poser une question qui n'a aucun rapport ?

— Oui.

— La chercheuse en génie génétique avec laquelle vous m'avez mise en rapport, de qui s'agit-il ?

— Une amie.

— Elle est sacrément arrogante.

— Elle a ses raisons.

Ils se dirent au revoir et se souhaitèrent bonne soirée, puis Fredrika resta seule, contemplant le lac et les cygnes qu'on devinait au loin.

23

LE 27 AOÛT

LISBETH SALANDER REÇUT un mail crypté de Mikael, mais
ne s'en soucia pas. Elle avait d'autres chats à fouetter. Pendant la journée, elle s'était procuré une nouvelle arme, un
Beretta 87 Cheetah comme celui qu'elle avait à Moscou, ainsi
qu'un IMSI-catcher. Elle était également passée au garage de
Fiskargatan récupérer sa moto, une Kawasaki Ninja.

Elle avait rangé son costume et enfilé un sweat à capuche,
un jean et des tennis. Dans une chambre de l'hôtel Nobis,
à Norrmalmstorg, non loin de Strandvägen, elle visionnait
désormais une série d'écrans de surveillance, tout en essayant
de réveiller la soif de vengeance qu'elle avait ressentie au début
de l'été. Mais le passé continuait à produire des interférences
– et elle n'aimait pas ça.

Elle n'avait pas le temps de se préoccuper de vieilleries.

Il fallait rester concentrée, surtout maintenant que l'implacable Galinov était là. Finalement, elle savait très peu de
choses sur lui, à part les rumeurs nébuleuses qui circulaient
à son sujet sur le dark web. Elle était cependant parvenue à
confirmer quelques informations, et cela lui suffisait amplement : Ivan Galinov, apprenti, puis allié du GRU, avait été
en rapport avec son père.

Il avait à de nombreuses reprises été infiltré dans des groupes
de rebelles ou de trafiquants d'armes. On lui attribuait une
qualité un peu vague : celle de se fondre dans tous les milieux,
non pas grâce à une grande faculté d'adaptation ni à un talent

de comédien particulier mais, au contraire, parce qu'il restait toujours lui-même. Cela inspirait confiance, disait-on. Sa tranquillité sans faille le faisait systématiquement passer pour un membre du groupe.

Cultivé, il avait des facilités d'apprentissage et parlait couramment onze langues. Grâce à sa grande taille, sa noble posture et ses traits distingués, son entrée dans une pièce ne passait jamais inaperçue. Il dominait toujours la situation. Les Russes enverraient-ils un personnage qui évoquait aussi clairement un espion et un infiltrateur ? Impossible. De plus, il satisfaisait toujours aux exigences de loyauté au groupe haut la main. Il savait se montrer avec autant d'aisance cruel que tendre et paternel.

Il se liait d'une amitié profonde avec des gens que, peu après, il torturait sans scrupule. Il avait quitté depuis longtemps le renseignement et les missions d'infiltration. Désormais, il se présentait comme un homme d'affaires ou un interprète – des euphémismes pour "gangster", naturellement. Bien qu'il fût principalement rattaché au syndicat du crime Zvezda Bratva, il travaillait souvent pour Camilla. À vrai dire, il représentait pour elle une ressource inestimable. Son seul nom en imposait.

Le réseau de Galinov, particulièrement ses contacts au GRU, avait de quoi inquiéter Lisbeth. Parmi eux, certains individus la cerneraient tôt ou tard. Le temps de l'indécision était définitivement passé. Dans sa chambre, derrière sa fenêtre qui donnait sur Norrmalmstorg, elle se sentit enfin prête à accomplir sa mission la plus immédiate : resserrer la vis et les pousser à l'erreur. Avant de s'y mettre, elle jeta un bref coup d'œil au message de Mikael :

[Inquiet pour toi. Je sais que tu détestes que je te dise ça, mais je trouve que tu devrais demander une protection policière. Bublanski s'en occuperait, je lui en ai parlé.

À part ça, Nima Rita était sans doute interné sous un faux nom à la clinique psychiatrique de l'Aile sud. Des militaires seraient mêlés à la décision.]

Elle ne répondit pas. Une seconde plus tard, elle avait oublié le SMS. Elle prit son arme et la rangea dans un sac à bandoulière gris, enfila sa capuche et une paire de lunettes de soleil, puis elle quitta la chambre, prit l'ascenseur et, d'un pas décidé, sortit sur la place.

Le ciel se couvrait. Il y avait du monde dans la rue, terrasses et boutiques étaient bondées. Elle prit à droite sur Smålandsgatan, déboucha sur Birger Jarlsgatan et s'enfonça dans le métro d'Östermalmstorg, où elle prit une rame en direction de Södermalm.

REBECKA FORSELL ÉTAIT AU CHEVET de son mari, à l'hôpital Karolinska lorsque, pour la énième fois, Mikael Blomkvist la rappela. Sur le point de décrocher, elle vit Johannes tressaillir comme s'il faisait un cauchemar. Elle lui caressa les cheveux et laissa le téléphone sonner. Dans le couloir, trois militaires les observaient.

Nous sommes sous surveillance, songea-t-elle. Elle avait le sentiment qu'on lui volait son inquiétude. Comment pouvait-on leur infliger un pareil traitement ? Même la mère de Johannes avait été importunée. Un scandale. Tout cela venait de Klas Berg, le chef des renseignements militaires et, bien sûr, de Svante Lindberg. Mon Dieu, comme il avait feint l'empathie et l'émotion…

Il leur avait apporté du chocolat et des fleurs, les larmes aux yeux. Il avait poussé des "C'est terrible" et des "Mon Dieu" et avait serré Rebecka dans ses bras. Mais elle ne s'était pas laissé berner. Il transpirait trop, il avait le regard erratique et, à au moins deux reprises, il lui avait demandé si, pendant leur séjour à Sandön, Johannes avait dit quoi que ce soit d'inhabituel, quelque chose d'insolite ou de compromettant. Elle avait envie de hurler : "Qu'est-ce que vous me cachez, nom d'un chien !" mais s'était abstenue, l'avait remercié pour son soutien et prié de partir.

Elle n'avait pas le courage de recevoir des visites – c'était l'excuse qu'elle avait invoquée. Il s'était éclipsé de mauvaise grâce. Une sacrée chance, car Johannes s'était réveillé peu après et, apparemment en possession de ses moyens, avait articulé un "pardon". Ils avaient eu une brève discussion sur leurs fils et sur son état, mais à la question : "Pourquoi, Johannes ? Pourquoi ?", il n'avait pas répondu.

Peut-être n'en avait-il pas la force. Ou bien préférait-il fuir, oublier, refouler. Depuis, il avait sombré dans la torpeur ou le sommeil. Quoi qu'il en soit, il n'avait pas l'air heureux. Elle lui prit la main et, simultanément, reçut un SMS. Encore Blomkvist. Il s'excusait et insistait pour lui parler d'urgence en tête à tête ou sur une ligne cryptée. Non, décidément, elle n'en avait pas le courage, pas tout de suite. Elle lança un regard plein de désespoir à son mari qui marmonnait dans son sommeil.

JOHANNES FORSELL ÉTAIT de retour sur le mont Everest. Dans ses pensées, il avançait en titubant, fouetté par la tempête de neige. Le froid était insupportable, il arrivait à peine à rassembler ses esprits. Il marchait, voilà tout. Il entendait les crissements de ses propres crampons et le tonnerre qui grondait dans les espaces infinis, se demandant combien de temps il tiendrait encore.

Souvent, il n'était conscient que de sa propre respiration haletante dans le masque à oxygène et de la silhouette de Svante, à côté. Parfois, même pas.

Il arrivait que le paysage noircisse. Peut-être, dans ces moments-là, avançait-il les yeux fermés. S'il était parvenu au bord d'une crevasse, il aurait franchi le pas fatal et chuté au fond sans un cri, indifférent. Soudain, même les courants d'altitude se taisaient, et il pénétrait dans une obscurité silencieuse, un néant. Pourtant, il s'était récemment souvenu de son père qui l'encourageait sur la piste de ski : "Tu as encore quelque chose à donner, mon garçon. Vas-y." Tenaillé par la peur, il s'était raccroché à ces paroles. On avait toujours une ressource insoupçonnée quelque part en soi. Sauf à ce moment-là.

Il ne lui restait plus rien. Il baissa les yeux sur la neige qui tournoyait autour de ses godillots, se demandant s'il n'allait pas enfin s'écrouler. C'est alors qu'il entendit les cris, des plaintes portées par le vent qui, d'abord, lui avaient paru complètement inhumaines, comme si la montagne elle-même pleurait de désespoir.

JOHANNES PARLA CLAIREMENT – mais Rebecka ne comprit pas s'il s'adressait à elle ou parlait dans son sommeil :

— Tu entends ?

Elle n'entendit rien d'autre que les bruits ordinaires de l'hôpital : bourdonnement de la circulation, ronronnement des appareils, pas et voix dans le couloir. Elle ne répondit pas, essuya une goutte de sueur sur son front et écarta sa frange. Soudain, il ouvrit les yeux, et elle sentit en son cœur un pincement d'espoir. *Parle-moi*, se dit-elle. *Raconte-moi ce qui t'arrive.*

Il posa sur elle un regard plein d'effroi qui lui glaça le sang.

— Tu as fait un rêve ? dit-elle.

— C'étaient encore les cris.

— Les cris ?

— Sur l'Everest.

Dans le temps, ils s'étaient tout raconté sur l'expédition, de nombreuses fois. Mais elle ne se souvenait d'aucun cri. Mieux valait ne pas insister. Elle vit à l'éclat de ses yeux qu'il n'avait pas toute sa tête et dit :

— Je ne vois pas très bien de quoi tu parles.

— Je croyais que c'était la tempête, tu ne te souviens pas ? Que les vents faisaient des bruits presque humains.

— Non, mon amour, je ne m'en souviens pas. Je ne suis pas montée là-haut avec toi. Je suis restée au camp de base, tu le sais bien.

— J'ai bien dû te le raconter.

Secouant la tête, elle éprouva une forte envie de changer de sujet. D'abord parce qu'il délirait. Ensuite parce qu'elle ressentait un malaise diffus, comme si elle devinait quelque chose de funeste dans ces cris.

— Tu ne veux pas te reposer encore un peu ? dit-elle.

— Après, j'ai cru que c'étaient des chiens sauvages.

— Quoi ?

— Des chiens sauvages. À huit mille mètres d'altitude. Tu te rends compte ?

— On pourra parler de l'Everest plus tard, tu sais. D'abord, tu dois m'aider à comprendre, Johannes. Qu'est-ce qui t'a fait partir comme ça ?

— Quand ?

— À Sandön. Tu as nagé vers le large.

Elle vit à son regard qu'il retrouvait ses esprits, ce qui ne sembla pas le réconforter. Il aurait sans doute préféré rester avec ses chiens sauvages sur l'Everest.

— Qui m'a repêché ? Erik ?

— Non, aucun de tes gardes du corps.

— Alors qui ?

Elle se demanda comment il prendrait la nouvelle.

— Mikael Blomkvist.

— Le journaliste ?

— Oui.

— Bizarre, répondit-il tristement.

Bizarre, en effet. Il resta étrangement impassible. L'air épuisé, il regardait ses mains avec une terrifiante indifférence. Elle attendit patiemment sa prochaine question. Celle-ci arriva, sur un ton neutre exempt de toute curiosité :

— Comment ça se fait ?

— Il m'a appelée quand j'étais au bord de la crise de nerfs. Il fait un reportage.

— Un reportage ?

— Tu ne vas pas me croire, dit-elle.

Elle soupçonnait cependant qu'il ne la croirait que trop.

LISBETH DESCENDIT À LA STATION Zinkensdamm, traversa Ringvägen et s'engagea dans Brännkyrkagatan, pendant que les souvenirs se bousculaient à nouveau dans son esprit, peut-être parce qu'elle était de retour dans le quartier de son enfance, ou déstabilisée avant une nouvelle opération.

Elle regarda le ciel, dorénavant sombre. Il allait sûrement pleuvoir, comme à Moscou. La pression atmosphérique annonçait de l'orage. Plus loin sur le trottoir, elle remarqua un jeune homme penché en avant comme s'il vomissait. Partout, elle voyait des gens ivres. Fête de quartier, jour de paye ou simplement week-end ?

Elle monta l'escalier et, approchant de chez Mikael depuis Tavastgatan, se plongea progressivement dans un état de concentration intense, attentive au moindre détail, à la moindre silhouette aux alentours. Et pourtant… Elle ne vit pas ce à quoi elle s'attendait. Avait-elle commis une erreur ? Aucun individu suspect, rien que des ivrognes. Sauf là-bas, au croisement…

Un dos, de larges épaules portant une veste en velours côtelé. Une main tenant un livre. En général, les criminels ne portent ni velours côtelé ni livres. Mais quelque chose dans ce type la mettait en alerte : sa posture ? Sa manière de lever les yeux ? L'ayant discrètement doublé, elle lança un bref coup d'œil dans sa direction – il était grand, un peu en surpoids. Elle se rendit alors compte qu'elle avait eu raison. La veste et le livre constituaient un déguisement dérisoire, une tentative ridicule de se grimer en hipster de Söder. D'ailleurs, non seulement elle avait replacé l'homme dans son contexte habituel, mais elle le reconnaissait.

Il y avait peu, le dénommé Conny Andersson était encore un vulgaire *hangaround* et garçon de courses. Il ne s'agissait vraiment pas d'un ponte du club, ce qui n'étonna pas Lisbeth outre mesure, car, justement, il se farcissait un boulot de merde : attendre un mec qui, selon toute probabilité, ne se pointerait pas. Mais Conny n'était pas non plus un novice. Mesurant presque deux mètres, il faisait aussi les gros bras lors d'opérations de recouvrement de dettes. Elle avança tête basse, feignant de ne pas le voir.

Puis elle se retourna et enregistra visuellement le trottoir d'en face. Un peu plus loin, deux mecs d'une vingtaine d'années titubaient, soûls. Derrière eux, une sexagénaire se promenait beaucoup trop lentement, ce qui ne présageait rien de bon. Mais Lisbeth ne pouvait pas se permettre d'attendre. Lorsque Conny Andersson remarqua sa présence, elle n'était pas en bonne position. Autant continuer à marcher.

Après un rapide virage à droite, elle avança droit sur lui. Il leva les yeux et chercha son arme, mais n'eut pas le temps de dégainer. Elle lui mit un coup de pied dans l'entrejambe et, lorsque son corps se plia, deux coups de boule successifs. Il en perdit l'équilibre. Au même instant, bien entendu, elle entendit la dame l'appeler :

— Eh ! Qu'est-ce que vous faites ?

Pas question de s'amuser à apaiser les vieilles dames. La passante n'oserait sans doute pas s'approcher. D'ailleurs, elle n'avait qu'à appeler la police qui, de toute façon, n'interviendrait pas à temps. Lisbeth se précipita sur Conny Andersson et le renversa, puis, rapide comme l'éclair, s'assit sur lui, retira ses lunettes de soleil, sortit son pistolet de son sac et colla la bouche du canon contre sa pomme d'Adam. Conny Andersson lui lança un regard épouvanté.

— Je vais te tuer, dit Lisbeth.

Il marmonna, manifestement pas si bagarreur qu'il voulait s'en donner l'air. Elle continua de sa voix la plus fantomatique :

— Je vais te tuer. Si vous osez toucher à un seul cheveu de Mikael Blomkvist, je vais tous vous tuer, toi et les mecs de ton club. Si c'est moi que vous voulez, alors, vous n'avez qu'à me débusquer. Ne vous en prenez pas à d'autres. Compris ?

— Oui.

— En fait, finalement, dis à Marko que ça ne me fait ni chaud ni froid que vous vous attaquiez à Mikael. De toute façon, je vous traquerai. Tous. Jusqu'à ce qu'il ne reste plus que vos petites amies et vos femmes terrorisées.

Conny Andersson ne dit rien. Lisbeth appuya plus fort le canon de son arme contre son cou.

— Alors ?

— Je le lui dirai, bredouilla Conny.

— Parfait. Et, dis donc…

— Quoi ?

— Il y a une femme qui nous dévisage, alors je ne vais pas balancer ton arme ni autre chose qui pourrait attirer l'attention sur nous. Je vais juste te donner un coup de pied à la tête, mais si tu fais mine de dégainer, je t'abats. Parce que tu comprends…

De la main gauche, elle fouilla rapidement les poches du jean de Conny Andersson et en sortit un téléphone : un iPhone tout neuf avec reconnaissance faciale.

— … de toute façon, reprit-elle, j'arriverai à faire passer le message. Même si tu crèves.

Elle pressa à nouveau le canon sous son menton.

— Allez, Conny. Fais un beau sourire.

— Quoi ?

Elle déverrouilla le téléphone en le tenant au-dessus de lui. En un rien de temps, elle accomplit ensuite deux autres tâches qui n'exigeaient pas autant de connaissances en technologie de pointe : elle lui asséna un coup de boule et le prit en photo. Puis elle remit ses lunettes de soleil et s'éloigna en direction de Slussen et Gamla Stan, tout en parcourant les contacts téléphoniques de Conny. Elle y trouva quelques noms surprenants : un comédien célèbre, deux hommes politiques, un policier de la brigade des stups – sans doute pourri. Peu importait.

Elle sélectionna les membres du club de Svavelsjö et leur envoya la photo de Conny : regard caméra ahuri et terrifié. Puis, après avoir copié le contenu du téléphone, elle écrivit :

[Le gars a un truc à vous raconter.]

Elle jeta ensuite le téléphone dans Riddarfjärden.

24

LE 27 AOÛT

JOHANNES FORSELL AURAIT tant voulu se perdre en lui-même,
se réfugier dans ses rêves et ses souvenirs... Mais le nom de
Nima Rita prononcé avec une acuité inattendue et la colère
retenue dans la voix de sa femme le tiraient implacablement
vers la réalité.

— Qu'est-ce qu'il fabriquait en Suède ? Je le croyais mort.

— Qui est venu ici ? demanda Johannes.

Le changement de sujet agaça manifestement Rebecka.

— Je te l'ai déjà dit.

— J'ai oublié.

— Les garçons, bien sûr, et ta mère. Elle s'occupe d'eux
en attendant.

— Comment ils l'ont pris ?

— Que veux-tu que je te dise, Johannes ? Franchement...

— Je suis désolé.

— Merci, dit-elle, tentant de retrouver son aplomb, bref,
de redevenir la bonne vieille Becka.

Elle n'y parvint qu'à moitié. Johannes jeta un coup d'œil
aux militaires dans le couloir. Les pensées s'agitaient dans son
esprit comme des oiseaux affolés : issues, chemins de fuite,
menaces, risques, possibilités.

— Je ne peux pas parler de Nima pour le moment, dit-il.

— Comme tu veux.

Elle dut rassembler tout son courage pour lui faire un sourire plein d'amour et lui caresser les cheveux. Il la repoussa.

— De quoi est-ce que tu peux me parler alors ? demanda-t-elle.

— Je ne sais pas.

— En tout cas, tu as accompli une chose.

— Quoi ?

— Regarde toutes ces fleurs autour de toi. Nous n'avons pu en accepter qu'une partie. La haine s'est transformée en amour.

— Ça m'étonnerait.

Elle lui tendit son téléphone.

— Jette un coup d'œil sur Internet, tu verras.

Il écarta l'appareil.

— Des nécrologies, je suppose.

— Non, de belles choses. Je te le promets.

— Les types du renseignement militaire sont passés ?

— Oui : Svante, Klas Berg, Sten Siegler et quelques autres du genre. C'est-à-dire mille fois oui, je suppose. Pourquoi cette question ?

Pourquoi cette question, puisqu'il connaissait déjà la réponse ?

Bien sûr qu'ils étaient passés. Johannes vit une ombre traverser le regard de Becka. Le doute. Il la vit se gratter la tête, l'air perdue. Soudain, il se sentit investi d'une force inattendue : il voulait tout lui dire – sans doute parce que, de toute évidence, à cet instant, il ne le pouvait pas.

Ils étaient certainement sur écoute. Il réfléchit. Pesa le pour et le contre. Se souvint de sa volonté désespérée de vivre alors qu'il sombrait vers le fond, charrié par les courants.

— Tu as du papier et un crayon ? demanda-t-il.

— Quoi ? Heu, oui, je crois.

Elle farfouilla dans son sac et en sortit un stylo-bille et un petit bloc Post-it jaune, qu'elle lui tendit.

Il écrivit :

Il faut qu'on sorte d'ici.

REBECKA FORSELL LUT LE MOT et lança un regard effrayé aux gardes, dans le couloir. Heureusement, les yeux rivés sur leurs écrans de téléphone, ils semblaient s'ennuyer. Elle répondit d'une écriture nerveuse et négligente :

Maintenant ?

Il prit le bloc :

Maintenant. Débranche-moi, laisse ton téléphone et ton sac à main. On fera semblant d'aller à la cafétéria.

Semblant ?

On se tire.

Tu es fou ?

Je veux t'expliquer mais ici, je ne peux pas.

M'expliquer quoi ?

Tout.

L'échange avait été rapide ; ils s'étaient subrepticement passé le stylo et le bloc. Tout à coup, Johannes sembla hésiter. Il leva vers elle un regard profondément triste et égaré, mais elle y détecta également une lueur de ce qui lui avait si long-temps manqué : la combativité. Elle se sentit partagée entre l'inquiétude et le réconfort.

Elle n'avait pas l'intention de fuir avec lui, et sûrement pas de quitter un hôpital grouillant de vigiles et de militaires, bref, baignant dans la paranoïa habituelle qui entourait Johannes. Mais elle était heureuse qu'il veuille se confier à elle. De plus, il avait sans doute besoin de bouger un peu. Sa fréquence cardiaque était élevée, mais stable, et il était résistant. Ils iraient assez loin pour pouvoir discuter au calme.

En revanche, ils ne gagneraient rien à manquer de respect envers le personnel soignant en débranchant de leur propre initiative sa perfusion et ses appareils. Voilà pourquoi elle entama une nouvelle page dans le bloc-notes :

J'appelle l'infirmière pour prévenir.

Elle sonna et il répondit :

Ensuite, on ira quelque part où personne ne peut nous trouver.

Arrête, se dit-elle. *Arrête.* Elle écrivit :

À quoi essaies-tu d'échapper ?

Au renseignement militaire.

Elle écrivit :

Svante ?

Il acquiesça, du moins le crut-elle. Elle eut envie de crier : "Je le savais !" Le cœur battant la chamade et la bouche sèche, elle répondit d'une main tremblante :

Il a fait quelque chose ?

N'acquiesçant même pas, il regarda par la fenêtre en direction de l'autoroute. Elle prit cette réaction pour un oui et écrivit :

Tu dois le dénoncer.

Il posa sur elle un regard fataliste : elle ne pouvait pas comprendre.

Ou le balancer aux médias. Mikael Blomkvist vient d'appeler. Il est dans ton camp.

— Dans mon camp ? marmonna-t-il avec une grimace.

Puis il attrapa le stylo et griffonna quelques phrases illisibles. Elle les fixa des yeux.

Je n'arrive pas à te lire, écrivit-elle, même si, en réalité, elle y parvenait. Il recopia plus clairement.

Je ne sais pas si c'est le bon camp.

Elle fut envahie par une forme inédite d'instinct de conservation, comme si, par ces mots, Johannes se détachait d'elle, voire qu'après cette phrase ils ne constituaient plus un "nous" évident, une alliance, mais deux époux qui n'avaient peut-être plus grand-chose à faire l'un avec l'autre. Elle se demanda si elle ne ferait pas mieux de le fuir.

Jetant un coup d'œil aux gardes, elle tenta d'élaborer un plan. À cet instant, elle entendit des pas dans le couloir. Le médecin à la barbe rouge entra et leur demanda de quoi il s'agissait. Elle dit – ne trouvant rien de mieux – que Johannes se sentait plutôt bien et avait récupéré assez de forces pour aller faire un tour.

— Nous allons acheter un journal et un livre de poche à la cafétéria, dit-elle d'une voix qui ne semblait pas lui appartenir, mais empreinte d'une autorité surprenante.

IL ÉTAIT 19 H 30 ; cela faisait belle lurette que Jan Bublanski aurait dû être rentré chez lui. Pourtant, toujours dans son bureau, au siège de la police, il fixait un jeune visage duquel émanait une sorte d'idéalisme rageur, dont il se dit qu'il pouvait en agacer plus d'un. En fait, cet état d'esprit lui inspirait de l'affection. Peut-être avait-il un jour ressemblé à cette jeune femme, qui paraissait penser que les générations antérieures ne considéraient pas la vie avec le sérieux qu'elle méritait. Il lui fit un sourire chaleureux.

Elle lui répondit par un sourire forcé. L'humour n'était sans doute pas son point fort, mais sa gravité lui permettrait certainement d'apporter des contributions utiles au monde, tôt ou tard. Else Sandberg, vingt-cinq ans, interne à l'hôpital Sankt Görans, portait une coupe au carré et des lunettes rondes.

— Merci d'avoir pris le temps de venir, dit-il.

— Il n'y a pas de quoi, répondit-elle.

Sonja Modig l'avait trouvée grâce à un tuyau : le sherpa aurait accroché un journal mural à l'arrêt de bus de Södra Station. Modig avait chargé des collègues d'interroger – en gros – toute personne ayant l'habitude de stationner sous l'abribus.

— On m'a expliqué que vous ne gardiez pas des souvenirs très clairs du contenu, mais sachez que n'importe quel détail peut s'avérer précieux.

— C'était difficile à lire. Les lignes étaient très serrées. Ça ressemblait surtout à un délire paranoïaque.

— Ce n'est pas impossible. Mais je serais reconnaissant que vous essayiez de vous souvenir plus précisément des termes employés.

— Ça paraissait inspiré par un fort sentiment de culpabilité, reprit-elle.

Ma chère enfant, je vous en prie, pas d'interprétation, pensa-t-il.

— Qu'est-ce que ça disait, plus exactement ?

— Qu'il avait gravi une montagne. Encore une fois, écrivait-il. Il avait gravi une montagne *one more time*. Mais il voyait mal. Il y avait une tempête de neige. Il avait froid, il avait mal. Il se croyait perdu. Mais il a entendu des cris qui l'ont guidé.

— Quel genre de cris ?

— Des morts qui criaient, je crois.

— Comment ça ?

— C'était difficile à comprendre, mais des esprits l'accompagnaient tout le temps, d'après ce qu'il disait, deux esprits, je crois, un bon et un mauvais, un peu…

Elle eut un petit rire. Bublanski trouva ravissant qu'Else Sandberg fasse soudain preuve d'une once d'humanité.

— Comme le capitaine Haddock dans *Tintin*, vous savez ? Il a un diable et un ange sur chaque épaule quand il a envie de boire un coup.

— Tout à fait. Jolie métaphore.

— Enfin, je ne l'ai pas compris comme une métaphore. Pour lui, on aurait dit que c'était en vrai.

— Je voulais simplement dire que ça me parle. Une bonne et une mauvaise voix qui me chuchotent à l'oreille quand je suis soumis à la tentation, dit-il, soudain gêné. Et que disait le mauvais esprit ?

— Qu'il devait la laisser là-haut.

— La ?

— Oui, je crois que c'est ce qu'il avait écrit. C'était au féminin, une madame, ou une mam quelque chose qui était restée sur la montagne. Puis il parlait d'une vallée arc-en-ciel, *Rainbow Valley*, où les morts lui tendaient les mains et lui demandaient à manger. Tout le texte était vraiment bizarre, comme je vous le disais. Ensuite, Johannes Forsell est apparu. C'est ce qu'il écrivait. Super louche. Je n'ai pas continué, pour être honnête. Le bus était là et il y avait un mec qui s'engueulait avec le chauffeur. Ça m'a déconcentrée. De toute façon, j'avais déjà deviné que l'auteur souffrait de schizophrénie paranoïaque. Il disait que les cris n'avaient jamais cessé de retentir en lui.

— Je crois qu'on peut ressentir ce genre de choses sans être schizophrène.

— Qu'est-ce que vous voulez dire ?

Oui, qu'est-ce qu'il voulait dire ?

— Que…

— Quoi ?

— Que ça me parle aussi. Qu'il y a des souvenirs dont on ne se débarrasse jamais. Qu'ils vous rongent, année après année. Qu'ils crient en vous.

— Oui… dit-elle, désormais hésitante. C'est vrai.

— Vous pouvez me donner une seconde ? Je vais faire une petite recherche.

Else Sandberg acquiesça. Bublanski se connecta à son ordinateur et ouvrit Google – il tapa une combinaison de trois mots –, puis tourna l'écran vers elle.

— Vous voyez ?

— Horrible, dit-elle.

— En effet. C'est la Rainbow Valley, sur le mont Everest. Je ne suis pas spécialiste mais, ces derniers temps, je me suis renseigné. Quand vous l'avez mentionnée, j'ai tout de suite compris de quoi il s'agissait. Bien sûr, le terme Rainbow Valley est un surnom. Assez courant, malgré tout, ce qu'on peut aisément comprendre. Regardez.

Il désignait un point sur l'écran, se demandant pourquoi il se montrait aussi cruel. Il voulait lui faire comprendre la réalité de ce qu'elle avait lu. Des séries d'images montraient des grimpeurs morts dans la neige, au-dessus de huit mille mètres d'altitude. Nombre d'entre eux, même s'ils gisaient là depuis des années, voire des décennies, semblaient encore vigoureux. Gelés dans le temps. Ils portaient des vêtements colorés : rouge, vert, jaune, bleu. Autour d'eux étaient répandus des tubes à oxygène, des restes de tentes et des drapeaux bouddhistes, eux aussi multicolores. Ce paysage arc-en-ciel constituait un macabre témoignage de la folie humaine.

— Vous comprenez ? dit Bublanski. L'homme qui a écrit le journal mural avait été porteur et guide sur l'Everest.

— Alors c'était vrai.

— Il était sherpa. Voilà pourquoi il n'aurait peut-être pas dû employer ce terme. Rainbow Valley, c'est de l'humour noir tordu à l'occidentale. Mais l'appellation avait dû se fixer dans sa mémoire et se confondre avec ses représentations religieuses des esprits et des dieux de la montagne. Plus de quatre mille personnes ont gravi l'Everest à ce jour ; trois cent trente sont mortes. La plupart sont restées là-haut, on n'a pas pu les redescendre. Alors je comprends très bien pourquoi cet homme, qui avait gravi onze fois la montagne, avait l'impression que les morts lui parlaient.

— Mais… commença-t-elle.

— Je n'ai pas terminé. À l'approche du sommet, les conditions sont parfaitement atroces, et les risques sanitaires, considérables. On peut être victime d'un œdème cérébral de haute altitude.

— Le cerveau gonfle, n'est-ce pas ?

— Exact. Mais vous comprenez certainement mieux le phénomène que moi. Le cerveau gonfle et, en conséquence, on a du mal à parler et à raisonner normalement. On peut commettre de terribles erreurs de jugement. On est souvent en proie à des hallucinations, on perd le contact avec la réalité. Des gens très rationnels, comme vous et moi – enfin, mieux entraînés et plus téméraires que moi, cela va de soi –, ont vu des fantômes et senti des présences mystérieuses là-haut. Cet homme-là, en plus, grimpait sans masque à oxygène, ce qui provoque une plus grande fatigue mentale et physique. Au cours du drame qu'il essayait de raconter, il avait travaillé extrêmement dur. Il avait fait des allers-retours sur la pente et sauvé de nombreuses vies. Il devait être à bout de forces, au-delà de tout ce qu'on peut imaginer. Ce n'est donc pas étonnant qu'il ait vu des anges et des démons comme le capitaine Haddock, pas du tout.

— Excusez-moi. Ce n'était pas mon intention de lui manquer de respect, dit Else Sandberg, contrite.

— Ce n'est pas ce que je voulais dire, et vous avez sûrement raison. Il était gravement malade. Schizophrène, comme vous dites. Mais il avait peut-être quand même quelque chose d'important à faire passer. C'est pourquoi je vous le demande une dernière fois : vous ne vous souvenez de rien d'autre ?

— Non, vraiment pas. Je suis désolée.

— Rien d'autre sur Forsell ?

— Si, peut-être.

— Quoi ?

— Vous avez dit que l'homme avait sauvé des vies, n'est-ce pas ?

— Oui.

— Je crois qu'il a écrit que Forsell ne voulait pas être sauvé.

— Qu'est-ce qu'il voulait dire par là ?

— Je n'en sais rien, ça m'est revenu. Mais je ne suis pas sûre à cent pour cent. Le bus est arrivé et, le lendemain, les affiches n'étaient plus là.

— Je suis au courant.

Après le départ de la jeune fille, Bublanski eut l'étrange impression d'être chargé d'interpréter un rêve. Il fixa longuement les photos du cadavre de Klara Engelman, que les courants d'altitude avaient arraché à Viktor Grankin, plus haut, et qu'une expédition américaine avait photographié l'année suivante. Elle était étendue sur le dos, les bras gelés dans une position suppliante, comme si elle s'agrippait encore à Grankin ou même, songea Bublanski, comme une enfant tendant les bras à sa mère.

Que s'était-il passé là-haut ? Sans doute rien de plus que ce qui avait déjà fait couler beaucoup d'encre. Cela dit, on n'en était pas certains. Dans cette histoire, de nouvelles strates apparaissaient sans cesse. Par exemple, ce mystérieux lien entre le sherpa et l'armée, que les médecins de l'Aile sud n'étaient pas autorisés à divulguer. Bublanski avait passé tout l'après-midi et toute la soirée à traquer Klas Berg de la direction du Renseignement et de la Sécurité militaires pour exiger une explication.

Berg lui avait promis un compte rendu détaillé dès le lendemain, avant midi, prévenant cependant qu'il restait un certain nombre de points non élucidés. Cela déplut au commissaire.

Bublanski détestait devoir se fier aux services secrets. Il n'était pas question de complexe d'infériorité, mais il savait que l'enquête policière en pâtirait. Décidément, il fallait reprendre le dessus.

Il ferma les images de Klara Engelman et rappela le secrétaire d'État Svante Lindberg. Comme auparavant, celui-ci ne répondit pas. Bublanski décida alors de faire une longue promenade, dans l'espoir de s'éclaircir un petit peu les idées.

SVANTE LINDBERG PÉNÉTRAIT dans le hall de l'hôpital. Il était déjà passé plus tôt et n'avait pas été particulièrement bien accueilli par Rebecka. Il n'avait donc, en réalité, aucune bonne raison de revenir. Mais Johannes avait repris connaissance. Il devait absolument lui parler, lui dire… Quoi ?… Il n'en savait rien, mais il fallait à tout prix lui faire comprendre que la discrétion était de rigueur. Johannes devait absolument la boucler. Par précaution, Svante éteignit son propre téléphone – inutile d'aggraver les choses.

Il n'avait définitivement pas l'intention de discuter avec Mikael Blomkvist, qui avait essayé de le joindre, ni avec le commissaire Bublanski, qui venait de l'appeler pour la troisième fois. Il fallait garder la tête froide.

Dans son attaché-case, il portait une liasse de documents classés secrets sur la campagne de désinformation russe – un dossier de peu d'importance, en tout cas en comparaison avec ce qui l'amenait réellement, mais qui lui donnerait une excuse pour avoir un entretien privé avec Johannes, en dehors de toute surveillance. Il devait faire preuve de la même force de caractère que d'habitude. Les choses allaient s'arranger. Du moins tenta-t-il de s'en convaincre.

Quelle était cette odeur ? De l'ammoniaque, peut-être. Du désinfectant. Bref, l'hôpital. Il regarda autour de lui dans le hall, craignant qu'une horde de journalistes n'y ait élu domicile et que Blomkvist surgisse, flairant ses secrets les plus sombres. Mais il ne vit que des malades, des familles en visite et le personnel en blouses blanches. Un homme au teint gris était poussé sur un lit, l'air agonisant. Lindberg ne s'attarda pas.

Fixant le sol, il refoula le monde extérieur. Il perçut néanmoins quelque chose du coin de l'œil et, faisant volte-face, aperçut brièvement le dos d'une femme élancée en veste grise devant le distributeur automatique à côté de la pharmacie.

Becka ? Oui, c'était bien elle. Il la reconnaissait à son maintien et à sa façon de se pencher en avant. Fallait-il la rejoindre et échanger quelques mots avec elle ? Non, non, se dit-il. Justement, c'était l'occasion de parler en privé avec Johannes sans devoir raconter des salades sur de quelconques informations secrètes. Il se dirigea vers les ascenseurs, mais se retourna tout de même, ayant eu le vague sentiment qu'elle n'était pas seule. Il ne la revit pas.

S'était-il trompé ? Il le crut réellement. D'ailleurs, il s'en fichait. Il était sur le point de repartir lorsqu'il aperçut le grand pilier à côté du distributeur. Elle ne se cachait pas, tout de même ? Ce serait vraiment tordu. Soudain mal à l'aise, il se mit en marche vers le pilier, d'un pas d'abord hésitant, puis rapide. Si, quelque chose dépassait, et ce quelque chose ressemblait fort à la veste de Rebecka.

Il accéléra le pas, se demandant ce qu'il pourrait bien lui dire. Peut-être fut-il également envahi par une colère diffuse – se cacher ? Enfin ! À quoi jouait-elle ? Puis, inexplicablement, il trébucha et tomba. Il ne prit pas le temps de chercher à comprendre. Percevant un mouvement, des pas qui s'éloignaient promptement, il poussa un juron, se remit sur pied et se lança à leur poursuite.

III

SERVIR DEUX MAÎTRES

Les agents doubles feignent la loyauté.
En réalité, ils servent un autre maître.

Soit ils étaient chargés depuis le début d'infiltrer l'ennemi et de créer des rideaux de fumée, soit ils ont été convertis, appâtés ou victimes de chantages et de menaces.

Parfois, on ne parvient jamais à élucider pour qui ils travaillent réellement. Il arrive même qu'ils ne le sachent pas eux-mêmes.

25

LE 27 AOÛT

CATRIN LINDÅS N'AVAIT TOUJOURS PAS mangé. Elle avait bu un peu de thé et avait lu des articles sur Forsell et l'Everest, repensant coup sur coup à sa rencontre avec le mendiant à Mariatorget – comme une énigme à résoudre, en quelque sorte – et, chaque fois, ses paroles lui semblaient chargées d'un désespoir croissant.

D'autres souvenirs lui revenaient aussi, de vieilles blessures de son voyage d'enfance en Inde et au Népal, dans une misère grandissante. Ils avaient fini par quitter Katmandou pour le Khumbu, mais n'étaient pas arrivés très loin, son père souffrant de symptômes de manque. Là-haut, ils avaient tout de même fait des rencontres parmi la population locale. Après avoir beaucoup réfléchi au SMS de Mikael, elle se demandait si le mendiant ne lui rappelait pas plutôt la vallée du Khumbu que Freak Street. Elle lui envoya encore un message, bien qu'il n'ait pas répondu au premier :

[Le mendiant était sherpa ?]

Réaction immédiate :

[Je ne devrais pas t'en parler. ☺ Tu travailles pour la concurrence.]

[Tu t'es déjà trahi dans ton SMS précédent.]

[Je suis un idiot.]

[Et moi, l'ennemi.]

[Exact. Continue plutôt à m'assassiner dans tes éditos.]

[J'aiguise mes couteaux.]

Il écrivit :

[Tu me manques.]

Arrête, se dit-elle. *Arrête*. Elle sourit malgré elle : enfin ! Pas question de répondre pour autant, vraiment pas. Elle se mit à ranger sa cuisine en écoutant Emmylou Harris à un volume assourdissant. De retour dans le salon, elle vit que Mikael lui avait encore écrit :

[On peut se voir ?]

Jamais de la vie, se dit-elle. *Pas question.*
Elle répondit :

[Où ?]

[On n'a qu'à en discuter sur Signal.]

Ce qu'ils firent.
Il proposa :

[Prenons une chambre à l'hôtel Lydmar.]

Elle répondit :

[D'accord.]

Pas : "Super !" ou "Sympa !" ou "Bonne idée !" Rien de tel. Un simple "D'accord".

Sur ce, elle se changea, demanda à son voisin de s'occuper du chat et fit ses bagages.

SUR SON BALCON, Camilla sentait la pluie tomber sur ses épaules et ses mains. Il y avait de l'orage dans l'air. Pourtant, elle avait envie de sortir. Le long de Strandvägen et sur les bateaux, dans le détroit, les gens s'affairaient. Ce monde auquel elle aurait dû appartenir lui rappelait tout ce dont elle avait été privée. *Je n'en peux plus*, se dit-elle. *Il faut qu'on en finisse.*

Elle ferma les yeux et, pendant que les gouttes de pluie s'abattaient sur son front et ses lèvres, elle tenta de se perdre dans des rêves et des attentes. Mais les souvenirs de Lundagatan la hantaient : Agneta qui lui criait de partir, la rage froide de Lisbeth qui se taisait implacablement, comme si elle voulait tous les tuer avec son silence.

Elle sentit une main sur son épaule. Galinov l'avait rejointe sur la terrasse. Elle fit volte-face et le regarda : son doux sourire, son beau visage. Il la serra contre sa poitrine.

— Ma petite… Comment tu vas ?

— Bien.

— Je ne te crois pas.

Elle regarda le quai, au loin.

— Tu verras, ça va s'arranger.

Elle le scruta.

— Il est arrivé quelque chose ?

— Nous avons de la visite.

— De qui ?

— De tes aimables malfrats.

Elle répondit par un hochement de tête. En entrant dans l'appartement, elle découvrit Marko et un triste individu en jean et veste marron bon marché. Gravement contusionné, ce dernier paraissait laminé. Il devait mesurer deux mètres, avait un visage flasque vaguement repoussant et portait, s'avéra-t-il, le nom de Conny.

— Conny a un truc à te raconter, dit Marko.

— Pourquoi il ne le fait pas, alors ?

— Je surveillais l'appartement de Blomkvist, dit Conny.

— On dirait que ça s'est bien passé.

— Il s'est fait agresser, ajouta Marko.

Camilla observa sa lèvre éclatée.

— Vraiment ?

— Par Salander.

Camilla dit en russe :

— Ivan, ce type, Conny, il est plus grand que toi, n'est-ce pas ?

— Plus lourd, en tout cas, répondit Galinov. Et moins bien habillé.

Elle reprit en suédois.

— Ma sœur mesure un mètre cinquante-deux, elle est maigre comme un clou et elle t'a… rossé.

— Elle m'a eu par surprise.

— Elle lui a volé son téléphone, dit Marko, et a envoyé un SMS à tous les membres du club.

— Qui disait ?

— Qu'on devait écouter Conny.

— Je t'écoute, Conny.

— Salander a dit qu'elle nous traquerait tous jusqu'au dernier si on continuait à surveiller Mikael Blomkvist.

— Elle a ajouté quelque chose, intervint Marko.

— Quoi ?

— Qu'elle nous traquerait de toute façon et qu'elle détruirait notre club.

— Super, dit Camilla, qui parvenait miraculeusement à garder son calme.

— En fait… commença Marko.

— En fait quoi ?

— Il y avait un tas d'infos sensibles sur le téléphone qu'elle a pris. On est un peu inquiets, à vrai dire.

— Et vous avez des raisons de l'être, mais pas à cause de Lisbeth. Pas vrai, Ivan ?

Ivan acquiesça ; Camilla garda son air sarcastique et menaçant mais, intérieurement, elle était en voie de décomposition. Elle demanda à Galinov de poursuivre l'entretien et se retira dans sa chambre, où elle se laissa submerger par le passé, sombrant dans une vieille eau noire, sale et puante.

REBECKA FORSELL VENAIT D'ACCOMPLIR un geste qui la laissait elle-même stupéfaite. Johannes avait chuchoté : "Il ne doit pas me voir" et, sur un coup de tête qu'elle ne comprendrait jamais entièrement, elle avait fait un croche-pied à Svante Lindberg. Puis ils s'étaient précipités à travers les portes à tambour vers les taxis, sous la pluie.

Johannes fit signe à un indépendant, le genre de chauffeur qui n'appartenait à aucune société de taxis et dont le taximètre tournait généralement avec une avidité surprenante.

— Démarrez, dit-il.

L'homme se retourna – un jeune type basané aux cheveux bouclés et aux yeux somnolents.

— Pour aller où ?

Elle regarda Johannes, qui ne dit pas un mot.

— Prenez le pont de Solna vers le centre, marmonna-t-elle.

On verrait bien. D'ailleurs, le chauffeur n'avait pas sursauté en les voyant. Elle vécut ce manque de réaction comme une véritable libération. Peut-être était-ce justement ce qu'espérait Johannes en choisissant un indépendant – quelqu'un de tellement peu concerné par les scandales de la Suède établie qu'il ne reconnaîtrait même pas l'homme le plus haï du pays. Enfin, ce n'était pas non plus la victoire du siècle. Pendant qu'ils longeaient le cimetière de Solna, elle tenta d'évaluer la gravité de la situation.

Finalement, ça n'avait rien de si extraordinaire, essaya-t-elle de se convaincre. Son mari traversait une crise et elle-même, en tant que médecin, était en mesure d'évaluer son état : il avait besoin de calme, c'est-à-dire de s'éloigner du va-et-vient de l'hôpital. Il suffisait d'en informer les intéressés avant que la panique ne se déchaîne.

— Tu dois m'expliquer ce qui se passe. Sinon, je n'ai aucune raison de commettre ce genre de folie, murmura-t-elle.

— Tu te souviens du professeur en relations internationales qu'on avait rencontré à l'ambassade de France ? répondit Johannes.

— Janek Kowalski ? murmura-t-elle.

Il acquiesça. Elle le regarda, perplexe. Janek Kowalski ne faisait pas partie de leur vie. Elle ne se serait même pas souvenue de son nom si elle n'avait pas récemment lu un article relatant ses propos sur les limites de la liberté d'expression.

— Exactement, dit Johannes. Il habite Dalagatan. On pourra dormir chez lui.

— Quoi ? Mais on ne le connaît même pas !

— Moi, si.

Cette réponse ne plut pas à Rebecka. À l'ambassade, Johannes et Kowalski s'étaient salués comme des inconnus, échangeant quelques formules de politesse. Était-ce un jeu ? Du théâtre ? Elle chuchota :

— Je dormirai où tu veux si tu me promets de tout me raconter.

Il la regarda.

— J'en ai bien l'intention. Après, tu seras libre de faire ce que tu veux.

— Comment ça ?

— Tu pourras décider si tu veux encore de moi.

Silencieuse, elle regarda le pont de Solna et dit :

— Dalagatan. Nous allons à Dalagatan.

Elle repensa aux limites, peut-être à celles de la liberté d'expression, mais avant tout à celles de l'amour :

Qu'est-ce qui pourrait justifier qu'elle le quitte ?

Quel acte pourrait bien – s'il existait – anéantir son amour ?

EN SORTANT DE NYTORGET, Catrin Lindås déboucha sur Götgatan, où elle se sentit plus ou moins revivre. Mon Dieu, comme il pleuvait ! Des trombes. Valise à la main, elle hâta le pas. Bien sûr, elle avait emporté trop d'affaires, comme si elle partait pour plusieurs semaines. Cela dit, elle ne savait pas pendant combien de temps ils resteraient à l'hôtel. Mikael ne pouvait pas rentrer chez lui et, pire, il devait travailler. D'ailleurs, elle aussi.

Il était déjà 21 h 30. Brusquement, elle se rendit compte qu'elle mourait de faim. Elle n'avait quasiment rien mangé depuis le matin. En passant devant le cinéma Victoria et le Göta Lejon, elle se dit qu'elle se sentait mieux, mais éprouva tout de même encore un vague malaise en parcourant des yeux Medborgarplatsen.

Des jeunes faisaient la queue sous la pluie, sans doute devant la billetterie d'un quelconque concert. Sur le point de s'enfoncer dans le métro, elle tressaillit. Elle se retourna, regarda à droite et à gauche. Rien d'inquiétant : il ne surgit aucune ombre du passé ni aucun troll pour l'insulter. Elle se précipita dans l'escalier, à travers les portillons et le long du quai, tentant de se convaincre que tout allait bien, et finit par se calmer.

Mais quand, sortie du métro, elle s'engagea dans Hamngatan sous la pluie, longea Kungsträdgården et déboucha sur Blasieholmen, l'inquiétude réapparut. Elle pressa le pas, se mettant presque à courir, entra en haletant dans le hall de l'hôtel et grimpa l'escalier tournant jusqu'à la réception. Une jeune fille brune âgée d'à peine vingt ans lui fit un sourire accueillant. Catrin dit "Bonsoir" puis, entendant des pas qui montaient les marches derrière elle, s'interrompit. Elle ne savait plus sous quel nom Mikael avait fait la réservation. Quelque chose qui commençait par un "B"... Boman, Brodin, Brodén, Bromberg...

— Nous avons réservé une chambre au nom de... hésitat-elle.

Elle allait devoir consulter son téléphone, ce qui aurait évidemment l'air suspect, ou du moins équivoque, comme si Mikael et elle s'adonnaient à des activités honteuses. Elle retrouva le nom, Boman, mais le dit si bas que la réceptionniste ne l'entendit pas. Elle fut obligée de répéter plus fort, craignant qu'on ne l'écoute derrière son dos. Elle se retourna. Personne. Un homme en blouson de jean et cheveux longs était en train de sortir. Elle continua à se poser des questions en s'enregistrant. L'homme n'était-il monté qu'un bref instant ? Étrange, non ? L'établissement lui avait-il paru trop cher ? Peut-être n'avait-il pas aimé la déco. Bref, peu importait.

Du moins essaya-t-elle de s'en convaincre. Elle prit la clé qu'on lui tendait, monta dans la chambre et, contemplant le grand lit double couvert de draps bleu ciel, se demanda ce qu'elle allait bien pouvoir faire. Elle décida de prendre un bain en buvant une petite bouteille de vin rouge qu'elle trouva dans le minibar, puis de commander un hamburger frites en room service. Mais rien n'y fit. Ni la nourriture, ni l'alcool, ni le bain. Elle ne parvenait pas à ralentir les battements de son cœur. Que fabriquait Mikael ?

JANEK KOWALSKI N'HABITAIT PAS Dalagatan. Ils passèrent sous un porche, puis à travers une cour intérieure et ressortirent dans Västeråsgatan, où ils se faufilèrent sous un autre porche, montèrent cinq étages jusqu'à un grand appartement, pas désagréable, vraiment pas : un capharnaüm de vieux garçon, le logis d'un intellectuel de la vieille école qui ne manquait ni d'argent ni de sens de l'esthétique, mais n'avait plus le courage de ranger ses affaires.

Il y avait trop de tout : bols, bibelots, tableaux, livres et classeurs. Partout. Kowalski, mal rasé et hirsute, faisait lui-même assez bohème, surtout sans le costume qu'il portait à l'ambassade. Âgé d'environ soixante-quinze ans, il était vêtu d'un délicat pull de cachemire troué à un ou deux endroits par les mites.

— Mes chers amis, je me suis tellement inquiété pour vous ! dit-il en faisant l'accolade à Johannes et la bise à Rebecka.

Aucun doute, les deux hommes se connaissaient. Ils s'éclipsèrent dans la cuisine et, après vingt minutes de messes basses, revinrent avec un plateau chargé de thé et de sandwiches anglais, ainsi que d'une bouteille de vin blanc, puis ils regardèrent gravement Rebecka.

— Chère Rebecka, dit Kowalski. Votre mari m'a chargé d'une mission : être sincère avec vous. J'ai accepté de mauvaise grâce. Ce n'est pas dans ma nature, je vous l'avoue. Je vais donc essayer de parler ouvertement. Veuillez m'excuser s'il m'arrive de tourner autour du pot.

Le ton à la fois triste et précieux de Kowalski déplut à Rebecka. Enfin, l'homme était peut-être simplement nerveux. Il servit le thé d'une main tremblante.

— Mieux vaut commencer par ma véritable prouesse. C'est grâce à moi que vous vous êtes rencontrés.

Elle le regarda, surprise.

— Qu'est-ce que vous voulez dire ?

— C'est moi qui ai envoyé Johannes sur l'Everest. C'était affreux de ma part, j'en conviens, mais il le voulait lui-même. Il s'est même obstiné. C'est un homme des grands espaces, n'est-ce pas ?

— Décidément, je n'y comprends rien.

— Johannes et moi nous sommes rencontrés en Russie dans le cadre du travail et sommes devenus amis. Depuis toujours, je le considère comme un individu exceptionnellement doué.

— Dans quel domaine ?

— Tous, Rebecka. Quelquefois, il se montrait un peu trop vif et empressé, c'est vrai, mais à part ça, c'était un officier brillant.

— Vous étiez aussi dans l'armée ?

— J'étais… dit-il avec une certaine réticence… un Polonais devenu britannique dans l'enfance. Mes parents étaient réfugiés politiques. Ils avaient été secourus par la vieille Angleterre. Je considérais donc de mon devoir de m'enrôler au Foreign Office.

— Au MI6 ?

— Eh bien, n'en disons pas plus qu'il ne le faut. Bref, j'ai pris ma retraite et je me suis installé ici, par amour de ce pays, mais aussi à la suite de certains événements qui sont, en quelque sorte, liés à ce qui nous réunit aujourd'hui. Vous comprenez, chère Rebecka, à l'époque, Johannes et moi avions un intérêt commun assez périlleux – en dehors de l'Everest.

— De quoi s'agissait-il ?

— De dissidents et de taupes venant du GRU, avérés ou envisagés, et même, pour certains, imaginaires, il faut bien le dire. Nous avons fini par faire équipe. Mon unité a appris qu'à la Sûreté nationale suédoise on avait mis la main sur une ressource importante du GRU qui, après sa mort, allait devenir tristement célèbre à cause d'un personnage auquel vous avez récemment eu à faire.

— Vous parlez par énigmes.

— Je vous le disais, la franchise est pour moi un exercice épineux. Je pense à Mikael Blomkvist, le révélateur de la soi-disant affaire Zalachenko, à propos de laquelle on a dit tout et n'importe quoi, sauf l'essentiel, c'est-à-dire ce qu'on nous a murmuré à l'époque.

— Qu'est-ce qu'on vous a murmuré ?

— Hum… Eh bien… Comment dire ? Je crains de devoir revenir un peu en arrière. Une unité spéciale de la Sûreté suédoise protégeait l'ancien agent du GRU Alexander Zalachenko par tous les moyens imaginables en échange, croyait-on, de renseignements inestimables sur les services secrets de l'armée russe.

— Mais oui ! s'exclama Rebecka. Et il avait une fille, n'est-ce pas, Lisbeth Salander, qui a vécu un calvaire ?

— Exact. On avait donné carte blanche à Zalachenko. Il pouvait faire en gros tout ce qu'il voulait – maltraiter sa famille, construire un empire criminel – tant qu'il dévoilait ses secrets. On a sacrifié toute décence à l'intérêt supérieur.

— La sécurité nationale.

— Je n'emploierais pas un terme aussi solennel. Disons, un certain sentiment d'exclusivité, de supériorité informationnelle qui excitait ces messieurs de la Sûreté. Mais peut-être – c'est ce que soupçonnait mon unité – cela n'a-t-il même pas existé.

— Qu'est-ce que vous entendez par là ?

— On nous a transmis des renseignements selon lesquels Zalachenko était toujours fidèle à la Russie. Il aurait été agent double jusqu'à sa mort, et aurait donné plus au GRU qu'à la Sûreté suédoise.

— Mon Dieu… dit-elle.

— C'est ce que nous nous sommes dit. Mais il ne s'agissait que de soupçons. Nous avons essayé de les corroborer. Plus tard, nous avons appris qu'un lieutenant-colonel sous couverture, officiellement consultant civil en sécurité dans le secteur du tourisme d'aventures, menait en réalité une enquête interne pour le compte du GRU et avait découvert un vaste réseau de corruption.

— Quel réseau ?

— Un réseau reliant des agents au syndicat du crime Zvezda Bratva. On disait le lieutenant-colonel en colère. Furieux que cette activité puisse se poursuivre en toute impunité, à tel point qu'il avait démissionné du GRU en signe de protestation pour se consacrer à sa grande passion, l'alpinisme.

— Grankin ? dit Rebecka, exaltée.

— Exactement, l'angélique Viktor Grankin. Un personnage intéressant, n'est-ce pas ?

— Oui… Heu… Absolument, mais… marmonna-t-elle.

— Vous aviez été recrutée en tant que médecin de son expédition. D'ailleurs, ça nous a étonnés.

— Et comment… dit-elle, pensive. Mais à l'époque, j'avais moi aussi une folle envie d'aventure. On m'avait parlé de Viktor à une conférence, à Oslo.

— Nous sommes au courant.

— Eh bien, continuez, alors.

— Grankin semblait très terre à terre, n'est-ce pas ? Un homme simple, droit dans ses bottes. En réalité, il avait une intelligence hors du commun et une personnalité tortueuse. Il s'enflammait facilement. Il était tiraillé entre l'amour de son pays et son sens de l'honneur et de la décence. En février 2008, nous étions assez sûrs qu'il était au courant du double jeu de Zalachenko et de ses liens avec la mafia. Nous savions également que Grankin était vulnérable. Il redoutait le GRU et recherchait la protection de nouveaux alliés. C'est ce qui m'a donné l'idée d'envoyer Johannes faire l'expédition. Nous pensions qu'une aventure de ce calibre serait propice à nouer des liens fraternels.

— Mon Dieu… répéta Rebecka, puis, se tournant vers Johannes : Tu devais le recruter pour le compte de l'Occident ?

— Dans l'idéal, dit Kowalski.

— Et Svante ?

— Svante était l'ombre au tableau, reprit Kowalski. Mais nous ne le savions pas encore. À l'époque, sa présence était une exigence tout à fait logique de la part de Johannes. Nous aurions préféré qu'il emmène un des nôtres, bien sûr, mais Svante connaissait bien la Russie et avait travaillé avec Johannes à la direction du Renseignement et de la Sécurité militaires. Mais avant tout, c'était un grimpeur expérimenté. Johannes avait besoin d'un bras droit, et il était le candidat parfait. De toute façon – nous nous en réjouissons plus que jamais –, nous ne lui avons pas tout dit. Il n'a jamais su mon nom, ni même que l'opération était plus britannique que suédoise.

— Je n'arrive pas à le croire, dit Rebecka, qui saisissait peu à peu l'ampleur de l'opération. Alors tout ça était une mission d'espionnage ?

— Mais il y a eu des événements périphériques, chère Rebecka. Johannes vous a rencontrée. Enfin, oui… Il était parti en service et nous le surveillions de près.

— C'est complètement fou. Je n'en ai jamais rien su.

— Désolé de vous le dévoiler en de telles circonstances.

— Et l'opération a marché ? Je veux dire… Avant que ça ne tourne au cauchemar, là-haut ?

Johannes leva les bras mais Janek reprit la parole.

— Johannes et moi avons des avis un peu différents sur la question. Selon moi, il a fait un travail formidable. Il a su créer un climat de confiance très prometteur. Mais peut-être en avons-nous trop demandé à Viktor. Nous l'avons manipulé dans une phase délicate de l'ascension. Alors oui, Johannes a peut-être raison, d'une certaine manière. Nous avons pris des risques inconsidérés. Mais surtout…

— Nous ignorions certaines données déterminantes, termina Johannes.

— Malheureusement, dit Janek. Cela dit, comment aurions-nous pu savoir ? À l'époque, personne en Occident n'en avait la moindre idée, même pas le FBI.

— Mais de quoi est-ce que vous parlez ?

— De Stan Engelman.

— Stan Engelman ?

— Il avait des relations avec la Zvezda Bratva depuis qu'il avait commencé à construire des hôtels à Moscou, dans les années 1990. Viktor le savait, pas nous.

— Comment le savait-il ?

— Cela faisait partie des renseignements qu'il avait recueillis pour le GRU. Comme je vous le disais, le double jeu faisait partie de sa mission. Voilà pourquoi il faisait semblant d'entretenir des liens avec Engelman, alors que, secrètement, il le considérait comme une ordure.

— Et il lui a volé sa femme.

— Sans doute le lot de consolation.

— Ou la motivation profonde de la mission, dit Johannes.

— Vous pouvez être plus clair ?

— Johannes veut dire que sa relation amoureuse avec Klara a donné à Viktor l'idée de l'opération.

— Comment ça ?

— S'il ne pouvait pas coincer ses ex-collègues du GRU, il pouvait au moins faire tomber un Américain corrompu jusqu'à l'os.

26

LE 27 AOÛT

IL ARRIVAIT À GALINOV de lui demander : "Que signifie-t-il pour toi aujourd'hui ? Que penses-tu de lui ?" La plupart du temps, elle ne répondait pas, mais un jour, elle avait dit : "Je me souviens du sentiment d'être l'élue – et je l'étais."

À une époque, les mensonges de son père embellissaient sa vie. Elle avait longtemps été convaincue de jouir d'un pouvoir, pensant que c'était elle qui l'ensorcelait et pas le contraire. Cette illusion, dont elle avait bien sûr été privée, avait été remplacée par un abyme. Et pourtant… Le souvenir de l'exaltation persistait. Parfois, elle pardonnait à Zala comme on pardonne à un fauve. La seule chose qu'elle n'avait jamais perdue était sa haine envers Lisbeth et Agneta. Étendue sur son lit de Strandvägen, elle s'y plongea pour y puiser de la force, exactement comme quand, adolescente, elle avait dû se réinventer, créer une nouvelle Camilla libre de toute attache.

Dehors, la pluie tombait. Des sirènes hurlaient. Des pas cadencés approchaient, de plus en plus fermes. Galinov. Elle se leva pour ouvrir. Il lui sourit. Ils partageaient la même haine et la même exaltation.

— Nous avons peut-être de bonnes nouvelles, somme toute, dit-il.

Elle ne répondit pas.

— Rien d'exceptionnel, mais ça pourrait constituer un moyen de pression. La femme qu'on a vue avec Blomkvist à Sandhamn vient de s'enregistrer à l'hôtel Lydmar, à Stockholm.

— Et alors ?

— Elle habite en ville, non ? Dans ce cas, pourquoi descendre à l'hôtel, sauf si c'est pour y retrouver quelqu'un qui ne veut être vu ni chez elle, ni chez lui ?

— Blomkvist ?

— Exact.

— Qu'est-ce qu'on doit faire, d'après toi ?

Galinov passa la main à travers ses cheveux courts.

— L'endroit est mal choisi. Trop de monde, même le soir. Entouré de terrasses. Mais Marko…

— Il complique les choses ?

— Non, non, au contraire, je l'ai remis sur la bonne voie. Il dit qu'il peut avoir un véhicule garé au coin de la rue, prêt à intervenir, et même une ambulance qu'un des leurs a volée sur un coup de tête, et je…

— Oui, Ivan, et tu… ?

— Je pourrais peut-être jouer un rôle dans l'opération. Il s'est révélé que Blomkvist et moi partagions certains centres d'intérêt, enfin, d'après Bogdanov.

— Comment ça ?

— Nous nous intéressons tous les deux au ministre suédois de la Défense, particulièrement à certaines affaires anciennes le concernant.

— Bien, dit-elle, se sentant un peu revigorée. Déclenche l'opération.

REBECKA N'AVAIT PAS entièrement digéré les révélations. Cela dit, pas de répit, car le pire était manifestement à venir.

— Aujourd'hui, nous avons compris que Stan Engelman avait choisi l'expédition de Viktor Grankin croyant qu'ils étaient dans le même camp, reprit Janek. En fait, Grankin enquêtait sur son organisation criminelle, et il était de plus en plus frustré. Je crois que Johannes, qui a un don pour créer des liens de confiance et former des alliances, lui avait donné envie de s'ouvrir. Disons qu'il avait planté la graine. Klara a achevé le travail.

— Comment ça ?

— Elle a incité Viktor à se confier. En fait, je pense qu'ils se sont mutuellement encouragés. Enfin, c'est d'une moindre importance. Le pire, c'est que, malgré toutes leurs précautions, il y a eu des fuites jusqu'à Manhattan.

— Qui était la fuite ?

— Votre pauvre sherpa.

— Vraiment ?

— C'est malheureux, mais oui.

— Nima n'aurait jamais dénoncé qui que ce soit !

— Je ne crois pas qu'il l'ait vécu comme une dénonciation, dit Kowalski. Il avait reçu une somme d'argent pour s'occuper spécialement de Klara et renseigner Stan sur ses allées et venues au camp de base. Il a simplement rempli sa mission.

— Il avait découvert quoi, au juste ?

— Nous ne le savons pas exactement, mais il était suffisamment renseigné pour se retrouver lui-même en danger. J'y reviendrai. Ce qui est sûr, en revanche, c'est qu'Engelman a découvert la liaison, ce qui a contribué à créer un climat de rage et de suspicion. D'autres que Nima Rita lui ont également transmis des informations. Pour finir, Stan était au courant de tous les enjeux. Non seulement son mariage était en péril, mais également son avenir dans les affaires, et peut-être même sa liberté.

— Qui étaient les autres fuites ?

— Je suis sûr que vous pourrez le déduire vous-même. Mais vous me demandiez comment Nima Rita avait pu les dénoncer. N'oubliez pas qu'il était en colère et inquiet, comme de nombreux sherpas cette année-là.

— Vous faites allusion à ses croyances religieuses ?

— Oui, et à sa femme, Luna. Klara l'avait traitée de façon indigne, n'est-ce pas ? Nima Rita avait ses raisons de ne pas lui être loyal.

— Tu es injuste envers lui, Janek, dit Johannes. Nima n'aurait pas fait de mal à une mouche mais, comme Viktor, il était tiraillé. On lui disait : "Fais ci, fais ça." Il portait une énorme responsabilité, et on lui donnait des ordres contradictoires. Ça a fini par le briser. La pression était trop forte. Et finalement, c'est lui qui a été rongé par le remords, pas les autres.

— Excuse-moi, Johannes. J'observais tout ça de loin, pour ainsi dire. Il vaut mieux que tu prennes le relais.

— Pas si sûr, répliqua Johannes, boudeur.

— Tu m'avais promis, dit Rebecka.

— C'est vrai. Mais ça me rend furieux qu'on fasse porter le chapeau à Nima. Il a suffisamment souffert comme ça.

— Vous voyez, Rebecka, Johannes est un homme bon, n'allez pas imaginer le contraire. Il prend toujours la défense des plus faibles.

— Alors ta relation avec Nima était aussi idyllique qu'elle en avait l'air ?

Rebecka fut étonnée d'entendre l'anxiété dans sa propre voix.

— Elle était bonne, répondit Johannes. Peut-être un peu trop, en fin de compte.

— Comment ça ?

— J'y viens, dit Johannes, puis il se tut.

— Eh bien, vas-y !

— Oui, oui. Tu connais déjà presque toute l'histoire. Peut-être devrais-je commencer par dire que ma relation avec Viktor se détériorait à mesure qu'on approchait du sommet. Je suis assez sûr que c'était en rapport avec Stan Engelman. Je crois que Viktor avait peur que le GRU et la Zvezda Bratva soient mis au courant de notre amitié naissante, auquel cas ses jours auraient été comptés. Je me tenais donc à l'écart. Je voulais à tout prix éviter de provoquer de l'agitation. Nous devions nous soutenir les uns les autres, un point c'est tout et, comme tu le sais, Becka, nous avons tous les quatre quitté le camp n° 4 peu après minuit, le 13 mai. Les conditions semblaient parfaites.

— Mais vous avez été ralentis.

— Oui, Klara s'est sentie mal, Mads Larsen aussi, et Viktor n'était pas complètement dans son assiette. Sur le moment, je n'y ai pas pensé. Tout ce que j'ai remarqué, c'est que Svante s'énervait et me tirait par la manche. Il voulait qu'on prenne de l'avance, tous les deux, sinon, disait-il, on raterait notre chance. Pour finir, Viktor nous a donné la permission. Il était peut-être soulagé de se débarrasser de moi. Nous sommes partis.

— Je sais, dit Rebecka, impatiente.

— Excuse-moi, je vais accélérer. On s'est éloignés d'eux, sans la moindre idée de la catastrophe qui les menaçait. On avançait, voilà tout. On est arrivés au sommet largement à temps. Mais en redescendant du Hillary Step, j'ai commencé à me sentir mal. Le ciel était encore bleu, et le vent ne soufflait pas trop fort. On ne manquait ni d'oxygène ni de boisson, mais le temps passait et…

— Vous avez entendu un claquement, comme un coup de tonnerre.

— Nous avons entendu du tonnerre alors qu'il n'y avait pas un nuage. L'orage est arrivé du côté nord comme un coup de fusil. En l'espace d'un instant, la visibilité a été réduite à néant. On était fouettés par la tempête de neige ; la température a dramatiquement chuté. Le froid est devenu insupportable. On a continué à marcher. On voyait à peine nos pieds. Plusieurs fois, je suis tombé à genoux. Svante me tendait la main pour m'aider à me relever. Mais nous avancions de plus en plus lentement, et l'heure tournait. L'après-midi est venu, puis le soir. Nous avons eu peur d'être surpris par la nuit. Je me suis à nouveau effondré. Je croyais que c'en était fini, mais à cet instant, j'ai vu…

— Quoi ?

— Des taches bleu et rouge aux contours flous devant moi. J'ai fait une prière pour que ce soient enfin les tentes du camp 4 ou, au moins, d'autres grimpeurs qui pourraient nous aider. Ça m'a redonné espoir. Je me suis relevé. Puis j'ai compris que ce n'était pas une bonne nouvelle, au contraire. Deux corps, dont un plus petit, étaient étendus dans la neige, serrés l'un contre l'autre.

— Tu ne m'as jamais raconté ça.

— Non, Becka, et c'est là que le cauchemar commence.

— Continue !

— Ce n'est pas facile d'en parler, tu sais. J'étais vraiment au bout du rouleau. Je n'en pouvais plus. Je n'avais qu'une envie : m'allonger sur la neige et attendre la mort. Voilà pourquoi j'ai eu l'impression d'y voir un signe du destin. Ma peur était plus tangible que les corps étendus sous mes yeux, et je n'ai pas pensé un instant qu'il pouvait s'agir de personnes que je connaissais. Je pensais aux centaines de morts qui gisent là-haut. Je me suis levé et j'ai arraché mon masque à oxygène. J'ai dit à Svante qu'il fallait se dépêcher de quitter ces lieux. Je me suis mis en marche. Enfin, j'ai fait un pas. Et puis j'ai eu un sentiment vraiment étrange.

— Comment ça ?

— Cent choses à la fois. Nous avions entendu à la radio que notre expédition était en détresse. Ça m'est peut-être revenu. J'ai aussi dû reconnaître leurs habits et d'autres détails. Mais surtout, le plus petit des corps avait quelque chose de lugubre. Je me souviens de m'être penché en avant et d'avoir regardé son visage, enfin, le peu qu'on voyait sous la capuche et le bonnet. Elle portait encore ses lunettes de soleil. Une couche de glace couvrait ses joues, son nez et sa bouche. Son visage était enterré sous la neige. Pourtant, j'ai compris.

— Qu'il s'agissait de Klara ?

— De Klara et de Viktor Grankin. Étendue sur le côté, elle enlaçait Viktor par la taille. J'étais convaincu de devoir les laisser ainsi. Pourtant, je n'arrivais pas à me débarrasser d'un sentiment de malaise. Elle paraissait complètement gelée mais, tout à coup, j'ai cru percevoir en elle une étincelle de vie. Je l'ai poussée, l'éloignant de Viktor. J'ai essayé de retirer la neige de son visage. Impossible. Elle était trop dure, trop gelée, et je n'avais plus de forces dans les mains. J'ai fini par sortir mon pic à glace. À distance, cela devait constituer une vision complètement absurde. Je lui ai enlevé ses lunettes de soleil et ai donné des coups de pic au visage. Les éclats de glace volaient, Svante m'a crié d'arrêter et de reprendre le chemin. Mais j'ai continué comme un fou, enfin, j'essayais de faire attention. Cela dit, j'avais les doigts gelés, je contrôlais mal mes mouvements. J'ai fait une entaille dans sa lèvre et son menton, et son visage a tressailli. J'ai interprété ça comme un sursaut mécanique provoqué par le coup, et non comme un signe de vie. Pourtant, je lui ai mis mon masque à oxygène. Je perdais mon souffle, je n'y croyais pas du tout, mais je l'ai quand même tenu longtemps contre son visage. Tout à coup, elle a inspiré. Je l'ai vu sur le tuyau et le masque. Je me suis relevé et j'ai hurlé vers Svante. Il a secoué la tête. Il avait raison, bien sûr. Ça n'avait pas d'importance qu'elle respire. Elle était quasiment morte, à huit mille mètres d'altitude. Il n'y avait plus aucun espoir. Personne n'aurait pu la sauver. On ne serait jamais arrivés à la redescendre. D'ailleurs, nous étions nous-mêmes en danger de mort.

— Mais vous avez appelé à l'aide.

— On a crié pendant longtemps, sans réponse et, finalement, on a perdu espoir. Tout ce que je sais, c'est que j'ai remis mon masque et qu'on a repris notre chemin. On titubait. Petit à petit, j'ai perdu le sens de la réalité. Je me suis mis à halluciner. J'ai vu mon père dans une baignoire, ma mère dans notre sauna, à Åre, et un tas d'autres choses. Enfin, je te l'ai déjà raconté.

— Ça, oui.

— Mais je ne t'ai jamais dit que j'ai vu des moines, du même genre que ceux qu'on avait rencontrés à Tengboche, et aussi une figure qui leur ressemblait, mais qui, paradoxalement, s'en démarquait. Il montait au lieu de descendre et, contrairement aux moines, il existait réellement. C'était Nima Rita qui marchait vers nous.

MIKAEL ÉTAIT EN RETARD, il regrettait d'avoir fait venir Catrin au Lydmar. Il aurait dû choisir un autre jour. Enfin, pas facile de rester rationnel, surtout avec des femmes comme elle. Il avançait donc sous la pluie le long de Drottninggatan, en direction de Blasieholmen où se trouvait l'hôtel. Il

était sur le point d'envoyer par SMS "J'arrive dans 10 min"
lorsque eurent lieu deux incidents.

D'abord, il reçut un message qu'il n'eut jamais le temps de
lire car, ensuite, son téléphone sonna, et il répondit sans réfléchir. Il avait laissé des messages à un tas de gens pendant la
journée – même, pour finir, à Svante Lindberg. Il était donc
logique qu'on le rappelle. Mais son interlocuteur se révéla être
un parfait inconnu, un homme apparemment âgé qui ne prit
pas la peine de se présenter. Mikael envisagea de raccrocher,
mais laissa couler. L'homme parlait sur un ton aimable avec
un accent britannique.

— Vous pouvez répéter ? dit Mikael.

— Je suis en train de boire le thé chez moi en compagnie
d'un couple d'amis. Nous nous sommes remémoré des événements bouleversants, et ils aimeraient partager cette histoire avec vous. Dès demain matin, si possible.

— Je les connais ?

— Vous leur avez rendu un immense service.

— Récemment ?

— Tout récemment, en mer.

Mikael regarda le ciel et la pluie qui se déversait sur lui.

— Volontiers. Où ça ?

— Je préfère vous transmettre les détails sur un autre numéro, si ça ne vous dérange pas, un téléphone que personne
n'est susceptible de relier à vous et qui serait équipé des outils
adéquats.

Mikael réfléchit. Le téléphone de Catrin ferait l'affaire.
Elle avait Signal.

— Je vous enverrai un numéro par un lien crypté, dit Mikael.
Mais d'abord, je voudrais que vous me prouviez que le couple
en question se trouve réellement chez vous et qu'il va bien.

— Bien, ce n'est pas tout à fait le mot, dit l'homme. Mais
ils sont ici de leur plein gré. Je vous passe le mari.

Mikael ferma les yeux et s'arrêta. Il se trouvait sur Lejon-
backen, à côté du Château, face à la baie. De l'autre côté, il
voyait le Grand Hôtel et le Musée national. A posteriori, il

aurait du mal à évaluer la durée de l'attente : vingt, peut-être trente secondes – une éternité, à ce qu'il lui parut.

— Mikael, entendit-il finalement. Je vous dois des remerciements.

— Comment allez-vous ?

— Mieux que la dernière fois.

— Quelle dernière fois ?

— Quand j'ai failli me noyer.

C'était bien Johannes Forsell.

— Vous voulez me raconter quelque chose ?

— En fait, non.

— Non ?

— Non, mais ma femme, Rebecka, qui connaîtra bientôt l'histoire de A à Z, me recommande de me confier à vous. Je ne peux donc pas faire autrement.

— Je vois.

— Sans doute pas vraiment. Puis-je vous demander un droit de regard avant la publication ?

Mikael se remit en marche vers le pont qui menait à Kungsträdgården. Il réfléchissait.

— Vous pourrez reformuler vos propos et vérifier mes données. Vous pourrez même essayer de me convaincre d'écrire mon article autrement, mais je ne vous promets pas de prendre vos remarques en compte.

— Ça me semble juste.

— Bien.

— Nous sommes prêts à vous accueillir.

— Tant mieux.

Johannes Forsell le remercia encore et l'inconnu reprit le combiné. Mikael et lui se mirent d'accord sur la marche à suivre, puis Mikael lui envoya le numéro de Catrin. Il accéléra le pas. Son cœur battait la chamade. Ses pensées se bousculaient. Qu'est-ce qui se tramait ? Il aurait dû poser plus de questions. Pourquoi Forsell n'était-il plus à l'hôpital Karolinska ? N'était-ce pas risqué de sortir dans son état – et qui était ce Britannique ?

Baignant dans l'incertitude, Mikael supposa néanmoins que tout cela était lié à Nima Rita et à l'Everest. Il ignorait tout des autres enjeux, comme une éventuelle piste russe – la vie entière de Forsell pointait tout de même dans cette direction – ou des liens avec Engelman, à Manhattan.

Il verrait bien. Dès le lendemain, se dit-il, traversé par une excitation électrisante. *Un scoop...* songea-t-il. Enfin, en toute honnêteté, il n'en savait rien. Il fallait garder la tête froide. Il ressortit son téléphone et écrivit sur Signal à Catrin :

[Excuse-moi, j'ai eu une journée affreuse mais j'arrive très bientôt. Dis donc, encore désolé, mais il faudrait que tu me rendes un petit service. Je t'en dirai plus dans un instant. Hâte de te voir.
Bisou
M]

Il se souvint alors du message qu'il avait reçu juste avant le coup de fil. Bizarre, se dit-il en le lisant. Il semblait contenir les réponses à toutes ses questions. Était-il une conséquence de son récent entretien ou provenait-il au contraire de l'autre camp, enfin... d'un quelconque autre camp ? Le message disait :

[On murmure à mon oreille que vous vous intéressez à ce qui s'est passé sur l'Everest en mai 2008. Je vous conseille d'examiner le profil de Viktor Grankin, le guide de l'expédition, décédé pendant l'ascension. Son parcours est bien plus intéressant que ce que l'on croit communément. C'est là que se cache la clé de l'affaire. Grankin a provoqué l'expulsion de Johannes Forsell de Russie à l'automne 2008.
Il n'existe pas de sources officielles, mais avec votre flair, vous verrez certainement que son CV est une construction, une simple façade. Je suis de passage à Stockholm en ce moment, au Grand Hôtel. Prenons rendez-vous, et je vous raconterai les tenants et les aboutissants de l'histoire. Je possède des documents écrits qui certifient mes dires.

Je suis un couche-tard – une fâcheuse vieille habitude. En
plus, je souffre du décalage horaire.
Charles]

Charles ? Qui pouvait bien être ce Charles ? Vu le ton, il
pouvait s'agir des services secrets américains ou de tout autre
chose, voire d'un piège. C'était une coïncidence un peu sinistre
que l'homme loge au Grand Hôtel, juste en face du point où
se trouvait Mikael à ce moment-là. Enfin, tous les riches et
influents étrangers descendaient au "Grand" – par exemple
Ed the Ned de la NSA. Finalement, ce n'était peut-être pas
significatif.

Cependant, Mikael avait un mauvais pressentiment. Non,
Charles attendrait. La journée avait été assez mouvementée
comme ça. De plus, il se sentait coupable de laisser ainsi poi-
reauter Catrin. Il laissa donc le Grand derrière lui et, arrivant
au Lydmar au petit trot, monta les marches quatre à quatre.

27

NUIT DU 27 AU 28 AOÛT

REBECKA NE SE DOUTAIT PAS de ce qu'elle avait déclenché ni des conséquences que cela allait avoir pour elle et les garçons. De toute façon, elle ne voyait pas d'autre issue. On ne pouvait pas taire cette histoire – pas une chose pareille. Paisiblement plongée dans ses pensées, enfoncée dans un fauteuil marron, un verre de vin à la main, elle regardait du coin de l'œil Johannes et Janek Kowalski chuchoter à la cuisine. Que lui cachait-on, encore ? En fait, elle n'était même pas sûre que ce qu'elle venait d'entendre fût entièrement vrai.

Le récit comportait des lacunes. Elle pensait néanmoins comprendre ce qui était arrivé sur l'Everest. Il y avait une logique implacable dans cette partie-là de l'histoire. Au camp de base, finalement, ils n'avaient pas su grand-chose, ni sur le moment, ni plus tard, quand les témoignages furent triés et rassemblés pour former un tout.

Nima Rita était remonté deux fois, la première pour chercher Mads Larsen, la deuxième, Charlotte Richter. On ignorait toutefois qu'il était retourné en haut une troisième fois. Il n'avait pas dit un mot à ce sujet dans les interviews ni au cours de l'enquête. En revanche, cela expliquait pourquoi Susan Wedlock, leur chef de camp de base, ne l'avait pas trouvé ce soir-là. Il cheminait à nouveau vers le sommet.

Il devait être plus de 20 heures, si Rebecka avait bien compris le récit de Johannes. La nuit allait tomber et le froid, déjà insupportable, devenir encore plus perçant. Nima était tout de même reparti, dans une tentative désespérée de récupérer Klara Engelman. Il était pourtant déjà dans un sale état. La figure que Johannes avait vue sortir du brouillard blanc titubait, tête penchée en avant pour résister à la tempête, sans masque à oxygène, bien sûr, rien qu'une lampe frontale qui clignait dans le tourbillon de neige.

Ses joues étaient déjà sérieusement attaquées par le froid. Longtemps, il ne vit ni Johannes ni Svante alors qu'eux, en revanche – quand ils comprirent qu'il était réel –, le regardèrent arriver comme un envoyé du ciel. Johannes tenait à peine debout. Ce soir-là, il avait vraiment failli devenir la troisième victime de la montagne. Mais Nima Rita s'en fichait. *"Must get Mamsahib*, avait-il dit. *Must get Mamsahib."* Svante lui avait crié que ça ne servait à rien, qu'elle était morte, mais Nima ne les avait pas écoutés, pas même quand Svante avait hurlé :

— Si tu fais ça, tu nous tueras ! Tu sauveras une morte au lieu des vivants !

Nima avait poursuivi son ascension et disparu dans la tempête, son anorak battant au vent. Cette vision avait déclenché l'effondrement de Johannes. Impossible de le relever. Il ne savait pas lui-même ce qui était arrivé ni combien de temps avait duré le calvaire. La nuit tombait, le froid s'intensifiait et Svante hurlait :

— Merde ! Johannes ! Je ne veux pas te laisser ! Pardon ! J'y suis obligé, sinon, on mourra tous les deux !

Svante avait posé la main sur la tête de Johannes et s'était relevé. Johannes avait pris conscience qu'il allait se retrouver seul. Mourir de froid. C'est alors qu'il avait entendu les cris – ces appels inhumains. Dans l'esprit de Rebecka, sa situation n'était pas si dramatique, après tout. Ce qu'il avait fait n'était pas joli joli, mais humain. À cette altitude, on ne pouvait pas juger les comportements selon les critères habituels. Une autre morale régnait là-haut, et Johannes n'avait rien fait de mal, en tout cas pas à ce moment-là.

Il était trop épuisé pour comprendre ce qui lui arrivait. Voilà pourquoi, abstraction faite de qui s'était passé plus tard, elle voulait qu'il relate les faits à un reporter comme Blomkvist, capable de se plonger dans cette histoire, d'en comprendre les méandres et la profondeur psychologique. Peut-être était-ce une erreur. Peut-être lui cachait-on encore pire.

Étant donné les chuchotements anxieux de Johannes dans la cuisine et Janek qui secouait la tête et levait les bras, ce n'était pas impossible. Mon Dieu… Comme elle avait été bête… Peut-être feraient-ils mieux d'étouffer toute l'affaire – au moins pour les garçons. Et pour elle. Que Dieu leur vienne en aide… Maudit Johannes !

Comment avait-il pu les mettre dans une situation pareille ? Comment avait-il pu ?

MIKAEL ENTENDIT CATRIN marmotter dans son sommeil. À cette heure tardive, il avait beau se sentir laminé, impossible de dormir. Ses pensées tournoyaient dans son esprit, son cœur battait trop vite. *Merde !* se dit-il. Depuis le temps, il connaissait la chanson, tout de même. Pourtant, il était aussi excité qu'un stagiaire face à son premier scoop. Il se tourna et se remémora ce que Catrin lui avait dit :

— Ce Grankin… Il n'était pas officier, lui aussi ?

— Pourquoi tu dis ça ?

— Il en avait l'air, avait-elle répondu.

A posteriori, Mikael se dit que c'était tout à fait plausible. Chez Grankin, certaines postures, ce charisme, cette façon de tenir la tête haute évoquaient les manières d'un officier de haut rang. D'habitude, Mikael ne se souciait pas de ce genre de choses. Les gens peuvent vous renvoyer une image qui n'a rien à voir avec ce qu'ils sont. Mais il y avait aussi le message du mystérieux Charles, qui pointait dans la même direction. Grankin aurait même provoqué l'expulsion de Forsell, ce qui était indéniablement intéressant.

D'ailleurs, Mikael le pressentait depuis le début, mais il comptait le vérifier le lendemain matin, avant son rendez-vous avec les Forsell. Enfin, comme il n'arrivait pas à dormir… Autant se lever, non ? Du moment qu'il ne réveillait pas Catrin.

Il se sentait déjà assez coupable comme ça. Il s'extirpa tout doucement du lit et se faufila sur la pointe des pieds dans la salle de bains, où il s'assit avec son téléphone. "Viktor Grankin, marmonna-t-il. Viktor Grankin…"

C'était idiot de sa part de ne pas avoir fait cette recherche avant. Cela dit, il n'avait jamais soupçonné que Grankin fût autre chose qu'un guide de montagne mêlé par hasard à cette histoire, un pauvre diable qui s'était amouraché d'une femme mariée, avait pris de très mauvaises décisions en altitude et en était mort. Or, son parcours semblait effectivement un peu trop évasif et plan-plan pour être vrai.

Certes, cet alpiniste renommé avait gravi les sommets les plus dangereux du monde : le K2, l'Eiger, l'Annapurna, le Denali, le Cerro Torre et, bien sûr, l'Everest. À part cela, il n'y avait rien de concret à se mettre sous la dent, hormis son occupation maintes fois ressassée de consultant dans le secteur du tourisme d'aventure. Qu'est-ce que cela signifiait, au juste ? Mikael ne trouva pas grand-chose là-dessus, mais s'arrêta finalement sur une vieille photo de Grankin en compagnie de l'homme d'affaires russe Andrej Koskov. Koskov… se dit-il. Ce nom ne lui était-il pas familier ?

Mon Dieu, mais si ! Exact. Koskov était un homme d'affaires et lanceur d'alertes qui, en exil, en novembre 2011, avait dévoilé des liens entre les services secrets russes et le crime organisé. Peu après, en mars 2012, il était tombé raide mort au cours d'une promenade à pied dans le quartier de Camden, à Londres. Pour commencer, la police n'avait pas soupçonné d'agissements criminels, mais plus tard, on avait trouvé dans son sang des traces de *Gelsemium elegans*, une plante asiatique à feuilles en cœurs, parfois appelée *Heartbreak grass* parce qu'elle pouvait, sous forme concentrée, provoquer un arrêt cardiaque.

Ce poison n'était pas inconnu, comprit Mikael. En 1879, Conan Doyle en personne le mentionnait déjà dans le *British Medical Journal*. Cela dit, pendant longtemps, la plante avait disparu de l'actualité. Elle n'avait ressurgi qu'en 2012, également décelée dans le sang d'un transfuge du GRU, un certain Igor Popov, dans la ville de Baltimore, aux États-Unis. Mikael bondit. Renseignements militaires, empoisonnements présumés… Et puis la prétendue enquête de Forsell sur les activités du GRU, son expulsion de Russie…

Les liens étaient-ils illusoires, comme pour l'historien militaire Mats Sabin ? Possible. Leur seul fondement était une photo de Grankin en compagnie d'un individu mort dans des circonstances mystérieuses, mais tout de même… Mikael n'avait qu'à demander au fameux Charles s'il en savait plus. Il lui envoya une question :

[Finalement, qui était Grankin ?]

Dix minutes passèrent, puis il reçut une réponse :

[Un agent du GRU. Lieutenant-colonel. Il faisait des enquêtes internes sur ses collègues.]

Mon Dieu, se dit Mikael. *Mon Dieu…* Il ne prenait pas ces allégations pour argent comptant, bien sûr… Pas sans même connaître l'identité de son interlocuteur. Il écrivit :

[Qui êtes-vous ?]

La réponse fut rapide :

[Un ancien fonctionnaire.]

[MI6 ? CIA ?]

[Pas de commentaire, comme on dit poliment.]

[Nationalité ?]

[Américaine, j'en ai peur.]

[Comment savez-vous que j'enquête là-dessus ?]

[Je suis obligé de me tenir au courant de ce genre de choses.]

[Pour quelle raison voulez-vous divulguer ces informations à la presse ?]

[Je suis vieux jeu, je suppose.]

[Comment ça ?]

[Je trouve que les crimes doivent être connus, et punis.]

[C'est aussi simple que ça ?]

[J'ai peut-être aussi des raisons plus personnelles, mais quelle importance ? Nous avons des centres d'intérêt communs, vous et moi.]

[Alors donnez-moi quelque chose. Qui me garantisse que je ne perds pas mon temps.]

Cinq minutes passèrent, puis une copie de carte d'identité apparut. La photo représentait Viktor Aleksijevitj Grankin en personne, flanqué du symbole du GRU de l'époque, un trèfle rouge à cinq feuilles sur fond noir. L'information semblait solide, du moins à ce que pouvait en juger Mikael.
Il écrivit :

[Grankin et Forsell avaient-ils d'autres centres d'intérêt communs que l'Everest ?]

[Forsell était envoyé pour recruter Grankin, mais les choses ont mal tourné.]

— Bordel de merde… marmonna tout haut Mikael.
Il répondit :

[Et vous voulez me confier le sujet ?]

[En toute discrétion et sous couvert d'anonymat, oui.]

[D'accord.]

[Dans ce cas, prenez tout de suite un taxi jusqu'à mon hôtel.
Je vous retrouve dans le lobby. Ensuite, même un oiseau de
nuit comme moi devra aller se coucher.]

Mikael répondit :

[Entendu.]

Une imprudence ? Que savait-il de cet homme ? Cela dit,
l'inconnu semblait bien informé, et Mikael avait besoin de
rassembler autant d'informations que possible avant son rendez-vous du lendemain. Quel risque y avait-il à faire un petit
saut au Grand Hôtel, qui se trouvait à une minute à pied ?
Il était 1 h 58, on entendait encore des voix dans la rue. La
ville ne dormait pas. Si Mikael se souvenait bien, des taxis sta-
tionnaient habituellement devant le Grand toute la nuit, et
il y avait certainement un ou deux gardiens devant la porte.
Non, vraiment aucun danger. Il s'habilla en silence et sortit
en catimini prendre l'ascenseur. Dehors, les trottoirs étaient
mouillés après la pluie. Le ciel nocturne se dégageait.
Cela lui fit du bien de prendre l'air. De l'autre côté de
la baie, le Château brillait et, plus loin, dans Kungsträdgården, il y avait encore de l'animation. Des gens se promenaient
également sur le quai, à côté, ce qui le réconforta. Un jeune
couple passa. Une serveuse aux courts cheveux noirs débar-
rassait des tables sur une terrasse ; un grand homme en costume de lin blanc s'attardait dans un fauteuil, un peu plus

loin, au-delà du comptoir. Il contemplait l'eau. *Le calme plat*, se dit Mikael en se mettant en marche. Il eut à peine le temps de faire quelques pas avant d'entendre :

— Blomkvist.

Se retournant, il comprit que c'était l'homme en costume blanc qui l'avait interpellé : un monsieur élancé, âgé de la soixantaine, cheveux gris-blanc, traits fins, sourire prudent et légèrement espiègle, s'apprêtant peut-être à lancer un commentaire drolatique sur la célébrité ou les talents journalistiques de Mikael. De toute façon, si tel avait été le cas, Mikael n'aurait pas eu le plaisir d'en profiter.

Entendant des pas derrière lui, il tressaillit, puis sentit son corps transpercé par un courant électrique. Il s'effondra et se cogna la tête contre le trottoir. Le plus étrange : sa première réaction ne fut pas la terreur ou la douleur, mais la colère, non pas contre son agresseur mais contre lui-même : comment avait-il pu être aussi bête ? Il tenta de bouger, mais une deuxième décharge le crispa dans un spasme violent.

— Mon Dieu ! Comment va-t-il ?

La serveuse, crut-il.

— *Looks like an epileptic fit. I think we need to call an ambulance.*

Sûrement l'homme en costume blanc, dont la voix était redevenue calme. Les pas s'éloignèrent. Des passants s'approchèrent ; Mikael entendit le vrombissement d'une voiture. Tout se passa très vite. Il fut roulé sur un brancard et soulevé à l'intérieur du véhicule. Une portière se ferma et le moteur démarra. Il tomba du brancard. Atterrissant sur le sol, il tenta de crier, mais sa paralysie le rendait muet ; il parvint tout juste à émettre un geignement. Alors que le véhicule traversait Hamngatan, il prononça la phrase, qui lui était enfin revenue :

— Qu'est-ce que vous fabriquez ? Qu'est-ce que vous fabriquez ?

LISBETH FUT RÉVEILLÉE par un bruit qu'elle n'identifia pas tout de suite. Redoutant que quelqu'un ne se soit introduit dans sa chambre, elle tâtonna d'une main somnolente à la recherche de son arme, sur la table de chevet. L'ayant trouvée, elle balaya instantanément la chambre, arme tendue, tout cela pour s'apercevoir que c'était son téléphone qui bruissait. L'avait-on appelée ?

Elle n'en était pas sûre. Avec un étrange décalage, elle se rendit compte que ça ne pouvait être que Blomkvist. Elle ferma les yeux et inspira profondément, tout en essayant de rassembler ses esprits. *Allez...* se dit-elle. *Dis-moi que tu n'as pas fait exprès de dire ça. Allez...*

En montant le son du haut-parleur, elle entendit du fracas et des crépitements. Il pouvait malgré tout s'agir d'une erreur, d'un bruit de voiture ou de train qu'il aurait pris. Puis elle l'entendit geindre. Et respirer lourdement, manifestement mal en point. Il sembla perdre connaissance. Elle jura et alla s'asseoir à son bureau. Elle n'avait pas bougé de l'hôtel Nobis, sur Norrmalmstorget, depuis son arrivée en ville. Après avoir tabassé Conny Andersson du MC Svavelsjö, elle avait passé la soirée à surveiller l'adresse de Strandvägen. Elle y avait remarqué une certaine animation. Galinov avait quitté l'appartement mais, n'y voyant rien de spécial, Lisbeth avait fini par s'endormir, autour de 1 heure du matin – c'est-à-dire tout récemment, sans doute –, croyant avoir encore une journée de répit. Erreur.

Sur son écran, elle suivait désormais la trajectoire de Mikael vers le nord. On l'emmenait manifestement hors de Stockholm. De plus, on n'allait pas tarder à fouiller ses poches et à se débarrasser de son téléphone. Si Galinov ou Bogdanov étaient mêlés à l'opération, ils sauraient bien sûr effacer toutes leurs traces. Inutile, dès lors, de rester scotchée à son écran comme une abrutie et de suivre un point sur une carte. Il fallait agir. Elle remonta dans l'enregistrement et réécouta Mikael appeler : "Qu'est-ce que vous fabriquez ?"

Deux fois. Pourtant, il était sans doute assommé et en état de choc. Peu après, il s'était évanoui, mais respirait encore.

L'avait-on drogué ? Elle donna un coup de poing sur la table et nota qu'à ce moment de l'enregistrement, le véhicule se trouvait dans Norrlandsgatan, tout près de son hôtel. Mais ce n'était pas là qu'ils l'avaient capturé. Elle réécouta les pas de Mikael, sa respiration, une voix lui disant "Blomkvist" – un homme apparemment d'âge mûr – puis un "aïe", un profond soupir et une femme criant : "Mon Dieu ! Comment va-t-il ?"

Que s'était-il passé ?

Blasieholmen. Elle ne voyait pas exactement où. Sûrement devant le Grand Hôtel ou le Musée national, ou quelque part dans les environs. Elle appela le numéro d'urgence et signala que le journaliste Mikael Blomkvist avait été agressé dans la zone. À l'autre bout du fil, son interlocuteur, un jeune homme, réagit au nom de Blomkvist et, exalté, voulut en savoir plus. Lisbeth n'eut pas le temps de continuer car, en fond sonore à la conversation, elle entendit une autre voix annoncer qu'on avait déjà reçu un appel à ce sujet : un homme s'était effondré devant l'hôtel Lydmar, victime d'une crise d'épilepsie, et avait été emmené.

— Comment ? demanda-t-elle.

Il y eut un moment de confusion. Des échanges vocaux.

— Une ambulance est venue le chercher.

— Une ambulance ?

Son soulagement momentané se transforma en suspicion.

— Vous avez envoyé une ambulance ?

— Je suppose.

— Vous supposez ?

— Je vais vérifier.

Encore du brouhaha. Des conversations. Difficile de distinguer quoi que ce soit. Le jeune homme revint, nerveux.

— Qui êtes-vous ?

— Salander, dit-elle. Lisbeth Salander.

— Non, apparemment pas.

— Alors arrêtez ce véhicule. Tout de suite ! vociféra-t-elle.

Elle jura, raccrocha et écouta l'enregistrement en temps réel. *Trop de silence*, se dit-elle. On n'entendait que le ronronnement du moteur et la respiration lourde et douloureuse de Mikael. À part cela, rien, pas le moindre bruit humain. Cela dit... S'il s'agissait vraiment d'une ambulance, elle avait une piste. Elle envisagea d'appeler la police et de leur secouer les puces. Non, ils devaient déjà être à la poursuite du véhicule, sauf si l'équipe du central téléphonique était une bande d'idiots.

Elle devait agir avant que le signal ne disparaisse. À cet instant, dans l'enregistrement – si besoin était, cela confirmait le type de véhicule dont il s'agissait –, une sirène d'ambulance retentit. Elle entendit autre chose aussi : un farfouillement, des mains qui vidaient les poches de Mikael, se dit-elle, puis des mouvements et un souffle court. Un bruit violent, un choc, des craquements – ceux d'un téléphone qu'on écrasait, semblait-il, à l'aide d'une masse. Le contact fut coupé, provoquant un silence comme celui qui suit un tir d'arme à feu ou une coupure d'électricité. Elle donna un coup de pied dans sa chaise, saisit un verre de whisky sur la table et le jeta contre le mur, le brisant en mille morceaux. Puis elle hurla :

— Putain de bordel de merde !

Se ressaisissant, elle localisa Camilla. Toujours à Strand-vägen, bien sûr. Les autres faisaient le sale boulot à sa place. Qu'elle bouffe sa propre merde ! Lisbeth appela Plague et lui gueula des instructions tout en enfilant ses habits, puis rangea dans son sac à dos son ordinateur, son arme et son IMSI-catcher. Elle débita encore quelques gros mots, défonça une lampe murale, mit son casque de moto et ses Google Glass. Ayant traversé la place, elle enfourcha son engin et partit en trombe.

REBECKA FORSELL AVAIT DEMANDÉ une chambre à part – Janek et Johannes pouvaient bien camper ensemble. Elle ne s'endormit pas pour autant. Sur un lit étroit, dans un petit bureau débordant de livres, elle lut les dernières infos sur son téléphone. Pas un mot sur le fait que Johannes avait quitté l'hôpital. Cela dit, elle avait appelé Klas Berg sur une ligne protégée pour lui annoncer que, dorénavant, elle s'occuperait elle-même de son mari. Elle ne s'était souciée ni de ses avertissements, ni de ses menaces. Enfin, Klas Berg n'avait pas idée du poids plume qu'il représentait dans l'affaire.

D'ailleurs, elle se fichait éperdument de tous les fonctionnaires du ministère de la Défense. Elle avait besoin d'évaluer calmement la gravité des faits qu'elle venait de découvrir, et peut-être aussi de comprendre pourquoi elle ne s'était doutée de rien. *Aucun signe*, se dit-elle. Bien sûr, il y avait eu la crise de Johannes à son retour au camp de base, puis son refus de lui dire quoi que ce soit au sujet de l'ascension. Un tas de petits détails qu'elle n'avait pas su interpréter sur le coup formaient dorénavant un nouvel ensemble intelligible. Ce soir d'octobre il y avait trois ans, par exemple. Johannes venait alors d'être nommé ministre. Une fois les garçons endormis, ils s'étaient installés dans le canapé de leur maison de Stocksund, et Johannes avait mentionné Klara Engelman sur un ton inédit et inquiétant : "Je me demande ce qu'elle a pensé. – Quand ça ? – Quand on l'a abandonnée."

Rebecka avait répondu qu'à ce stade Klara ne pensait certainement rien, parce qu'elle était probablement déjà morte. Désormais, dans la nuit, elle comprenait ce qu'avait voulu dire Johannes – et c'était plus qu'elle ne pouvait supporter.

28

LE 13 MAI 2008

LA PREMIÈRE FOIS qu'on l'avait abandonnée, Klara Engel-man ne pensait à rien. Sa température corporelle avait chuté à vingt-huit degrés, les battements de son cœur étaient lents et irréguliers. Elle n'entendit ni les pas qui s'éloignaient ni la tempête qui hurlait.

Plongée dans le coma, elle ne savait pas que le corps qu'elle entourait de ses bras était celui de Viktor. Son organisme avait déclenché un dernier mécanisme de défense : la perte de connaissance. Elle allait bientôt mourir. Aucun doute, enfin, pas à ce moment-là. D'ailleurs, c'était peut-être ce qu'elle voulait, finalement.

Son mari, Stan, lui témoignait ouvertement son mépris, la trompait sans même s'en cacher, et leur fille, Juliette, âgée de douze ans, était elle aussi en crise. Klara était allée loin pour fuir la situation, jusqu'à l'Everest, feignant la joie et l'insouciance, comme elle le faisait toujours. En réalité, elle souffrait d'une grave dépression. Mais depuis une semaine, elle ressentait à nouveau l'envie de vivre. Son amour pour Viktor lui redonnait le moral, certes, mais elle s'était également mise à espérer qu'elle pourrait coincer Stan – une fois pour toutes.

Elle avait retrouvé sa vigueur d'antan, qu'elle conserva pendant l'ascension vers le sommet. Elle avait bu beaucoup de soupe de myrtilles, dont on avait abondamment vanté les bienfaits. Puis son corps avait commencé à lui paraître bizarrement lourd. Ses paupières s'étaient mises à battre, elle avait de plus en plus froid. Finalement, l'inévitable avait eu lieu : elle s'était effondrée. Ayant perdu connaissance, elle n'avait rien su de la tempête inopinée qui s'était brusquement mise à souffler, compromettant définitivement l'expédition. Pour elle, les heures avaient été englouties dans le noir et le silence. Elle n'avait plus rien entendu jusqu'à ce qu'un pic à glace ne s'abatte sur son visage.

Elle ne perçut pas très précisément ce qui se passait : des coups, proches peut-être, et pourtant si lointains, comme venant d'un autre monde. Comment le savoir… Plus tard, quand ses voies respiratoires se libérèrent et que les pas s'éloignèrent, elle ouvrit les yeux. Un miracle, en quelque sorte. Elle aurait dû être morte depuis longtemps. Klara Engelman, qu'on croyait perdue, regarda autour d'elle sans rien comprendre. Rien, à part qu'elle se trouvait dans une espèce d'enfer. Petit à petit, quelques souvenirs lui revinrent. Elle regarda ses jambes, ses godillots, puis un bras, sans parvenir à savoir à qui il appartenait. Son esprit était complètement engourdi, bien sûr. Ajoutons que le bras se soulevait par à-coups au-dessus de sa hanche, dans un mouvement bizarre. Déduisant que c'était le sien, elle tenta de le bouger. Impossible. Mort. Son corps était gelé. Cependant, malgré tout, quelque chose l'incita à se remettre debout.

Elle revit sa fille. Si clairement qu'elle crut pouvoir la toucher. Après quatre ou cinq tentatives, elle parvint à se relever et tituba vers le bas de la montagne comme une somnambule, ses mains gelées tendues devant elle. Elle distinguait à peine sa gauche de sa droite, mais elle était guidée par des hurlements, des cris inhumains qui semblaient lui indiquer le chemin. Une demi-heure plus tard, elle comprit que ces cris étaient les siens.

NIMA RITA SE TROUVAIT au sein du paysage qu'il avait toujours cru habité par des esprits et des fantômes. Voilà pourquoi il ne prêta aucune attention aux cris. *Criez donc*, pensait-il. *Criez.* Que faisait-il encore là-haut ? Il n'y croyait pas lui-même. Il l'avait pourtant vue. Il lui avait fait ses adieux. Plus aucun espoir. Mais il se reprochait d'avoir trop écouté les autres et abandonné la femme sur laquelle il devait veiller. Peut-être, à ce stade, se fichait-il de disparaître. Le principal, c'était de prouver qu'il ne baissait pas les bras. S'il mourait, il le ferait dignement.

Épuisé au-delà de l'entendement, souffrant de gelures graves, il ne voyait presque plus rien. Il entendait la tempête et les hurlements dans le brouillard blanc, mais pas un instant il ne fit le lien avec Mamsahib. Sur le point de faire une pause, il distingua soudain des crissements de pas qui approchaient.

Il vit alors un fantôme, bras tendus en avant comme s'il demandait une obole aux vivants : un morceau de pain, un peu de réconfort, une prière, peut-être. Nima décida d'aller au-devant de lui. Quelques secondes plus tard, la silhouette tombait dans ses bras, étrangement massive. Ils s'écroulèrent tous deux dans la neige et roulèrent. Nima se cogna la tête.

— À l'aide ! À l'aide ! Je dois retrouver ma fille ! dit la figure.

Alors, il comprit. Pas tout de suite, mais progressivement, dans la confusion. Un pincement de joie réveilla son corps laminé. C'était elle. Oui, c'était vraiment elle. Cela signifiait forcément que la déesse de la montagne était bien disposée vis-à-vis de lui, en fin de compte. Elle avait dû voir à quel point il avait lutté et tout ce qu'il avait enduré sur la pente. Mais désormais, les choses allaient s'arranger, croyait-il. Voilà pourquoi il rassembla ses dernières forces, attrapa la femme par la taille et la releva. Puis ils se remirent en marche, chancelants, elle, criant toujours et lui, perdant petit à petit le contact avec la réalité.

LE VISAGE ÉTRANGEMENT raide et noirci, il semblait appartenir à un autre monde, et pourtant… Il la soutenait, il luttait. Elle entendait à sa respiration qu'il souffrait atrocement. Priant Dieu de la laisser revoir sa fille, elle se promit de ne pas abandonner. De ne jamais, jamais s'effondrer à nouveau. Ni alors, ni plus tard. *J'y arriverai*, se dit-elle.

Chaque pas qu'elle faisait renforçait sa conviction : *Quand j'aurai survécu à ce calvaire, je pourrai tout supporter.* Un peu plus bas, elle aperçut deux autres silhouettes. Son état d'esprit s'améliora encore un peu :

Je suis en sécurité, maintenant.

Enfin.

29

LE 28 AOÛT

CATRIN SE RÉVEILLA À 8 H 30 dans le lit double de l'hôtel Lyd-mar et tendit la main pour tirer Mikael contre elle. Personne. Elle l'appela :

— Grand fou !

Elle avait inventé ce surnom idiot la veille, quand il n'écoutait pas un mot de ce qu'elle disait. "Tu travailles du chapeau, mon grand fou", avait-elle dit. Ça l'avait un peu fait rire, malgré tout. Mais à part cela, impossible de discuter avec lui. Il ne communiquait pas. Enfin, rien de très étonnant, il avait tout de même décroché une interview exclusive du ministre de la Défense. De plus, le rendez-vous était enveloppé de cachotteries, d'instructions cryptées envoyées à d'autres téléphones… Pour avoir une quelconque conversation avec Mikael, il fallait parler de l'interview. Il s'ouvrait alors plus qu'un peu. Il avait même, une fois, essayé de la recruter pour le compte de *Millénium*. Peu après, elle était parvenue à déboutonner sa chemise, puis le reste de ses habits et, enfin, à le séduire. Ensuite, elle avait dû s'endormir.

— Grand fou ! appela-t-elle à nouveau. Mikael ?

Personne. Elle jeta un coup d'œil à l'horloge. Il était plus tard qu'elle ne le croyait. Il devait être parti depuis longtemps, et sans doute déjà en pleine interview. Cela étonnait un peu Catrin de ne pas s'être réveillée. Enfin, parfois, elle dormait lourdement et dans la chambre régnait un profond silence. On entendait à peine passer quelques voitures. Elle resta étendue, immobile. Puis son téléphone sonna.

— Catrin, dit-elle.

— Rebecka Forsell, répondit une voix.

— Ah ! Bonjour.

— Nous commençons à nous inquiéter.

— Mikael n'est pas avec vous ?

— Il a trente minutes de retard, et son téléphone est éteint.

— Bizarre.

Extrêmement bizarre. Elle ne le connaissait pas encore depuis très longtemps, mais arriver avec une demi-heure de retard à une interview de ce calibre, c'était tout de même surprenant.

— Si je comprends bien, vous ne savez pas où il est ? demanda Rebecka Forsell.

— Ce matin, à mon réveil, il était déjà parti.

— Ah ?

La voix de Rebecka trahissait sa peur.

— Je trouve ça inquiétant, répliqua Catrin.

En fait, elle avait froid. Le sang glacé.

— Vous avez une raison particulière de vous inquiéter ? demanda Rebecka. Autre que son retard, je veux dire.

— Eh bien…

Catrin tenta de rassembler ses pensées.

— Eh bien quoi ?

— Depuis quelques jours, il ne rentre plus chez lui. Il dit que son domicile est sous surveillance.

— À cause de Johannes ?

— Non, je ne le crois pas.

Catrin se demanda combien elle pouvait en dire. Elle décida de jouer la franchise.

— C'est en rapport avec son amie, Lisbeth Salander, mais, sincèrement, je n'en sais pas plus.

— Mon Dieu…

— Pourquoi dites-vous ça ?

— C'est une longue histoire. Écoutez…

Rebecka Forsell hésita. Elle semblait perturbée.

— Oui ?

— J'ai apprécié ce que vous avez écrit sur Johannes.

— Merci.

— Je comprends que Mikael vous fasse confiance.

Catrin ne lui avoua pas que, la nuit précédente, elle avait juré sur tous les saints qu'elle ne répéterait pas un mot de ce qu'il lui racontait et que, néanmoins, il n'avait pas semblé la croire. Elle marmonna :

— Hmm.

— Vous pouvez patienter un instant ?

Elle accepta et le regretta immédiatement. Elle ne pouvait pas rester ainsi, les bras ballants. Il fallait agir. Appeler la police, peut-être Erika Berger. Quand Rebecka Forsell reprit enfin le téléphone, Catrin était sur le point de raccrocher.

— Nous voudrions vous proposer de venir ici, vous aussi.

— Il faudrait peut-être que j'appelle la police.

— Bien sûr. Mais nous… Janek ici présent… est en mesure de lancer les recherches qui s'imposent.

— Je ne sais pas… dit Catrin.

— Nous pensons que ce serait plus sûr. Donnez-nous votre adresse, et nous enverrons une voiture vous chercher.

Catrin se mordit la lèvre en se souvenant de l'homme qu'elle avait croisé à la réception. Et de cette impression distincte d'être talonnée en chemin vers l'hôtel.

— Entendu, dit-elle.

Elle donna son adresse à Rebecka et n'eut pas le temps de faire quoi que ce soit d'autre, car on frappa à sa porte.

JAN BUBLANSKI VENAIT D'APPELER Tidningarnas Telegrambyrå ou TT, l'agence de presse suédoise, pour leur annoncer l'enlèvement. Il espérait ainsi recueillir les témoignages du public. On avait travaillé dur depuis le matin, mais on n'avait encore aucune idée de l'endroit où pouvait bien se trouver Mikael Blomkvist. On savait qu'il avait passé la fin de soirée au Lydmar. Pourtant, personne – pas même les réceptionnistes – ne l'avait aperçu.

Peu après 2 heures du matin, il était sorti de l'hôtel. On avait récupéré une courte séquence vidéo un peu floue, sur laquelle on reconnaissait cependant Blomkvist : en forme, sans doute sobre, pressé, peut-être légèrement anxieux, tambourinant sur sa cuisse. Puis il se produisait un incident de mauvais augure. Les caméras de surveillance s'éteignaient. Plus rien. Heureusement, on avait recueilli des témoignages, particulièrement celui d'une jeune femme, une dénommée Agnes Sohlberg qui, à l'heure des faits, faisait le ménage sur la terrasse du restaurant. Elle avait vu un homme d'âge moyen sortir de l'hôtel – elle ne connaissait pas Mikael Blomkvist, pas même de vue.

Elle avait entendu un monsieur plus âgé l'interpeller – élégant, en costume blanc. Assis sur un fauteuil, celui-ci tournait le dos à Agnes Sohlberg. Peu après, il y avait eu des bruits de pas rapides et peut-être un geignement ou un soupir. En se retournant, elle avait vu un troisième homme, plus jeune, baraqué, en jean et blouson de cuir.

Elle avait d'abord cru qu'il s'agissait d'un passant bienveillant accourant au secours de Blomkvist, enfin, celui dont elle avait ensuite compris qu'il s'agissait de Blomkvist. Car celui-ci – elle l'avait vu de ses propres yeux – s'était effondré sur le bitume. Elle avait entendu quelqu'un parler en anglais de "crise d'épilepsie". N'ayant pas son téléphone sur elle, la jeune femme s'était précipitée dans le restaurant pour appeler les secours.

Ensuite, on devait se fier à d'autres témoins, parmi lesquels un couple, les Kristoffersson, qui avaient vu une ambulance arriver depuis Hovslagargatan. Blomkvist avait été hissé dans le véhicule sur un brancard. Les époux auraient sans doute jugé la scène parfaitement normale s'ils n'avaient pas remarqué une certaine négligence dans le maniement du blessé, ni trouvé que les hommes bondissaient dans le véhicule d'une façon "peu naturelle".

L'ambulance – volée six jours auparavant à Norsborg – avait été aperçue sur Klarabergsleden et l'E4, roulant en direction du nord, toutes sirènes hurlantes. Elle avait cependant rapidement disparu du champ de vision des témoins. Bublanski et son équipe étaient persuadés que les ravisseurs avaient ensuite changé de véhicule. Enfin, à ce stade, on ne pouvait rien affirmer, hormis le fait que Lisbeth Salander avait elle aussi appelé le numéro d'urgence. Bublanski n'aimait pas ça.

Comment Lisbeth avait-elle pu être aussi vite au courant ? Cela inquiétait le commissaire et étayait ses soupçons : l'agression semblait en rapport avec elle. L'entretien téléphonique avec Lisbeth en personne n'arrangea rien. Bien sûr, il était reconnaissant qu'elle l'ait appelé. Toutes les précisions étaient bienvenues. Mais il connaissait sa fureur, sa rage bouillonnante, et il aurait beau lui répéter cinquante fois : "Reste en dehors de tout ça. Laisse-nous faire notre travail", les mots ne l'atteindraient pas. De plus, il avait l'impression qu'elle ne lui disait pas tout. Elle semblait en pleine opération personnelle. Il poussa un juron en raccrochant, et jurait encore dans la salle de réunion où étaient rassemblés ses collègues : Sonja, Jerker Holmberg, Curt Bolinder et Amanda Flod.

— Quoi ? marmonna-t-il.

— Je me demandais comment Salander avait si vite su que Blomkvist avait été enlevé, constata Jerker.

— Je ne vous l'ai pas dit ?

— Tu as dit qu'elle avait bricolé son téléphone.

— Exact, bricolé – avec la permission du propriétaire. Elle l'avait constamment sur écoute et connaissait sa localisation à tout moment, du moins jusqu'à ce que les ravisseurs ne fracassent le téléphone.

— Je me demandais plutôt comment elle avait pu réagir aussi vite, reprit Jerker. On dirait… Je ne sais pas… Qu'elle s'attendait justement à un truc de ce genre.

— Elle le craignait, m'a-t-elle dit, expliqua Bublanski. Un scénario catastrophe, en quelque sorte. Le MC Svavelsjö surveillait les deux adresses de Mikael : la Bellmansgatan et Sandhamn.

— Et on n'a toujours rien sur le club.

— Ce matin, on a réveillé le président, Marko Sandström. Il nous a ri au nez. Il a dit que ce serait suicidaire de s'en prendre à Blomkvist. On est en train de rechercher les autres membres pour les mettre sous surveillance. Mais à l'heure qu'il est, on ne peut relier aucun d'eux à l'agression. On peut simplement constater que plusieurs sont injoignables.

— Et on ne sait toujours pas ce que Mikael fabriquait au Lydmar, intervint Amanda Flod.

— Aucune idée, en effet, répondit Bublanski. J'y ai envoyé des gens, mais Mikael semble avoir été très réservé sur ses activités, ces derniers temps. Même à *Millénium*, personne ne savait ce qu'il fabriquait. D'après Erika Berger, il avait pris des sortes de vacances. Apparemment, il travaillait surtout sur son reportage au sujet du sherpa.

— Qui a peut-être un rapport avec Forsell.

— Peut-être, ce qui rend un peu nerveux les gens de la direction du Renseignement militaire, comme vous le savez. Sans parler de la Sûreté.

— S'agirait-il d'une opération dirigée de l'étranger ? demanda Curt Bolinder.

— Le piratage des caméras de surveillance tendrait à l'indiquer. Ça me dérange vraiment qu'ils aient utilisé une ambulance volée. De la provocation pure. Mais surtout…

— Tu vois un lien avec Salander, compléta Sonja Modig.

— On le voit tous, non ? dit Jerker.

— Possible, dit Bublanski.

Il se perdit dans ses pensées. En fait, il se demandait ce que lui cachait Lisbeth.

LISBETH N'AVAIT RIEN DIT au sujet de l'appartement de Strandvägen, espérant que Camilla la conduirait à Mikael. Elle voulait éviter que la police ne bousille la piste. Pour le moment, Camilla s'y trouvait encore. Peut-être attendait-elle, tout comme Lisbeth, des nouvelles. Lisbeth frémit : des photos de Mikael torturé assorties d'une demande d'échange avec elle-même. Ou pire encore : des photos du cadavre de Mikael et des menaces de mort à l'encontre d'autres personnes de son entourage si elle ne se livrait pas.

Pendant la nuit, Lisbeth avait pris contact avec Annika Giannini, Dragan, Miriam Wu et quelques autres, y compris Paulina, même si, selon toute probabilité, personne n'était au courant de l'existence de cette dernière. Elle leur avait demandé à tous de se mettre en sécurité, ce qui n'avait pas franchement été une partie de plaisir. Mais il le fallait.

Elle regarda par la fenêtre. Dehors, le temps était ce qu'il était. Peut-être ensoleillé. Il aurait pu y avoir une tempête de neige, de toute façon, elle s'en fichait éperdument. Elle n'avait pas la moindre idée de l'endroit où on avait emmené Mikael. Son seul indice : au nord de Stockholm. Voilà pourquoi elle était descendue au Clarion d'Arlanda. Au moins, elle se trouvait dans la bonne direction. Par ailleurs, elle montrait aussi peu d'intérêt pour sa chambre et pour l'établissement que pour tout le reste. Elle n'avait pas fermé l'œil de la nuit.

Elle avait passé tout son temps à son bureau, cherchant une piste, un quelconque signe. Lorsque, dans la matinée, elle reçut un signal sur son ordinateur, elle sursauta. Camilla quittait Strandvägen. *Tu fais bien, ma sœur*, pensa Lisbeth. *Sois un peu niaise et conduis-moi à lui.* Enfin, elle n'y croyait pas vraiment. Camilla avait son Bogdanov, et Bogdanov était à peu près aussi doué que Plague.

Si sa sœur la conduisait quelque part, ce ne serait donc pas forcément révélateur. Il pouvait aussi bien s'agir d'un piège. Ou d'une tentative de diversion. Lisbeth devait être parée à toute éventualité. Mais… Elle scruta la carte. La voiture empruntée par sa sœur suivait le même chemin que l'ambulance la veille, c'est-à-dire l'E4 vers le nord. C'était prometteur. Pourvu que ça marche. Lisbeth fit ses bagages, alla rendre sa clef à la réception et partit sur sa Kawasaki.

Catrin s'enroula dans un peignoir et alla ouvrir. Sur le seuil de sa porte, elle trouva un jeune policier en uniforme qui la regardait en plissant les yeux, une raie de côté divisant sa chevelure blonde. Elle marmonna un "Bonjour" nerveux.

— Nous sommes à la recherche de personnes qui auraient récemment vu ou été en contact avec le journaliste Mikael Blomkvist, dit l'homme.

Elle le sentait soupçonneux, voire hostile. Sûr de lui, il se tenait droit, comme pour bien en imposer avec sa stature : une démonstration de force.

— Qu'est-ce qui se passe ? demanda-t-elle.

La peur transparaissait dans sa voix. Le policier fit un pas en avant et la toisa de la tête aux pieds. Elle ne connaissait que trop ce regard, qu'elle subissait régulièrement en ville : le désir de la déshabiller et de lui faire du mal.

— Votre nom, s'il vous plaît ?

Cela faisait partie de son petit jeu car, manifestement, il savait parfaitement qui elle était.

— Catrin Lindås.

Il le nota dans son bloc.

— Vous l'avez vu, n'est-ce pas ?

— Oui.

— Vous avez passé la nuit ensemble ?

"Quel rapport ?" eut-elle envie de crier. Mais, sous l'emprise de la peur, elle répondit encore "Oui" à cette question indiscrète, puis recula d'un pas en expliquant que quand elle s'était réveillée, le matin, Mikael était déjà parti.

— Vous avez réservé sous un faux nom ?

Elle tenta de respirer calmement. Pouvait-on raisonner avec un jeune homme qui entrait ainsi dans votre chambre sans demander la permission ?

— Et vous, vous avez un nom ? demanda-t-elle.

— Quoi ?

— Si je me souviens bien, vous ne vous êtes pas présenté.

— Carl Wernersson de la police de Norrmalm.

— Bien. Monsieur Wernersson, pouvez-vous m'expliquer ce qui se passe ?

— Cette nuit, Mikael Blomkvist a été agressé dans le quartier et enlevé. Comme vous le comprenez certainement, nous prenons l'affaire très au sérieux.

Elle eut la sensation que les murs se resserraient autour d'elle.

— Mon Dieu…

— Il faut que vous me fassiez un compte rendu sincère et détaillé de ce qui s'est passé hier soir. C'est de la plus haute importance.

Elle s'assit sur le lit.

— Il est blessé ?

— Nous n'en savons rien.

Elle le fixa, muette.

— Vous n'avez pas répondu à ma question, reprit-il.

Son cœur battait la chamade, elle ne trouvait pas ses mots.

— Mikael avait un rendez-vous important ce matin. Il n'est jamais arrivé à destination, mais je ne le savais pas.

— Quel rendez-vous ?

Elle ferma les yeux. Comment pouvait-elle être si bête ? Elle avait juré de ne pas en dire un mot. Manifestement, dans la terreur et la confusion, son cerveau fonctionnait mal.

— La protection des sources d'information m'empêche de vous le dire, dit-elle.

— Vous refusez de coopérer ?

Elle eut l'impression de manquer d'air et jeta un coup d'œil anxieux par la fenêtre, dans l'espoir vain de trouver une issue, et fut inopinément aidée par Carl Wernersson lui-même lorsqu'il fixa sa poitrine, ce qui la rendit folle de rage.

— Je veux bien coopérer mais, dans ce cas, il faut que je parle à une personne qui a des connaissances au moins rudimentaires sur le secret professionnel et qui montre un minimum de respect aux proches en état de choc.

— Qu'est-ce que vous racontez ?

— Appelez vos supérieurs et disparaissez de ma vue.

Carl Wernersson eut l'air de vouloir l'arrêter sur-le-champ.

— Tout de suite ! vociféra-t-elle rageusement.

— Bon… marmonna-t-il enfin, se sentant néanmoins obligé d'ajouter : Mais ne bougez pas d'ici.

Sans un mot, elle lui ouvrit la porte. Puis elle s'assit sur le lit et se perdit dans ses pensées. Elle fut tirée de ses songeries par son téléphone, qui bourdonna dans sa main. Elle avait reçu un flash de *Svenska Dagbladet* :

Célèbre journaliste agressé et enlevé devant l'hôtel Lydmar, écrivait-on. Elle se plongea dans la lecture. Les gros titres étaient fracassants, mais les articles manquaient tous de substance. On ne savait qu'une chose : il avait été emmené par une ambulance que personne n'avait appelée. Cela semblait… inconcevable. Que faire ? Elle avait envie de hurler. Un vague souvenir surgit, un vestige de la nuit : un bruit venant de la salle de bains, un chuchotement, croyait-elle, la voix de Mikael, des paroles contrariées. Elle avait peut-être même répondu dans un marmonnement : "Qu'est-ce que tu fais ?"

Ou bien elle l'avait rêvé. Aucune importance. Le chuchotement était forcément en rapport avec la disparition, non ? Il avait été enlevé à 2 heures du matin devant l'hôtel, disait-on. Logiquement – elle essayait de garder les idées claires –, quelque chose avait dû l'interpeller ou l'inquiéter, et il était parti seul, la laissant dans la chambre, tout ça pour se faire agresser. S'agissait-il d'un piège ? L'avait-on appâté ? Quel cauchemar… Que se passait-il, au juste ?

Elle repensa au mendiant et au désespoir dans la voix de Rebecka Forsell, aux manigances de la veille autour de l'interview. Que ce fichu policier aille se faire voir… Serrant les dents, elle s'habilla et rangea ses affaires dans son sac. Puis elle descendit à la réception, paya la note, et monta dans le véhicule noir diplomatique de l'ambassade du Royaume-Uni qui l'attendait devant l'hôtel.

30

LE 28 AOÛT

IL RÉGNAIT UNE TEMPÉRATURE assez élevée. Un feu brûlait dans un grand fourneau à gaz ; le plafond était haut et il faisait sombre. Seuls quelques spots épars éclairaient le local. Aucune lumière du jour ne filtrait à travers les grandes verrières noircies. Le regard de Mikael errait dans le bâtiment, le long des piliers en béton et des constructions de fer, des éclats de verre sur le sol et des bords métalliques du fourneau, qui lui renvoyaient son propre reflet.

Il se trouvait dans un local industriel désaffecté, peut-être une ancienne verrerie, à une certaine distance de Stockholm. En fait, il ne savait pas où il était, mais le trajet avait été long. Ils avaient changé de véhicule une ou deux fois. Mikael devait être drogué et assommé. Il ne gardait de la nuit et du matin que des souvenirs fragmentaires. Désormais, il était étendu sur une couchette ou un brancard, ligoté au moyen de courroies de cuir, non loin du fourneau. Il cria :

— Hé ho ! Merde, enfin ! Hé ho !

Il ne pensait pas que cela aurait un quelconque effet, mais il avait besoin de s'occuper autrement qu'en se tortillant dans ses liens, en transpirant et en sentant le feu chauffer ses pieds et ses orteils – sinon, il deviendrait fou. Le fourneau sifflait comme un serpent. Il était mort de trouille, trempé de sueur, et il avait la bouche sèche. Que se passait-il ? Il entendit des crissements d'éclats de verre broyés. Des pas approchaient, mais – Mikael le sut immédiatement – ils n'avaient rien de bienveillant. Inutile d'espérer quelque soulagement. Au contraire, la démarche était nonchalante, exagérément lente et accompagnée d'un sifflotement.

Quel genre de personne sifflait dans une situation pareille ?

— Bonjour, Mikael, dit la même voix anglaise qui l'avait interpellé pendant la nuit.

Mikael ne voyait toujours personne, mais c'était peut-être voulu par ses ravisseurs. Allaient-ils continuer à lui cacher leurs visages ? Il répondit en anglais :

— *Good morning.*

Les pas s'arrêtèrent, le sifflotement s'interrompit. Mikael perçut une respiration et une vague odeur de lotion après-rasage. Il était prêt à tout : un coup de poing, de couteau, une impulsion qui pousserait son brancard dans le fourneau de façon à lui brûler les pieds. Il ne se passa rien.

— Voilà un salut d'une bonhomie surprenante, dit l'homme.

Mikael voulut parler, mais les mots s'étranglèrent dans sa gorge.

— J'ai grandi avec ça, reprit la voix.

— Avec quoi ? bredouilla Mikael.

— L'apparence du calme, quoi qu'il arrive. Enfin, ici, ce n'est pas nécessaire. Je préfère la franchise, et je dois vous avouer que moi-même, je ressens un certain… dégoût. Une résistance.

— Comment ça ? bafouilla Mikael.

— Je vous aime bien, Mikael. Je respecte votre rapport à la vérité, et cette histoire…

Il fit une pause théâtrale.

— … aurait dû se borner à une simple affaire de famille. Mais, comme souvent dans les vendettas, des tiers sont impliqués contre leur gré.

Mikael se mit à trembler de tous ses membres.

— Vous voulez parler de Zala ? haleta-t-il.

— Eh oui. Le camarade Zalachenko. Enfin, vous ne l'avez jamais rencontré, je suppose.

— Non.

— Eh bien figurez-vous que je vous envie. Une expérience grandiose, mais qui laisse des séquelles.

— Vous le connaissiez ?

— Je l'aimais. Malheureusement, c'était un peu comme adorer un dieu. On ne reçoit jamais rien en retour. Tout juste le scintillement d'une auréole qui, en vous éblouissant, vous rend déraisonnable et aveugle.

— Aveugle ?

— Oui, déraisonnable et aveugle. Je suis toujours sous son influence, je le crains. Mes liens avec Zalachenko se sont révélés impossibles à couper, et je prends des risques inconsidérés pour lui. Ni vous ni moi, Mikael, ne devrions être ici.

— Et pourquoi le sommes-nous ?

— C'est simple : pour accomplir une vengeance. Votre amie devrait vous expliquer un peu mieux la puissance destructrice de la vengeance.

— Lisbeth ?

— Exact.

— Où est-elle ?

— Oui, où ? C'est justement la question que nous nous posons.

Il s'ensuivit une nouvelle pause, peut-être pas aussi longue que la première, mais suffisamment pour laisser le temps à Mikael de comprendre combien son geôlier était déraisonnable et aveugle. Faisant un pas en avant, celui-ci apparut enfin. La première pensée de Mikael fut pour son costume de lin blanc, le même qu'il portait la nuit précédente. Dans une vision terrifiante, il l'imagina taché de son propre sang.

Puis il observa son visage : harmonieux, les traits fins, une vague asymétrie autour des yeux et une cicatrice pâle le long de la joue droite, chevelure grise et épaisse, striée ici et là de blanc immaculé. Le corps svelte et élancé. Dans un autre contexte, on aurait pu voir en l'homme un intellectuel excentrique, un genre de Tom Wolfe. Mais sa présence avait quelque chose de glaçant, de sinistre ; ses gestes étaient anormalement lents.

— Je devine que vous n'êtes pas seul, dit Mikael.

— Nous sommes accompagnés de délinquants, des jeunes gens qui, pour une raison impénétrable, ne veulent pas se montrer. Il y a aussi une caméra accrochée au plafond.

L'homme la pointa du doigt.

— Vous allez me filmer ?

— Ne vous en faites pas pour ça, Mikael, dit l'homme en passant inopinément au suédois. Considérez plutôt ce moment comme un aparté entre nous deux, dans une sorte d'intimité.

Les tremblements de Mikael devinrent des secousses.

— Vous parlez suédois ? dit-il, épouvanté, comme si la capacité de l'homme à passer d'une langue à l'autre confirmait sa nature diabolique.

— Je suis un homme de langues, Mikael.

— Ah ?

— Oui. Mais vous et moi, nous allons faire un voyage au-delà du langage.

Il déploya une toile noire qu'il tenait pliée dans sa main droite et posa des objets brillants sur la table en fer, à côté de lui.

— Qu'est-ce que vous voulez dire ?

Se tordant désespérément sur sa couchette, Mikael fixa des yeux le feu qui crachait devant lui, puis le reflet de son visage distordu sur le cadre métallique du fourneau.

— Il existe de jolis mots pour décrire la plupart des choses, dans la vie, reprit l'homme. Surtout quand il s'agit d'amour, n'est-ce pas ? Dans votre jeunesse, vous avez sûrement lu Keats, Byron et les autres. Je suis certain qu'ils ont assez bien capté le phénomène amoureux. Mais la douleur sans fond, Mikael, il n'y a pas de mots pour la décrire. Personne n'y est encore parvenu, pas même les plus grands artistes. C'est là que nous allons, Mikael. Là où il n'y a plus de mots.

LÀ OÙ IL N'Y A PLUS DE MOTS.

Sur le siège arrière d'une Mercedes noire en route vers Märsta, Jurij Bogdanov montrait à Kira une séquence vidéo.

Elle la regardait en plissant les yeux, et Bogdanov attendait impatiemment la lueur d'excitation qui traversait ses yeux chaque fois qu'elle voyait souffrir un ennemi.

Mais rien. Tout ce qu'on lisait sur son visage, c'était une impatience tourmentée, ce qui était mauvais signe. Il n'avait pas confiance en Galinov. D'ailleurs, les choses étaient allées trop loin. S'en prendre à Mikael Blomkvist ne serait pas sans conséquence. L'ambiance était trop échauffée, trop passionnelle, et il n'aimait pas du tout la mine renfrognée de Kira.

— Comment tu vas ? lui demanda-t-il.

— Tu peux la lui envoyer ? dit-elle.

— Oui, enfin, après avoir sécurisé la connexion. Mais franchement, Kira…

Il hésita, sachant qu'elle n'apprécierait pas.

— Tu ne devrais pas t'approcher du site, dit-il en évitant de croiser son regard. Le mieux serait que tu prennes le prochain avion pour Moscou.

— Je n'irai nulle part avant qu'elle ne soit morte.

— Je crois… commença-t-il.

… "Qu'elle ne se laissera pas si facilement prendre, aurait-il voulu dire. Tu la sous-estimes." Il préféra se taire. Il ne fallait à aucun prix, ni d'un mot ni d'un regard malencontreux, dévoiler qu'en réalité il admirait Lisbeth, ou Wasp, comme il l'appelait auparavant. Certains hackers étaient doués, il y avait même des génies, mais elle… Elle constituait une dimension à part entière. Voilà ce qu'il pensait d'elle. Au lieu de terminer sa phrase, il se pencha en avant et attrapa une boîte en métal bleue.

— C'est quoi ? demanda-t-elle.

— Un boîtier de sécurité. Une cage de Faraday. Mets ton téléphone dedans. La communication ne doit pas laisser de trace.

Kira jeta un coup d'œil par la vitre et déposa son téléphone dans la boîte, puis ils restèrent silencieux, mines renfrognées, les yeux rivés sur le chauffeur ou le paysage. Après un moment, Kira voulut en savoir plus sur les événements qui se déroulaient dans le local industriel désaffecté de Morgonsala. Et Bogdanov le lui montra.

Il aurait pu se passer de pareilles images.

DANS LES ENVIRONS DE NORRVIKEN, les Google Glass de Lisbeth perdirent leur connexion. Elle jura et tapa du poing contre le guidon. Enfin, elle s'y attendait. Ralentissant le long de la route, elle trouva une aire de repos munie d'un banc et d'une table, à côté d'un bosquet. Elle y installa son ordinateur, espérant enfin récolter les fruits des heures et des jours passés à cartographier l'entourage de Camilla cet été.

L'opération de Camilla n'aurait pas pu être menée à bien sans l'aide du MC Svavelsjö. Lisbeth présuma que les membres qui y participaient n'avaient sur eux que des téléphones prépayés mais espérait quand même que quelqu'un aurait commis une petite erreur en chemin. Elle tenta donc une nouvelle fois de localiser les appareils des mecs qui avaient rendu visite à Kira à Strandvägen : Marko, Jorma, Conny, Krille et Miro. Aucun résultat. Ayant piraté leur opérateur, elle avait pourtant accès à toutes les antennes-relais. Elle tapa du poing. S'apprêtant à explorer une autre piste, elle repensa néanmoins à Peter Kovic.

Il avait le plus gros casier de tous et semblait régulièrement abuser d'alcool et de femmes. Il avait également des soucis de discipline. Lisbeth ne l'avait aperçu nulle part à proximité de Strandvägen. En revanche, il avait fait une apparition à Fiskargatan l'été précédent. Elle tenta de le localiser, lui aussi, et, après un moment, poussa un juron exalté. Tôt ce matin-là, Kovic avait emprunté la même route que Camilla. Il avait cependant continué vers le nord en direction d'Uppsala. Il avait passé Storvreta et Björklinge. Lisbeth allait se mettre au travail lorsque son téléphone sonna.

Pas question de répondre. Elle jeta tout de même un coup d'œil à l'écran : Erika Berger de *Millénium*. Elle décrocha malgré tout. D'abord, elle ne comprit rien. Erika hurlait, et ses seules paroles intelligibles étaient :

— Il brûle ! Il brûle !

Peu à peu, Lisbeth saisit la situation.

— Ils l'ont enfoncé dans un grand fourneau ! Il crie, il souffre, c'est affreux, horrible, et ils disent, ils écrivent…

— Qu'est-ce qu'ils écrivent ?

— Qu'ils le brûleront vif si toi, Lisbeth, tu ne te rends pas à un endroit précis dans la forêt des environs de Sunnersta, et que s'ils remarquent une présence policière dans la zone, ou s'ils soupçonnent quoi que ce soit de ta part, Mikael mourra d'une mort atroce, et qu'ils s'en prendront à d'autres personnes de ton entourage et de celui de Mikael, et qu'ils ne s'arrêteront pas avant que tu te sois livrée, c'est ce qu'ils écrivent ! Mon Dieu, Lisbeth, c'est affreux… Ses pieds…

— Je le trouverai, tu m'entends. Je le trouverai.

— Ils me disent de t'envoyer la vidéo et une adresse mail pour les joindre.

— Envoie-les-moi.

— Lisbeth, tu dois m'expliquer ce qui se passe.

Lisbeth raccrocha. Elle n'avait pas le temps d'expliquer quoi que ce soit. Elle devait se concentrer sur sa piste : Peter Kovic qui, le matin, avait fait le même trajet que Camilla tout récemment, mais en continuant vers le nord sur l'E4, en direction de Tierp et Gävle. C'était prometteur. Pendant un moment, elle le crut vraiment : prometteur. Elle tambourina sur la table en marmonnant des jurons :

— Allez ! Gros con, sale ivrogne… Conduis-moi jusqu'à eux !

Pas de chance, sa trace s'interrompait à Månkarbo. Lisbeth leva un regard flou sur la route, à côté. Elle devait avoir une expression si enragée qu'un jeune homme en Renault qui venait de s'arrêter sur l'aire de repos repartit aussi sec. Mais elle ne le remarqua même pas. Mâchoires crispées, elle regarda la vidéo qu'Erika Berger venait de lui envoyer : un gros plan de Mikael.

Les yeux écarquillés, blancs, comme si ses pupilles avaient disparu à l'arrière de sa tête, le visage crispé, si distordu qu'on le reconnaissait à peine, il transpirait copieusement : du menton, des lèvres et à travers sa chemise. La caméra parcourait son corps jusqu'à son jean et ses pieds. Ses chaussettes rouges s'enfonçaient lentement dans un grand fourneau en brique brune, où sifflait un brasier. Ses chaussettes et son pantalon prenaient feu et, avec un étrange décalage, comme s'il l'avait retenu aussi longtemps que possible, on entendait un hurlement insensé, déchirant.

Lisbeth resta muette ; son expression, quasiment neutre. Sa main – qui, à cet instant, ressemblait à une griffe – creusa néanmoins trois profonds sillons dans le bois de la table. Elle lut le message et examina l'adresse mail, un merdier archicrypté qu'elle envoya à Plague accompagné de quelques instructions laconiques, une photo de Peter Kovic et une carte de l'E4 dans le Nord de l'Uppland.

Ayant ramassé son ordinateur et son arme et remis ses Google Glass, elle se lança vers Tierp.

— TU DOIS M'EXPLIQUER ce qui se passe ! hurla Erika Berger au téléphone.

Les seuls à l'entendre étaient les gens rassemblés autour d'elle dans la salle de rédaction de Götgatan. Ils ne comprirent pas grand-chose, à part qu'elle semblait complètement hors d'elle. Sofie Melker, qui se trouvait juste à côté à ce moment-là, crut qu'elle allait s'effondrer et se précipita vers elle pour la soutenir. Erika ne remarqua même pas qu'elle l'entourait de son bras.

Elle se dit qu'il fallait mobiliser toutes ses capacités mentales pour élaborer un plan d'action. "Pas question d'appeler la police, lui avait-on écrit. En aucun cas." Cela dit, avait-elle le choix ? Il ne s'agissait pas seulement des pires sévices qu'elle ait jamais vus, mais de Mikael, son plus vieil ami, son grand amour. De plus, elle avait été prise au dépourvu. Elle avait consulté ses mails comme on le fait souvent, automatiquement, sans y penser, par réflexe, et puis voilà…

Elle avait appelé Lisbeth avant d'avoir pris le temps de digérer l'information et d'exclure qu'il s'agît d'une vidéo truquée, bref, d'un canular macabre. Quoi qu'il en soit, la voix de Lisbeth au téléphone avait coupé court à ce genre de spéculations. Manifestement, c'était ce à quoi elle s'attendait : la réalité implacable du mal.

C'était indicible. Erika émit une suite de jurons incohérents et remarqua soudain, comme revenant d'un autre monde, que Sofie la serrait dans ses bras. Elle faillit raconter tout haut ce qui se passait. Se ravisant, elle se libéra de l'emprise de Sofie et marmonna :

— Excusez-moi, mais j'ai besoin d'avoir la paix. Je vous expliquerai plus tard.

Elle alla dans son bureau et ferma la porte derrière elle. Inutile de le préciser : si elle faisait quelque chose qui coûtait la vie à Mikael, elle n'y survivrait pas. Cela ne signifiait pas pour autant qu'elle devait rester tétanisée, ni obéir aux ordres des bourreaux. Elle devait... Quoi ?... Réfléchir, se concentrer. Ce genre de crime ne se déroulait-il pas toujours selon le même schéma ?

Les agresseurs somment les victimes de ne pas prévenir la police mais, lorsqu'ils sont démasqués, c'est toujours grâce à la police, qui a pu intervenir en toute discrétion. Ne fallait-il pas appeler Bublanski sur une ligne sécurisée ? Après une minute ou deux d'hésitation, c'est ce qu'elle fit. Lorsqu'elle ne parvint pas à le joindre parce qu'il était déjà en ligne, brusquement, elle disjoncta. Elle se mit à trembler de tous ses membres.

— Putain de merde, Lisbeth ! marmonna-t-elle. Comment tu as pu mêler Mikael à ça ? Comment ?

LE COMMISSAIRE BUBLANSKI avait eu une longue conversation avec Catrin Lindås, qui lui passa un autre interlocuteur, un homme qui se présenta comme Janek Kowalski, attaché à l'ambassade du Royaume-Uni. Bublanski fit mine de le prendre au mot – avait-il le choix ?

— Je suis un peu inquiet, dit l'homme.

Avec une brève pensée pour le fameux *understatement* anglais, Bublanski répondit sèchement :

— Comment ça ?

— Deux histoires disparates s'entremêlent subtilement, mais peut-être n'est-ce qu'une simple coïncidence. Ou pas. Blomkvist a des liens avec Lisbeth Salander, n'est-ce pas, et Johannes Forsell…

— Oui ? dit impatiemment Bublanski.

— En 2008, lorsque son séjour moscovite a pris fin, Forsell enquêtait sur la défection vers la Suède du père de Lisbeth, Alexander Zalachenko.

— Je croyais que seule l'unité concernée à la Sûreté le savait, à l'époque.

— Rien, commissaire, n'est aussi secret que les gens veulent bien le croire. Le plus intéressant, c'est que Camilla, la deuxième fille de Zalachenko, a noué après coup des liens d'amitié avec un intime de son père au GRU, un homme qui avait gardé le contact avec Zalachenko même après sa trahison.

— De qui s'agit-il ?

— D'un dénommé Ivan Galinov, qui est, pour des raisons qui nous échappent en partie, resté loyal à Zalachenko… Comment dire ?… post mortem. Même après la mort de Zalachenko, il s'est attaqué à ses anciens ennemis et a réduit au silence des gens qui possédaient des informations compromettantes sur lui. Galinov est dangereux, sans scrupule, et nous croyons qu'il se trouve en Suède et qu'il est mêlé à l'enlèvement de Blomkvist. Nous verrions d'un très bon œil qu'il soit arrêté, et nous vous proposons donc notre soutien, surtout sachant que le ministre de la Défense Johannes Forsell a ses propres projets, auxquels j'ai, avec une certaine imprudence, donné ma bénédiction.

— Je n'y comprends rien.

— Patience, les choses s'éclairciront en temps voulu. Nous allons vous envoyer des documents et des photos de Galinov, vieilles, j'en ai peur, de quelques années. Au revoir, commissaire.

Bublanski fit un hochement de tête qui, naturellement, échappa à son interlocuteur. C'était inhabituel de recevoir l'appui de ce genre de fonctionnaire – à ce stade, Bublanski avait très bien compris à quel secteur appartenait Kowalski. Il resta songeur, réfléchissant à la conversation et à tout le reste. Puis il se leva, dans l'intention d'aller voir Sonja Modig, mais son téléphone sonna : Erika Berger.

DANS LE SALON DE JANEK KOWALSKI, Catrin, assise dans un fauteuil marron face à Johannes Forsell et à côté de sa femme Rebecka, avait du mal à se concentrer. Elle n'arrêtait pas de penser à Mikael. On lui avait prêté un magnétophone – elle avait dû éteindre son téléphone. Préférant considérer que la crise allait se résoudre, petit à petit, elle se laissa malgré tout absorber.

— Et vous ne pouviez pas faire un pas de plus ? demanda-t-elle.

— Non, répondit Johannes. La nuit était tombée, il faisait un froid infernal, j'étais gelé. En fait, j'espérais que ça aille vite. Que je sombrerais dans le genre de torpeur terminale où le corps se vide de sa chaleur et où, d'après ce qu'on dit, on ressent un certain bien-être. C'est alors que j'ai entendu les cris. J'ai levé les yeux. On ne voyait pas grand-chose. Peu à peu, Nima Rita est réapparu dans la tempête, mais il avait deux têtes et quatre bras, comme un dieu indien.

— Que voulez-vous dire ?

— C'est comme ça que je l'ai vu. En fait, il traînait quelqu'un, mais j'ai mis un bout de temps à le comprendre, et ensuite à le reconnaître. J'étais trop épuisé pour avoir les idées claires. Et pour espérer être sauvé. Peut-être même pour vouloir être sauvé. J'ai dû perdre connaissance. Quand je suis revenu à moi, une femme était étendue à côté de moi, les bras tendus en avant. Elle marmonnait quelque chose au sujet de sa fille.

— Quoi ?

— Je n'ai pas bien compris. Je me souviens seulement qu'on s'est regardés. On ressentait tous les deux une profonde détresse, bien sûr, mais on était aussi surpris. Je crois qu'on s'est reconnus. C'était Klara. Je lui ai tapoté la tête et l'épaule en me disant qu'elle ne serait plus jamais belle. Elle avait le visage détruit par le froid. Sur sa lèvre, j'ai vu l'entaille laissée par mon pic à glace. Peut-être lui ai-je dit quelques mots. Peut-être a-t-elle répondu. Je n'en sais rien. La tempête grondait. Plus haut, Svante et Nima se disputaient. Ils criaient et se bousculaient. C'était parfaitement insolite. Les seules paroles que j'ai distinguées sont tellement sinistres et absurdes que j'ai cru mal entendre : *slut* et *whore*, "traînée" et "putain" en anglais. Pourquoi ces mots ont-ils été prononcés dans un moment de crise pareil ? Je ne le comprends toujours pas.

31

LE 28 AOÛT

MIKAEL N'AVAIT JAMAIS auparavant perdu l'envie de vivre. Il n'avait même pas traversé de crise vraiment profonde. Cependant, à cet instant précis, sur son brancard à roulettes, pieds et jambes gravement brûlés, il n'avait qu'une envie : sombrer dans la torpeur et disparaître. Il était si tenaillé par la douleur qu'il ne pouvait même plus crier. Il se tordait en serrant les mâchoires – la situation ne pouvait pas être pire. Eh bien, si.

L'homme en costume blanc, le soi-disant Ivan, saisit un scalpel sur la table et entailla une des brûlures de Mikael. S'arc-boutant, Mikael poussa un hurlement. Il cria jusqu'à ce que le monde extérieur se rappelle à lui. Comment ? Il mit un certain temps à le comprendre… Des pas qui approchaient. Plus exactement, des talons qui claquaient. Tournant la tête, il découvrit une femme aux cheveux roux clair d'une beauté surnaturelle. Elle lui souriait, ce qui aurait dû lui apporter un vague espoir de soulagement. Au contraire, la terreur s'ancra en lui.

— Vous… marmonna-t-il.

— Oui, moi, dit-elle.

Avec un sadisme refoulé, Camilla lui caressa le front et les cheveux.

— Bonjour, dit-elle.

Mikael, qui n'était plus que plaies hurlantes, ne répondit pas, et pourtant… Ses pensées erraient dans son esprit comme si quelque chose d'essentiel lui échappait, quelque chose qu'il devait lui dire…

— Lisbeth m'inquiète, dit-elle. Elle devrait t'inquiéter aussi, Mikael. L'heure tourne. Tic, tac. Enfin, tu as sûrement perdu la notion du temps, non ? Eh bien, je peux te dire qu'il est déjà 11 heures passées et que, si elle voulait t'aider, elle nous contacterait tout de suite. Mais pas un signe. Peut-être qu'elle ne t'aime pas tant que ça, Mikael, dit en souriant Camilla. Elle est peut-être jalouse de tes autres femmes. De ta petite Catrin, par exemple.

Une secousse parcourut Mikael.

— Qu'est-ce que vous lui avez fait ?

— Rien, cher Mikael, rien. Pas encore. Mais Lisbeth a l'air de préférer te laisser mourir que collaborer avec nous. Elle te sacrifie – comme tant d'autres.

Fermant les yeux, Mikael fouilla sa mémoire à la recherche de ce qu'il croyait vouloir lui dire, mais impossible de se concentrer, la douleur refoulait tout le reste.

— C'est vous qui me sacrifiez, pas elle.

— Nous ? Mais non. Nous avons fait une proposition à Lisbeth ; elle ne l'a pas acceptée. Finalement, je n'ai rien contre. Qu'elle vive la perte d'un être important. Tu as bien été important pour elle, à une époque ?

Elle lui caressa les cheveux. À cet instant, Mikael perçut dans son visage quelque chose d'inattendu : une ressemblance avec Lisbeth, peut-être pas physique, mais dans cette rage muette au fond de ses yeux. Il bégaya :

— Ceux qui…

Il luttait pour dominer la douleur.

— Quoi, Mikael ?

— … comptaient pour elle, c'étaient sa mère et Holger. Elle les a déjà perdus, dit-il, comprenant du même coup ce qu'il cherchait.

— Qu'est-ce que tu veux dire ?

— Que Lisbeth sait déjà ce que ça signifie de perdre un proche alors que toi, Camilla…

— Alors que moi ?

— … tu as perdu bien pire.

— Quoi ?

Il serra les mâchoires et cracha :

— Une partie de toi.

— Comment ça ?

Un éclair de fureur traversa les yeux de Camilla.

— Tu as perdu ta mère et ton père.

— C'est vrai.

— Une mère qui a choisi d'ignorer ce que tu subissais et un père… que tu aimais… mais qui abusait de toi, et je crois…

— Qu'est-ce que tu crois, sale con ?

Il ferma les yeux, tentant de rassembler ses esprits.

— Que celle qui a le plus souffert, dans ta famille, c'est toi. Tout le monde t'a trahie.

Camilla lui saisit le cou.

— Quelles idées stupides Lisbeth t'a mises dans le crâne ?

Il manqua d'air. Non seulement Camilla lui faisait une prise d'étranglement, mais il eut l'impression que le feu approchait insidieusement. Il avait sans doute commis une erreur. Son intention avait été de la sensibiliser, et il l'avait rendue furieuse.

— Réponds ! cria-t-elle.

— Lisbeth m'a dit que…

Il haletait bruyamment, le souffle court.

— Quoi ?

— Qu'elle aurait dû comprendre pourquoi Zala venait te chercher la nuit mais qu'elle était tellement occupée à sauver sa mère qu'elle était passée à côté.

Camille lâcha prise et donna un coup dans le brancard. Les pieds de Mikael heurtèrent le bord du fourneau.

— Ah bon ? Elle a dit ça ?

Le pouls de Mikael s'emballa.

— Elle n'avait pas compris.

— Foutaises.

— Non.

— Elle le savait. Elle l'a toujours su ! cria Camilla.

— Calme-toi, Kira, dit Ivan.

— Pas question, vociféra-t-elle. Lisbeth lui a dit des mensonges.

— Elle ne le savait pas, bégaya Mikael.

— C'est ce qu'elle t'a dit ? Tu veux savoir ce qui s'est vraiment passé avec Zala ? Tu veux le savoir ? Zala a fait de moi une femme. Selon ses propres termes.

Soudain hésitante, Camilla chercha ses mots.

— Il a fait de moi une femme, exactement comme je fais de toi un homme aujourd'hui, Mikael, reprit-elle en se penchant en avant, plongeant ses yeux dans les siens.

Pendant qu'elle le dévisageait avec fureur, consumée par la soif de vengeance, quelque chose en elle changea néanmoins.

Une lueur de fragilité traversa son regard. Mikael crut avoir suscité une émotion – peut-être se reconnaissait-elle en lui, dans sa situation d'extrême vulnérabilité. Cela dit, il se trompait sûrement. Un instant plus tard, elle tourna les talons et sortit en gueulant quelques phrases en russe – des ordres, à ce qu'il semblait.

Mikael se retrouva seul avec le prétendu Ivan. Il n'y avait plus qu'à éviter de plonger les yeux dans le brasier et, si possible, supporter la douleur.

13 mai 2008

LORSQUE KLARA VIT les grimpeurs dans les nuées de neige, elle s'effondra, roula en bas de la pente, loin de Nima Rita, et percuta le corps d'un homme. Mort ? Non, en vie. Il remuait. Équipé d'un masque à oxygène qui empêchait Klara de le reconnaître, il la regarda, secoua la tête et lui tapota l'épaule.

Puis il ôta son masque et ses lunettes. Elle vit à ses yeux qu'il lui souriait et fit de même, enfin, essaya. Mais là-haut, rien n'était fait pour durer. Peu après, elle entendit une dispute au-dessus d'eux. Elle n'en saisit que des fragments. Il s'agissait de tout ce que Johannes – était-ce bien "Johannes" ? – avait fait pour Nima, et ferait encore. Lui bâtir une maison. S'occuper de Luna. Klara ne fit pas le lien avec elle-même.

Elle avait si mal. Étendue dans la neige, impuissante, incapable de se relever, elle priait Dieu que Nima l'aide encore. D'ailleurs, il se pencha au-dessus d'elle. Elle eut l'impression que le monde lui tendait la main. Sauvée. Elle allait revoir sa fille et rentrer chez elle. Mais ce ne fut pas elle que Nima releva.

Ce fut l'autre, l'homme. D'abord, cela n'inquiéta pas Klara. En premier lieu, il s'occupait de l'inconnu. Peu importait. Levant les yeux, elle vit l'homme pendu à Nima exactement comme elle auparavant. Le troisième homme allait sûrement l'aider – celui qui avait chahuté Nima. Mais le temps passa. Puis il se produisit quelque chose de profondément angoissant. Les trois hommes s'éloignèrent, chancelants. Ils n'allaient quand même pas l'abandonner ?

— Non ! cria-t-elle. Pitié ! Ne me laissez pas !

Ils ne se retournèrent même pas. Elle les suivit des yeux alors qu'ils disparaissaient dans la tourmente. Lorsqu'elle n'entendit plus les crissements de leurs pas, elle fut saisie par l'épouvante. Elle cria tant qu'elle en eut la force. Puis elle pleura en silence, envahie par un désespoir vertigineux, inimaginable.

DANS UNE PETITE ANNEXE récemment construite, Jurij Bogdanov était assis non loin de Kira qui, enfoncée dans un fauteuil en cuir, buvait nerveusement un bourgogne blanc hors de prix qu'on avait évidemment importé rien que pour elle.

Bogdanov avait les yeux rivés sur son ordinateur. Il surveillait une rangée d'écrans vidéo : Blomkvist se tordant de douleur, des images de la plaine autour du bâtiment. Il s'agissait d'une verrerie désaffectée où l'on fabriquait autrefois des vases et des bols de luxe. Kira l'avait achetée quelques années auparavant. Isolé, loin de toute zone habitée, à l'orée de la forêt, le bâtiment était équipé de larges vitres, mais calfeutrées. De plus, Bogdanov avait méticuleusement vérifié que la totalité des personnes impliquées se montreraient extrêmement prudentes. Selon toute probabilité, ils y étaient en sûreté. Mais Bogdanov se sentait mal à l'aise. Il pensait de temps en temps à Wasp et à tout ce qu'il avait entendu à son sujet. On disait qu'elle avait piraté l'intranet de la NSA et lu des documents auxquels même le président des États-Unis n'avait pas accès. Elle avait en quelque sorte accompli l'impossible. Dans le monde de Bogdanov, Wasp était une légende, alors que Kira… Mon Dieu, Kira.

Il lui lança un regard en biais – la belle Kira avait tiré Bogdanov du ruisseau et l'avait rendu riche. Il lui devait tout, y compris une infinie gratitude et, pourtant, il s'en était lassé. Il le sentait, comme une lourdeur inopinée dans les membres. Ras le bol des menaces, des coups, de la soif de vengeance. Sans bien savoir pourquoi, il ouvrit la boîte mail qu'il avait récemment créée et resta pendant quelques secondes immobile, envahi par une étrange exaltation.

Puis il écrivit leurs coordonnées GPS, se disant que s'ils ne parvenaient pas à trouver Wasp, elle n'avait qu'à venir à eux.

LISBETH ÉTAIT ASSISE devant son ordinateur portable dans une aire de repos de l'E4, à proximité d'Eskesta, lorsqu'une voiture s'arrêta sur la bretelle : une Volvo V90. Lisbeth sursauta et agrippa son arme, sous son blouson. Fausse alerte : un couple sortit, accompagné d'un petit garçon qui avait envie de faire pipi.

Lisbeth les quitta du regard. Elle venait de recevoir un message de Plague qui contenait… Quoi, au juste ?… Pas une révélation, loin de là, mais tout de même une nouvelle direction : plus à l'est.

C'était ce qu'elle espérait. Ce foutu Peter Kovic du Svavelsjö avait merdé. Il s'était laissé filmer à 3 h 37 du matin par la caméra de surveillance d'une station-service de Rocknö, au nord de Tierp, plus précisément dans l'Industrigatan. Il avait vraiment une sale gueule : grand, bouffi et flasque. Dans la vidéo, il retirait son casque et buvait au goulot d'une bouteille gris métallisé. Ce qu'il ne buvait pas, il se le versait sur les cheveux et le visage. Il semblait essayer de se requinquer après une gueule de bois monstrueuse.

Elle répondit :

[Et après, vous l'avez suivi ?]

Plague écrivit :

[Après ça, *nada.*]

[Son téléphone n'émet plus ?]

[Que dalle.]

Ça signifiait que le soûlard pouvait être allé n'importe où : en pleine forêt norrlandaise ou vers la côte. Lisbeth n'avait donc toujours aucune idée d'où on avait emmené Mikael. Elle domina son envie de hurler et de donner des coups partout, et se demanda s'il ne valait pas mieux contacter les raclures pour voir si elle arrivait à leur soutirer quelque chose. Voilà pourquoi elle ouvrit la boîte mail dont elle avait reçu l'adresse. Étonnée, elle découvrit un message de deux lignes : des chiffres et des lettres. Pendant un bref instant, elle se demanda de quoi il s'agissait. Puis elle comprit : des coordonnées GPS. Elles conduisaient à Morgonsala, dans l'Uppland.

Morgonsala.

Qu'est-ce que ça signifiait ? D'abord, on avait essayé de la faire venir dans les environs de Sunnersta, en étant sacrément précis sur la démarche à suivre. Et tout à coup, rien, pas un mot, juste les coordonnées d'un point situé… Où ?… Elle regarda de plus près : en pleine cambrousse, dans les champs. Morgonsala, lut-elle, une municipalité de soixante-huit habitants au nord-est de Tierp principalement constituée de forêt et de plaine. Le village possédait une église, bien sûr, quelques vestiges de l'Antiquité et puis des bâtiments industriels désaffectés construits dans les années 1970 et 1980, une période où l'esprit d'entreprise bouillonnait dans la commune. Lisbeth trouva cela vaguement intéressant. Elle chercha le point sur Google Earth et découvrit en plein champ, près de la forêt, un long bâtiment rectangulaire en brique muni de grandes verrières.

Il pouvait très bien servir de repaire à des criminels – comme tous les bâtiments isolés dans le grand pays de Suède. Elle avait l'embarras du choix. Mais enfin, pourquoi désigner celui-là en particulier ? Elle ne comprenait pas. Une fausse piste ? Un piège ?

Consultant à nouveau la carte, elle vit que Rocknö, où Peter Kovic s'était arrêté pour se verser de l'eau sur la figure, se trouvait très exactement sur le chemin de Morgonsala. Elle émit un marmonnement exalté.

Y avait-il une fuite dans l'entourage de Camilla ? Était-ce possible ? Certes, les voyous du Svavelsjö n'avaient sans doute pas apprécié de devoir s'en prendre à un type comme Mikael. Ils devaient trouver ça trop risqué. Mais alors, pourquoi transmettre l'information à Lisbeth ? Qu'espéraient-ils en retour ?

Ça ne collait pas. Il fallait néanmoins explorer la piste. Elle écrivit à Plague :

[Je tiens peut-être une piste à Morgonsala.]

Il répondit :

[Tell me.]

Elle lui envoya les coordonnées GPS, puis :

[J'y vais. Tu pourrais foutre la merde dans le voisinage ?]

[J'adore foutre la merde. Comment ?]

[Coupures d'électricité, envois massifs à tous les téléphones mobiles.]

[Compris.]

[Je te tiens au courant.]

Elle enfourcha sa moto et partit vers Morgonsala. Après quelques minutes, le vent se leva. Le ciel se couvrait. Elle serrait si fort le guidon que ses doigts blanchissaient dans ses gants.

32

LE 28 AOÛT

IVAN GALINOV REGARDAIT le journaliste sur son brancard. Un type résistant. Cela faisait longtemps qu'il n'avait pas vu quelqu'un supporter la douleur avec tant de stoïcisme. Enfin, ça ne changeait rien. L'heure tournait, on ne pouvait plus attendre. Le journaliste devait mourir – peut-être pour rien. Peu importait. Blomkvist avait été conduit en ce lieu par les ombres du passé. Par le feu lui-même, pourrait-on dire.

Galinov n'avait pas, comme tant de ses collègues du GRU, applaudi lorsque la fillette de douze ans avait jeté un cocktail molotov sur Zalachenko, son père, le regardant ensuite brûler dans son véhicule. Un peu à l'écart, il s'était juré intérieurement de le venger, tôt ou tard. Bien sûr, il avait été stupéfait le jour où il avait appris que Zalachenko, son meilleur ami et mentor, avait fait défection, devenant la pire des choses imaginables : un traître.

Il avait ensuite compris que les choses n'étaient pas si simples, et ils avaient repris contact. Tout était redevenu comme avant, enfin, presque. Ils se retrouvaient dans des lieux de rendez-vous secrets pour échanger des informations et construire ensemble la Zvezda Bratva. Personne, pas même le père de Galinov, n'avait eu autant d'importance à ses yeux que Zalachenko. Même si Zala avait fait énormément de mal – des choses indispensables à l'exercice du métier, mais également d'autres, contre sa propre chair –, Galinov ne cesserait jamais d'honorer sa mémoire. D'ailleurs, c'était un des aspects du drame qui l'avait conduit jusque-là.

Il aurait fait n'importe quoi pour Kira. Il voyait en elle un mélange de lui-même et de Zala, de qui trahit et de qui est trahi, un être qui a souffert et fait souffrir les autres. Il ne l'avait jamais vue dans une telle détresse qu'après sa conversation avec Blomkvist, sur le brancard. Galinov releva le menton. L'après-midi était arrivé, la fatigue envahissait son corps, ses yeux le brûlaient. Enfin, il fallait achever le travail. Contrairement à Kira et à Zala, il n'aimait pas ça. Il s'agissait d'un devoir à accomplir, ni plus ni moins.

— Maintenant, nous allons en finir, Mikael, dit-il. Vous vous en sortirez très bien.

Blomkvist ne répondit pas. Serrant les mâchoires, il resta vaillant. Son brancard était trempé de sueur. Ses pieds, gravement brûlés et entaillés. Face à lui, le brasier ouvrait sa gueule monstrueuse, avide de le dévorer. Galinov n'avait aucun mal à s'imaginer à la place du journaliste.

Il avait lui-même été torturé. Il s'était cru sur le point d'être exécuté. Dans une sorte de quête de réconfort pour son propre compte et celui de Blomkvist, il songea qu'il existait sûrement une limite à la douleur, un point au-delà duquel le corps se déconnectait. En effet, quelle logique évolutionniste y avait-il à ce que l'être humain puisse souffrir sans limite, même quand l'espoir n'était plus permis ?

— Vous êtes prêt ? demanda-t-il.

— J'ai... dit le journaliste.

Il n'eut pas la force d'en dire plus. Tant pis. Galinov contrôla les rails du brancard, s'essuya les joues, aperçut fugacement son reflet dans le cadre métallique du fourneau et se prépara pour l'opération.

MIKAEL AURAIT VOULU RACONTER n'importe quoi pour qu'on lui laisse un petit répit mais, submergé par un raz-de-marée de souvenirs, il manqua de force. Il était traversé par des visions de sa fille, de ses parents, de Lisbeth, d'Erika, de tout et de n'importe quoi. Dépassé. Il sentait son corps s'arcbouter, les jambes et les hanches parcourues de secousses. Il se dit : *Ça y est, je suis brûlé vif.* Il leva les yeux vers Ivan, mais sa vue était trouble.

La pièce semblait plongée dans le brouillard. Mikael n'était pas certain que les plafonniers clignotent vraiment – il pouvait s'agir d'une hallucination. Pendant un bon moment, il crut que l'obscurité était un effet de sa terreur mortelle. En fait, non, il se produisait quelque chose de bizarre. Il entendit des pas et des voix, puis vit Ivan se retourner et dire en suédois :

— Nom d'un chien ! Qu'est-ce qui se passe ?

On lui répondit sur un ton contrarié. Mikael ne comprenait rien. Tout à coup, l'agitation régnait. L'électricité était réellement coupée, plus rien ne marchait sauf le fourneau, qui brûlait encore avec la même intensité gloutonne. Mikael ne se trouvait qu'à quelques centimètres d'une mort douloureuse. Mais cette pagaille devait tout de même signifier… qu'il y avait encore un espoir… Autour de lui, il distingua des ombres qui se déplaçaient dans l'obscurité.

Une intervention policière ? Il tenta d'isoler la douleur pour raisonner. Pouvait-il contribuer à la panique ? Leur dire qu'ils étaient encerclés ? Foutus ? Non, cela les inciterait à l'enfourner sur-le-champ. Son gosier se serra. Manquant d'air, il regarda les courroies de cuir tendues autour de ses jambes : neuves – les précédentes avaient brûlé, s'enfonçant dans sa chair. Ses mollets grondaient de douleur. Sa peau était réduite en lambeaux. Et pourtant… Pouvait-il s'arracher de ses liens ? Il décida de faire une tentative. Il souffrirait atrocement, c'était certain. Ne prenant pas le temps d'anticiper la douleur, il ferma les yeux et parvint à prononcer :

— Merde… Le plafond s'écroule.

Le prétendu Ivan leva les yeux. Mikael inspira une grande bouffée d'air et tira violemment ses jambes des courroies en poussant un hurlement démentiel qui déchira l'atmosphère. Puis, sans réfléchir, il donna un coup de pied dans le ventre d'Ivan. Tout devint flou, sa vue vacilla. La dernière chose qu'il remarqua avant de perdre connaissance, ce furent des voix qui criaient :

— Abattez-le !

Mai 2008

LE LENDEMAIN, EN CHEMIN vers le camp de base, elles lui revinrent, les paroles qu'il avait vaguement perçues à travers le rugissement de la tourmente, les derniers appels désespérés de Klara : "Pitié, ne me laissez pas !"

C'était au-delà du supportable. Cette phrase résonnerait en lui pour le restant de ses jours, nul doute. Mais rien n'était simple. Le fait d'être en vie lui procurait une énergie grisante. Il priait Dieu de le laisser survivre jusqu'en bas pour qu'il puisse à nouveau se faire enlacer par Rebecka. Non, décidément, il n'éprouvait pas seulement des remords. Il voulait vivre. Il était plein de gratitude envers Nima, bien sûr, mais aussi envers Svante. Sans lui, il serait mort, et pourtant : il n'avait pas le courage de le regarder dans les yeux et préférait se tourner vers Nima Rita. D'ailleurs, il n'était pas le seul. Tout le monde observait avec inquiétude Nima Rita.

Le sherpa était devenu une vraie épave. On envisagea d'appeler un hélicoptère pour le transporter à l'hôpital, mais il refusait toute aide, en particulier celle de Svante et de Johannes. C'était alarmant. Car on ne pouvait l'ignorer : qu'allait-il raconter lorsqu'il retrouverait ses esprits ? L'idée tourmentait Johannes. Et Svante, encore plus. L'ambiance devenait de plus en plus tendue. Finalement, Johannes décida de ne plus y penser. Tant pis, advienne que pourra. À mesure qu'ils approchaient du refuge, ses forces s'épuisaient et sa volonté de vivre se transformait en apathie. Lorsque, finalement, il put serrer Rebecka dans ses bras, il ne ressentit rien de ce qu'il avait si ardemment espéré. Pas de réconfort, pas de désir, seulement une enclume dans la poitrine.

Il mangea et but à peine. Il dormit, voilà tout. À son réveil, après une nuit de quatorze heures, il resta plus ou moins muet. Il avait l'impression que ce paysage de montagne vertigineux était couvert de cendre. Nulle part il ne trouvait de consolation, pas même dans le sourire de Rebecka. La vie lui semblait morte. Seule une idée fixe l'animait : il fallait qu'il raconte les événements. Mais le moment était sans cesse repoussé, d'abord par les regards angoissés de Svante, puis par l'annonce que Nima ne pourrait pas reprendre sa carrière de grimpeur. Johannes allait-il tirer sur l'ambulance ? Allait-il dénoncer l'homme qui s'était à tous égards comporté en héros, l'homme qui lui avait sauvé la vie, l'homme qui avait laissé mourir une femme dans la tempête ?

Impensable. Pourtant, c'est ce qui se serait passé si Svante ne l'avait pas rejoint quand ils quittaient le camp de base, quelque part à hauteur de Namche Bazar, non loin d'un ravin qui surplombait un ruisseau gazouillant. Johannes marchait alors seul. Rebecka le devançait. Quelque part à l'avant, elle s'occupait de Charlotte Richter, qui s'inquiétait pour ses gelures aux orteils. Svante entoura de son bras l'épaule de Johannes et dit :

— Il ne faudra jamais rien dire. Tu le comprends, hein ?

— Désolé, Svante, mais je dois le faire. Sans ça, je ne pourrai plus me regarder dans la glace.

— Je comprends, l'ami. Je comprends bien. Mais on est pris au piège.

De sa voix la plus aimable, Svante lui expliqua ce que les Russes avaient sur eux. Dans ce cas, cela attendrait, répondit Johannes.

Il se peut qu'il le vécût comme une planche de salut, une échappatoire, une bonne excuse pour éluder son sens du devoir.

PAS FACILE, LA GÉOGRAPHIE. Lisbeth évita la route indiquée – enfin, dans l'idée où il s'agissait du bon bâtiment – et opta pour un sentier forestier assez glissant. Désormais, sa moto garée dans des buissons de myrtilles, elle guettait l'usine, debout derrière un pin.

Pour commencer, ne voyant aucun signe de vie à l'intérieur, elle se dit que l'information était un rideau de fumée ou une fausse piste. La bâtisse allongée, de pierre et de brique, évoquait d'anciennes écuries. De plus, elle présentait des signes de délabrement. Le toit avait besoin de réparations et la peinture s'écaillait sur les côtés. Depuis sa position, Lisbeth ne repéra ni voiture ni moto. Après un moment, elle remarqua néanmoins que de la fumée sortait d'une cheminée et donna l'ordre à Plague de déclencher l'opération.

Peu après, une silhouette pointa la tête hors du bâtiment : un homme en habits sombres aux cheveux longs. Elle le discernait mal mais nota qu'il jetait des coups d'œil anxieux aux alentours – un signe amplement suffisant.

Elle assembla son IMSI-catcher, sa station de base mobile. Un autre type regarda au-dehors, aussi nerveusement que le premier. Dorénavant, Lisbeth était sûre qu'il s'agissait d'eux, et qu'ils étaient nombreux. Surtout s'ils retenaient Mikael à l'intérieur. Elle photographia le bâtiment et envoya ses coordonnées GPS dans un message crypté au commissaire Bublanski, espérant que la police ne tarderait pas à intervenir. Puis elle s'approcha. C'était évidemment risqué.

Devant le bâtiment, le terrain était découvert, elle n'avait nulle part où se cacher mais voulait jeter un coup d'œil à travers les grandes verrières, qui s'étendaient tout le long de la façade jusqu'au sol. Le vent soufflait, le ciel s'était assombri, elle avançait recroquevillée, prête à tirer son arme. Soudain, elle se mit à reculer. De toute façon, elle ne verrait rien à travers les vitres noircies. Ayant la sensation d'un danger imminent, elle fit demi-tour, puis consulta son téléphone. Elle avait intercepté un SMS.

[On a ordre de le griller et de se tirer d'ici.]

Difficile de décrire ce qui se déroula ensuite. Lisbeth pensait avoir hésité, comme sur le boulevard Tverskoï, mais Conny Andersson qui, au même instant, la découvrait sur un écran de surveillance, eut au contraire l'impression d'une silhouette mue par une détermination implacable. Elle se précipita vers la forêt.

BOGDANOV LA VIT ÉGALEMENT sur son écran mais, contrairement à Conny, ne lança pas l'alerte. Il la suivit des yeux, fasciné malgré lui, alors qu'elle disparaissait parmi les arbres. Pendant quelques secondes, elle resta hors de vue. Puis un bruit de moteur retentit, une accélération. Il regarda l'écran : elle fonçait droit sur eux à moto. L'engin bondissait, volait à travers la plaine. Bogdanov se dit qu'il s'agissait des dernières images qu'il verrait jamais d'elle.

Des tirs crépitèrent, du verre se brisa et la moto fit un dérapage dans l'herbe. Bogdanov ne regarda pas la fin. Ayant attrapé ses clefs de voiture sur la table, il fila, pris par une brusque envie de liberté, enfin, de fuir ce qui allait sans nul doute mal se terminer, soit pour eux, soit pour Wasp.

MIKAEL OUVRIT LES YEUX et vit devant lui un homme dans le brouillard, un gars bouffi et mal rasé âgé d'une quarantaine d'années, cheveux longs, mâchoires carrées et yeux injectés de sang. Les mains du type tremblaient ; d'une poigne instable, il brandissait un pistolet. Il lança un regard nerveux à Ivan, qui peinait encore à retrouver son souffle.

— Je lui tire dessus ? cria l'homme.

— Oui ! dit Ivan. Il faut partir !

Mikael se mit à mouliner des jambes, comme si ses pieds en lambeaux pouvaient parer les coups de feu. Il eut le temps de voir le visage du type se crisper de concentration, son front se rider et les muscles de ses avant-bras se tendre. Il hurla : "Non ! Merde ! Non !" Au même instant, il entendit le moteur rugissant d'une voiture ou d'une moto approcher à une allure ahurissante. Le type se tourna.

Tout autour, la fusillade faisait rage. Peut-être y avait-il des mitraillettes – impossible de distinguer précisément les sources des tirs. Une chose était néanmoins sûre : le véhicule était lancé vers eux. Un choc retentit. Du verre vola en éclats. Une moto vrombissait dans le local, conduite par une maigre silhouette vêtue de noir, une femme, crut Mikael. Elle fonça sur un homme, et fut projetée contre un mur par la collision.

Pendant ce temps, la fusillade continuait. Le bouffi à la mâchoire carrée tirait, non pas sur Mikael mais sur la femme désarçonnée. Il la manqua plusieurs fois. À nouveau en mouvement, elle courut furieusement vers lui, rapide comme l'éclair. Mikael vit le visage d'Ivan figé par la peur ou la concentration. Soudain, au milieu des coups de feu et des cris, il ne comprit plus rien. Nauséeux, il sombra dans la douleur.

CATRIN, KOWALSKI et les Forsell étaient allés chercher des plats indiens et avaient fait une pause, puis s'étaient rejoints dans le salon. Catrin tentait de rassembler ses esprits. Elle avait besoin de savoir exactement ce que Lindberg avait dit à Forsell en revenant du camp de base.

— Je croyais que c'était pour mon bien, dit Johannes. Il a mis son bras autour de mon épaule et m'a dit que si on racontait ce qui nous était arrivé, il redoutait d'autres accusations. Bref, qu'on risquait gros.

— Qu'est-ce qu'il voulait dire ?

— Que les responsables du GRU avaient découvert nos activités. Et qu'ils se demandaient sûrement déjà s'il y avait un lien entre la mort de Grankin et notre participation à l'expédition. Svante a ajouté, toujours sur le même ton amical : "Ça fait longtemps qu'ils veulent ta peau, tu le sais bien." C'était vrai, je le savais. Le GRU me considérait comme dangereux. Je les agaçais. Svante m'a rappelé qu'ils avaient sûrement des infos compros sur moi.

— Des infos compros ?

— Des informations compromettantes.

— Il parlait de quoi, au juste ?

— D'une histoire concernant le ministre Antonsson.

— Le ministre du Commerce ?

— Oui. À l'époque, au début des années 2000, Sten Antonsson venait de divorcer. Un peu paumé, il est tombé amoureux d'une jeune Russe dénommée Alisa. Il était au septième ciel, le pauvre. Mais pendant un voyage à Saint-Pétersbourg, auquel je participais aussi, ils ont bu des litres de champagne dans leur chambre d'hôtel. En pleine fête, Alisa s'est mise à l'interroger sur des sujets sensibles. Ça a dû faire tilt. Il ne s'agissait donc pas du grand amour. Antonsson était tombé dans le piège tout à fait classique du pot de miel. Il a craqué. Il s'est mis à hurler, à gesticuler, ses gardes du corps ont accouru. Au milieu de cette pagaille monstrueuse, quelqu'un a eu l'idée idiote de me faire interroger la femme. On m'a fait venir dans la chambre.

— Que s'est-il passé ?

— Je suis arrivé en trombe et j'ai découvert Alisa en culotte de dentelle, porte-jarretelles et tout le tralala, en pleine crise d'hystérie. J'ai essayé de la calmer. Elle hurlait, elle exigeait de l'argent. Sinon, elle menaçait d'accuser Antonsson de violence. J'ai été pris au dépourvu. Comme j'avais un paquet de roubles sur moi, je les lui ai donnés. Ce n'était pas joli joli mais, sur le coup, c'est la seule solution que j'ai trouvée.

— Vous craigniez qu'on vous ait filmé ou photographié ?

— Oui, et quand Svante m'a rappelé l'incident, tout est devenu encore plus compliqué. Je pensais à Becka. À l'amour que j'éprouvais pour elle. J'avais une trouille bleue qu'elle ne me prenne pour un type louche.

— Alors vous avez décidé de vous taire.

— J'ai décidé d'attendre, et quand j'ai remarqué que Nima ne disait rien non plus, j'ai attendu encore un peu. Le temps a passé. Et puis nous avons eu d'autres ennuis.

— Quels ennuis ?

Janek Kowalski prit le relais :

— Une fuite. Le GRU a appris que Johannes avait tenté de recruter Grankin.

— Comment est-ce possible ?

— On croyait que c'était Stan Engelman, reprit Kowalski. Pendant l'été et l'automne, nous avons reçu des renseignements provenant de plusieurs sources différentes concernant son appartenance présumée à la Zvezda Bratva. On le soupçonnait d'avoir infiltré l'expédition, c'est-à-dire d'y avoir placé une taupe qui l'aurait tenu au courant des échanges entre Johannes et Viktor. On pensait même qu'il pouvait s'agir de Nima Rita.

— Mais ce n'était pas le cas...

— Non. Cela dit, le GRU avait été informé, aucun doute là-dessus. D'après ce que nous savions, les Russes ne possédaient pas de preuve catégorique, mais enfin... Nous avons déposé une réclamation auprès du gouvernement suédois. Certains ont même prétendu que les pressions exercées par Forsell auraient contribué au stress de Grankin et lui auraient donc en partie coûté la vie. Puis Johannes a été expulsé de Russie, comme vous le savez déjà.

— C'était à cause de ça ?

— Entre autres. À l'époque, la Russie expulsait des diplomates à la pelle. Mais oui, ça a joué, et on y a tous perdu gros.

— Tous sauf moi, dit Johannes. Ça a été le début d'une étape très stimulante de ma vie. J'ai vécu mon départ de l'armée comme une immense libération. Je me suis marié avec la femme que j'aimais, j'ai développé l'entreprise de mon père, j'ai eu des enfants. J'ai profité des merveilles de la vie.

— Dangereux, dit Kowalski.

— Cynique, dit Rebecka.

— C'est vrai. Plus on est heureux, plus on a tendance à baisser la garde.

— Je suis devenu imprudent. Je n'ai pas tiré les conclusions qui s'imposaient, dit Johannes. J'ai continué à considérer Svante comme un homme de confiance et un soutien. Je l'ai même nommé secrétaire d'État.

— Une erreur ? dit Catrin.

— C'est le moins qu'on puisse dire. D'ailleurs, dès le départ, j'ai été rattrapé par le passé.

— Vous avez été victime d'une campagne de désinformation.

— Oui, mais surtout, Janek m'a rendu visite.

— Que voulait-il ?

— Je voulais lui parler de Nima Rita, dit Kowalski.

— C'est-à-dire ?

— Vous comprenez, j'avais longtemps gardé le contact avec Nima, reprit Johannes. Je lui avais donné de l'argent quand il en avait besoin, je l'avais aidé à construire une maison au Khumbu. En fait, rien de tout ça n'avait d'importance. Après la mort de Luna, il a sombré dans la maladie. Je lui ai parlé une ou deux fois au téléphone. Je comprenais à peine ce qu'il me disait. Des divagations. Il était complètement incohérent, et personne n'avait plus la patience de l'écouter. Cela dit, il était considéré comme inoffensif – même par Svante. Mais à l'automne 2017, la situation a changé. Une journaliste de *The Atlantic*, Lilian Henderson, a décidé d'écrire un livre sur l'expédition. Il devait paraître l'année suivante, à temps pour la commémoration, dix ans après le drame. Lilian connaissait le sujet sur le bout des doigts. Non seulement elle était au courant de la liaison amoureuse de Viktor et Klara, mais aussi des relations de Stan Engelman avec la Zvezda Bratva. Elle avait même enquêté sur une rumeur comme quoi Engelman aurait prévu de faire mourir sa femme et Grankin en montagne.

— Mon Dieu…

— En effet. Elle avait interviewé Stan à New York, en n'hésitant pas à le bousculer. Bien entendu, Stan avait nié en bloc. Lilian Henderson n'allait peut-être pas parvenir à prouver toutes les accusations, mais Engelman a dû tout de même la considérer comme un réel danger.

— Qu'est-ce qui s'est passé ?

— Elle a commis une imprudence. Elle a mentionné qu'elle allait partir au Népal pour rencontrer Nima Rita, qui était considéré, je vous l'ai dit, comme inoffensif, mais pas nécessairement face à une journaliste d'investigation suffisamment renseignée pour arriver à disséquer son discours et à y distinguer les faits des divagations.

— Et les faits étaient… ?

— Ceux qu'examinait Lilian, justement, dit Kowalski.

— C'est-à-dire ?

— Un homme de notre ambassade au Népal a lu les journaux muraux de Nima à Katmandou. Il y écrivait noir sur blanc qu'Engelman lui avait demandé de tuer Mamsahib sur la montagne. Enfin, apparemment, il l'écrivait "Angelman", comme si un ange du mal était descendu du ciel pour lui donner des ordres.

— Vous voulez dire que c'était vrai ? demanda Catrin.

— Nous le pensons, continua Kowalski. Nous croyons que pendant un temps, Stan Engelman a envisagé de charger Nima de la mission.

— Est-ce possible ?

— Engelman a dû devenir très nerveux quand il a su que Klara et Grankin intriguaient pour avoir sa peau.

— Comme a réagi Nima ? Quelqu'un le sait ?

— Il a été secoué, bien sûr, dit Johannes. Pendant toute sa vie, il avait œuvré pour secourir les gens et sauver des vies, pas le contraire. Il a refusé, bien sûr. Mais plus tard, après avoir malgré tout contribué à la mort de Klara, il a quand même été tourmenté par le remords. Assez logique, malheureusement. Il a été rongé par la culpabilité et la paranoïa. À l'automne 2017, quand Janek m'a rendu visite, Nima essayait désespérément d'avouer ses péchés à Katmandou. Il voulait se confesser au monde.

— Oui, ça en avait tout l'air, dit Kowalski. J'ai informé Johannes des dangers qui pèseraient sur Nima Rita s'il rencontrait Lilian Henderson. Stan Engelman et la Zvezda Bratva risquaient de vouloir se débarrasser de lui. Johannes trouvait que nous lui devions soin et protection.

— C'est ce que vous lui avez fourni ?

— Oui.

— Comment ça s'est passé ?

— Nous avons monté une opération dont Klas Berg, à la direction du Renseignement militaire, a été informé. Nous avons fait venir Nima Rita par un vol diplomatique anglais, puis l'avons fait interner à l'Aile sud, au bord de l'Årstaviken où, malheureusement…

— Quoi ? dit Catrin.

— Il n'a pas été très bien pris en charge, précisa Johannes. Je…

— Vous… ?

— Je ne lui ai pas rendu visite aussi souvent que j'aurais dû. J'étais très occupé. Mais surtout, ça me faisait trop mal de le voir dans cet état.

— Vous avez préféré continuer à nager dans le bonheur.

— Oui, on peut le dire comme ça. Mais ça n'a pas duré.

33

LE 28 AOÛT

AU MOMENT OÙ LA MOTO brisait la verrière, Lisbeth Salander baissa brièvement la tête. La relevant, elle vit un homme en veston de cuir la tenir en joue et tirer. Elle fonça droit sur lui. Le choc violent envoya Lisbeth voler à travers les airs. Elle heurta un mur et atterrit sur une poutre en fer. Une seconde plus tard, elle était à nouveau sur pied. S'élançant derrière un pilier pour s'abriter, elle en profita pour enregistrer visuellement les détails du bâtiment : nombre d'hommes et d'armes, distances, obstacles et, plus loin, le fourneau qu'elle avait vu dans la vidéo.

Au fond, un homme en costume blanc pressait un torchon sur le visage de Mikael. Dominée par une force intérieure indomptable, Lisbeth se lança vers eux sans même en avoir conscience – elle ne s'en aperçut que quand elle était déjà à mi-chemin. Une balle toucha son casque. D'autres sifflèrent autour d'elle alors qu'elle ripostait. Un homme s'affaissa à côté du fourneau. Mieux que rien. Elle n'avait aucun plan.

Elle fonçait, voilà tout. Elle vit l'homme en blanc attraper le brancard de Mikael et s'apprêter à l'enfoncer dans le fourneau. Elle tira, puis, ayant manqué sa cible, se précipita sur l'homme et le renversa. Ils tombèrent par terre, pêle-mêle. Dès lors, tout devint flou, ou presque.

Elle savait que, d'un coup de boule, elle lui avait brisé le nez. Se relevant, elle avait abattu encore une ombre, puis elle était parvenue à détacher la courroie de cuir qui retenait l'un des bras de Mikael – une erreur monumentale. Enfin, elle croyait bien faire. Le brancard était posé sur des rails. Une simple impulsion, et il roulerait dans le fourneau. La manipulation de la courroie ne prit que quelques secondes mais lui fit perdre son attention à un moment crucial.

Frappée dans le dos et touchée au bras par une balle, elle tomba en avant et ne fut pas assez rapide pour éviter un coup de pied dans la main, qui la désarma. Un désastre, ni plus ni moins. Avant qu'elle ait pu se relever, elle était encerclée. On allait certainement l'abattre sur-le-champ. Il régnait cependant une ambiance tendue et confuse. On attendait peut-être des ordres.

C'était tout de même elle qu'ils voulaient attraper depuis le début. Cherchant un peu partout une éventuelle issue, elle constata que deux hommes étaient à terre et un troisième, blessé, mais toujours debout. Il paraissait groggy, et sa jambe…

Elle détourna les yeux et observa les crapules : Jorma et Krille du MC Svavelsjö, et puis Peter Kovic, le blessé, qui semblait avoir besoin de s'asseoir. Il constituait un maillon faible. Krille ne paraissait pas très en forme non plus. Était-ce lui qu'elle avait renversé à moto ?

Plus loin, une porte bleue menait à une annexe. Elle se dit : bien sûr, il y a encore des hommes à l'arrière. Dans son dos, elle entendit soupirer et remuer l'homme auquel elle avait donné un coup de boule, sans doute Galinov. Lui non plus n'était donc pas complètement hors d'état de nuire. Elle vit du sang gicler de son propre bras ; elle était fichue. Un seul geste imprudent et on l'abattrait. Mais elle refusait d'abandonner. Les pensées fusaient dans son esprit. De quel matériel électronique le local était-il équipé ? D'une caméra, bien sûr, d'un ordinateur, d'une connexion, peut-être d'une alarme. Non… Elle n'y avait pas accès. D'ailleurs, l'électricité était coupée.

Elle ne pouvait que gagner du temps. Elle leva les yeux vers Mikael. Elle avait besoin de tous les soutiens imaginables, y compris du sien. D'ailleurs, autant positiver un peu. Elle lui avait tout de même sauvé la vie, enfin, provisoirement. Pour le reste, l'opération était un véritable fiasco. Décidément, depuis qu'elle avait eu cette hésitation, boulevard Tverskoï, elle n'avait provoqué que des souffrances. Elle jura en son for intérieur tout en cherchant fébrilement une solution.

Elle étudia le langage corporel des hommes et évalua la distance qui la séparait du trou dans la verrière, de sa moto, et d'une tige de fer qui traînait par terre, un pontil, à ce qu'elle pouvait voir, c'est-à-dire un outil de souffleur de verre. Dans son esprit en ébullition, elle élaborait et rejetait des plans d'action à un rythme effréné. Elle photographiait intérieurement chaque détail du bâtiment, si infime soit-il, tendant l'oreille pour percevoir le moindre son insolite. Soudain, elle eut un pressentiment. Au fond, la porte bleue s'ouvrit en grand et une silhouette familière approcha en faisant triomphalement – mais avec une certaine exaspération – claquer ses talons. La salle s'emplit d'inquiétude et de solennité. Derrière Lisbeth, une voix épuisée dit en russe :

— Mon Dieu ! Kira ? Tu es toujours là ?

30 septembre 2017, Katmandou

NIMA RITA, AGENOUILLÉ dans une ruelle, non loin du fleuve Bagmati, où l'on incinère les morts, suait dans son anorak en duvet – celui qu'il portait la dernière fois qu'il avait vu Luna dans la crevasse, sur le Cho Oyu. Il la revoyait étendue sur le ventre, les bras écartés comme si elle volait, appelant depuis l'autre côté :

— Pitié, ne me laissez pas !

Exactement comme Mamsahib. Seule et désespérée. La pensée lui était insupportable. Il avala sa bière cul sec. Rien ne faisait taire les cris, ni l'alcool ni quoi que ce soit, mais la bière les mettait tout de même en sourdine. Et elle rendait le bruit du monde un peu plus doux. Encore trois bouteilles à côté de lui. Tant mieux. Il les boirait, puis retournerait à l'hôpital honorer son rendez-vous avec Lilian Henderson, qui avait fait tout le chemin depuis les États-Unis pour lui parler. C'était un événement, le seul depuis de longues années à lui insuffler un peu d'espoir, même s'il se doutait bien qu'elle aussi se détournerait de lui.

Il était victime d'une malédiction. Personne ne l'écoutait plus. Ses mots se perdaient dans un tourbillon comme la cendre sur le fleuve. Pestiféré, il faisait fuir les gens. Pourtant, il priait constamment les dieux de la montagne que quelqu'un comme Lilian Henderson prenne le temps de l'écouter. Il savait exactement quoi lui dire : il s'était trompé. Mamsahib n'était pas quelqu'un de mauvais, contrairement à *sahib* Engelman et *sahib* Lindberg, qui avaient essayé de l'en convaincre. Ils voulaient la mort de Mamsahib, ils avaient trompé Nima, ils lui avaient murmuré à l'oreille des paroles affreuses. Le mal, c'étaient eux, pas elle, voilà ce qu'il avait à dire – mais le message passerait-il ? Car il était bien conscient de sa propre maladie.

Tout se mélangeait dans son esprit. Il avait l'impression d'avoir d'abord laissé Mamsahib mourir dans la neige, puis Luna. Il se retrouvait ainsi forcé de pleurer et d'aimer Mamsahib, comme il pleurait et aimait Luna, jour après jour. Cela rendait son malheur deux fois plus grand. Cent fois. Mais il fallait rester vaillant, tenter de distinguer les voix, éviter de tout confondre. Sinon, il risquerait d'effrayer Lilian Henderson, comme tous les autres. Voilà pourquoi il buvait méthodiquement sa bière, les yeux fermés. Autour de lui flottaient des odeurs d'épices et de sueur. Les rues grouillaient de monde. Soudain, des pas s'arrêtèrent tout près de lui ; il leva les yeux. Deux hommes, un plus jeune et un plus âgé, lui dirent en anglais britannique :

— Nous sommes là pour vous aider.

— Je dois parler à Mamsahib Lilian, répondit-il.

— Vous le ferez.

Nima ne savait pas très bien ce qui était arrivé ensuite. Il s'était retrouvé dans une voiture en route pour l'aéroport. Il ne rencontra jamais Lilian Henderson ni personne d'autre qui voulût l'écouter. Il avait beau s'excuser auprès des dieux, cela ne changeait rien. Il était perdu.

Il mourrait perdu.

CATRIN SE PENCHA en avant et sonda Johannes Forsell.

— Si Nima Rita voulait s'adresser à la presse, pourquoi l'en avoir empêché ?

— On a jugé qu'il était en trop mauvais état.

— Vous disiez qu'il avait été mal pris en charge. Que, la plupart du temps, on le gardait enfermé. Pourquoi ne l'a-t-on pas aidé à y voir plus clair dans sa propre histoire ?

Johannes Forsell baissa les yeux, les lèvres agitées de tics nerveux.

— Parce que…

— Parce qu'en fait, vous ne le vouliez pas, l'interrompit Catrin sur un ton plus sec que prévu. Vous vouliez continuer à nager dans le bonheur, c'est ça ?

— Enfin ! s'écria Janek. Un peu de clémence ! Ce n'est pas Johannes, le méchant de l'histoire. Et son bonheur a été de courte durée.

— C'est vrai, excusez-moi.

— Ne vous excusez pas, dit Johannes. Vous avez raison. J'ai été minable. J'ai refoulé Nima. Ensuite, j'ai eu d'autres chats à fouetter.

— La campagne de haine ?

— En fait, elle ne m'a jamais vraiment atteint. Je la prenais pour ce qu'elle était : du bluff et de la désinformation. Non, la vraie catastrophe s'est produite en août.

— De quoi s'agit-il ?

— Je savais depuis quelques jours que Nima avait disparu de l'Aile sud, et Svante est entré dans mon bureau, au ministère. J'ai tout de suite remarqué que quelque chose n'allait pas. Vous comprenez, je ne lui avais jamais dit que j'avais fait venir Nima. Pas un mot, sur ordre de Janek et son équipe. Mais j'ai craqué. Je connaissais pourtant bien son côté manipulateur.

Cela dit, dans les moments de crise, je me fiais à lui. Ça m'était resté depuis l'Everest. Et je lui ai tout avoué. La disparition de Nima m'inquiétait, je n'ai pas pu m'en empêcher.

— Comment il l'a pris ?

— Avec sang-froid. Il a été surpris, clairement. Mais aucun comportement alarmant, au contraire. Il a hoché la tête et il est ressorti. Je me suis dit que les choses s'arrangeraient. Auparavant, j'avais pris contact avec Klas Berg, qui m'avait promis de retrouver Nima et de le reconduire à l'hôpital, mais n'avait toujours rien accompli dans ce sens. Le dimanche 16 août, Svante m'a appelé. Il était garé devant chez nous, à Stocksund, et voulait me parler dans sa voiture. Je ne devais pas prendre mon téléphone. Je me suis dit qu'il s'agissait d'une affaire sensible. Il a monté le son de la musique.

— Et il a dit quoi ?

— Qu'il avait retrouvé Nima. Que Nima accrochait des journaux muraux dans lesquels il racontait tout sur l'Everest. Qu'il avait essayé d'entrer en contact avec des journalistes. Que nous ne pouvions pas nous permettre que ce genre d'informations s'ébruitent. Que nous étions trop vulnérables.

— Et vous avez répondu… ?

— Franchement, je ne sais plus très bien. Il m'a dit qu'il avait réglé le problème et que je n'avais plus à m'inquiéter. Je me suis affolé, j'ai exigé qu'il m'explique exactement ce qu'il avait fait et il m'a répondu avec le plus grand calme : "Je te l'expliquerais volontiers, mais ça t'impliquerait, et on serait deux à tremper là-dedans." Je lui ai crié : "Je m'en fous ! Je veux savoir ce que tu as fait !" Et le salaud m'a tout dit.

— Quoi ?

— Qu'il avait trouvé Nima Rita à Norra Bantorget et lui avait donné, incognito, une bouteille trafiquée. Que le lendemain, Nima s'était tranquillement endormi. C'est l'expression qu'il a employée : "tranquillement endormi". Que personne n'y verrait autre chose qu'une mort naturelle ou une overdose, a-t-il dit, parce que Nima était dans un état lamentable. Une vraie merde. *Une vraie merde.* Ça m'a rendu fou. Je me suis mis à hurler que je le dénoncerais et qu'il prendrait perpétuité. Et bien pire. J'ai complètement perdu les pédales. Il m'a regardé calmement. Et j'ai enfin compris. Le voile s'est levé. C'était comme si la foudre s'était abattue sur mon crâne.

— Quel voile ?

— Sur ce qu'il était, et ce dont il était capable. J'ai pris conscience de tellement de choses que je ne sais même pas par où commencer. Et j'ai repensé à la soupe aux myrtilles, sur l'Everest.

— La soupe aux myrtilles ? dit Catrin.

— Svante était sponsorisé par une entreprise de Dalécarlie qui fabriquait de la soupe de myrtilles aux performances nutritionnelles améliorées. Vous savez à quel point c'est suédois, la soupe de myrtilles. Eh bien, sur l'Everest, il en a tellement vanté les mérites que tout le monde s'y est mis. Dans la voiture, ça m'est revenu : au camp n° 4, juste avant l'ascension du sommet, il distribuait des bouteilles que nos sherpas avaient péniblement portées jusqu'en haut. Il en a donné à Viktor et à Klara, et ils sont devenus complètement patraques après les avoir bues, et j'ai compris...

— Qu'il avait trafiqué les bouteilles.

— Je ne peux pas le prouver, il ne m'a rien avoué. Mais ça s'est sûrement passé comme ça. Il a versé quelque chose dans leurs bouteilles, une substance qui les a affaiblis, peut-être un somnifère aussi. Engelman et lui devaient être de mèche. Ils se tenaient les coudes et protégeaient la Zvezda Bratva.

— Vous n'avez pas osé le dénoncer ?

— Non, et c'est ce qui a provoqué ma crise.

— Quelle information compromettante Svante possédait-il sur vous ?

— Il détenait évidemment des images de moi donnant l'argent à l'amante d'Antonsson. Déjà pas mal. Mais ce n'était pas tout. Loin de là. Il y avait des rumeurs comme quoi j'avais fait appel à des prostituées et battu des femmes. Svante disait détenir tout un dossier à ce sujet. C'était si absurde que j'en suis resté littéralement bouche bée. Je n'ai jamais fait de mal à une femme. Tu le sais, Becka. Et pour la première fois, je l'ai vu dans son visage.

— Quoi ?

— Qu'il savait parfaitement qu'il s'agissait d'élucubrations et qu'il s'en fichait. Que notre amitié ne comptait pas. Que si ça l'arrangeait, il m'écraserait sans aucun scrupule. Il m'a même dit qu'il me ferait accuser du meurtre de Nima si je m'en prenais à lui. Ça m'a tétanisé. J'étais au bord du gouffre, sur le point d'entraîner ma famille dans ma chute. C'était horrible, Becka. Et au lieu d'agir, j'ai pris des vacances et je suis parti à Sandön. Pour le reste, vous savez tout. Je ne pouvais plus me regarder dans une glace. J'ai nagé vers le large.

— Quel salaud... dit Catrin.

— Un type ignoble, dit Rebecka.

— Ce dossier dont parlait Svante, il existe vraiment ou c'était du bluff ?

— Malheureusement, il existe, dit Janek d'une voix grave. Mais peut-être vaut-il mieux que tu leur expliques, Johannes. Je compléterai si nécessaire.

KIRA AVAIT ENFIN OBTENU ce qu'elle avait désiré pendant toute sa vie adulte, et quel effet cela lui faisait-il ?... Oui, quoi ?... Avant tout, croyait-elle, de la déception. L'aventure se terminait ; elle ne pourrait plus en rêver. Le triomphe n'avait pas été aussi formidable qu'elle l'aurait voulu. La précipitation et l'anxiété l'avaient empêchée de le savourer pleinement. Mais surtout, il y avait Lisbeth.

Kira s'attendait à la voir brisée ou effrayée. Indiciblement crasseuse, sa maigre silhouette étendue à plat ventre, le bras ensanglanté, elle évoquait quand même un félin prêt à bondir. Appuyée sur les coudes, parée à l'attaque, ses yeux noirs fixés sur un point au-delà de Kira et ses comparses, près de la porte d'entrée du bâtiment. Rien que ça, ce sentiment de demeurer transparente à ses yeux... Cela rendait Kira furieuse.

"Regarde-moi, ma sœur ! avait-elle envie de lui dire. *Regarde-moi.*" Mais il fallait ne rien laisser paraître.

— Eh bien, on a finalement réussi à te coincer, dit-elle.

Lisbeth ne répondit pas. Son regard, qui parcourait le local, s'arrêta sur Mikael, ses jambes mordues par les flammes, le fourneau derrière lui. Elle semblait essayer d'apercevoir son propre reflet dans le métal luisant, ce qui redonna un peu de courage à Kira. Peut-être Lisbeth avait-elle peur, malgré tout.

— Tu vas brûler, exactement comme Zala, dit-elle.

Lisbeth daigna enfin répondre :

— Tu crois que tu te sentiras mieux après ?

— Tu le sais mieux que moi.

— Eh bien, non.

— Moi, je crois que si.

— Tu sais ce que je regrette, Camilla ?

— Je m'en fiche.

— Je regrette de ne pas avoir vu.

— Foutaises.

— Je regrette qu'on ne se soit pas serré les coudes contre lui.

— Ça n'aurait jamais… commença Camilla.

Elle s'interrompit, peut-être parce qu'elle ne savait pas quoi dire, ou parce qu'elle savait pertinemment que, quoi qu'elle dise, cela sonnerait faux. Elle se ressaisit et lança :

— Tirez-lui dans les jambes et mettez-la dans le fourneau !

Enfin, elle éprouva une étincelle d'excitation.

Les imbéciles tirèrent, mais ils avaient dû hésiter une seconde de trop. Lisbeth eut le temps de rouler par terre. Soudain, Blomkvist était sur pied, Dieu sait comment. Camilla, qui s'éloignait à reculons, vit sa sœur attraper une tige de fer sur le sol.

GRÂCE AU CHAOS provoqué par Lisbeth, Mikael avait pu se libérer les mains. Il décida de se lever. Ses jambes le portaient à peine mais, dopé à l'adrénaline, il parvint à se mettre debout et à attraper un couteau sur une table.

À quelques mètres de lui, Lisbeth roulait par terre, une tige de fer à la main. Rejoignant miraculeusement sa moto, elle la releva d'un geste vif et violent. Pendant quelques secondes, elle s'en servit comme bouclier contre les balles, puis, d'un grand bond, elle l'enfourcha, démarra, sortit à travers la verrière pulvérisée et disparut au fond de la plaine. Ce fut si inattendu que les malfrats cessèrent de tirer. Prenait-elle la fuite ?

Difficile à croire. Le vrombissement de sa moto faiblit progressivement, puis mourut. Un courant glacial parcourut le corps de Mikael.

Il regarda les flammes dans le fourneau, puis ses jambes brûlées, puis le couteau qu'il tenait : pathétique. En plein combat mortel, il brandissait l'équivalent d'un cure-dents pour se défendre. Brusquement, il s'effondra, en proie à d'insupportables douleurs. Pendant un moment, il ne se passa plus rien.

Ce fut l'ébahissement général, le temps resta suspendu. Mikael entendait des souffles rauques, de faibles grognements et les froissements de son bourreau, Ivan, qui se relevait. Le nez broyé, ensanglanté, le costume taché de sang et maculé de cendres, il marmonna qu'il valait mieux filer tout de suite. Camilla croisa son regard et fit un geste indécis de la tête ; cela pouvait signifier aussi bien oui que non, ou rien du tout. Visiblement aussi choquée que les autres, elle jura tout bas et donna un coup de pied à un homme étendu par terre, blessé. Plus loin, quelqu'un cria quelque chose à propos de Bogdanov.

Mikael perçut alors un nouveau son : le moteur d'un véhicule en pleine accélération qui fonçait vers le bâtiment. Sûrement Lisbeth. Que fabriquait-elle, au juste ? Elle revenait, c'était certain, mais plus lentement que la dernière fois. Elle ne se dirigeait pas vers le trou béant dans la verrière mais vers lui et le fourneau. Les truands se remirent à tirailler comme des forcenés, de manière anarchique, alors que l'engin approchait, implacable. Tout à coup, il vrombit à travers une verrière, juste devant Mikael.

Lisbeth réapparut dans une pluie d'éclats de verre projetés dans la salle qui toucha Ivan à la tête et aux épaules. Il sursauta comme s'il venait de voir un fantôme – pas étonnant : Lisbeth, le teint cadavérique, avait l'air d'une forcenée. Elle ne tenait plus le guidon mais une tige de fer, qu'elle utilisa pour désarmer l'un des hommes, dont le pistolet glissa à terre. Puis elle heurta le brancard et, dans sa chute, entraîna Mikael vers le mur. Se relevant en un clin d'œil, elle saisit le pistolet sur le sol et tira.

Le bâtiment fut traversé d'éclairs. Dans la confusion, Mikael entendit des coups de feu, des cris, des pas, des halètements, des grognements et les chocs de corps s'écroulant sur le sol. Lorsque le vacarme cessa, du moins provisoirement, il décida d'agir – il fallait faire quelque chose, n'importe quoi.

Il tenait encore le couteau, remarqua-t-il. Il essaya de se lever. Impossible. La douleur était trop intense. Il fit néanmoins une tentative et parvint à se remettre debout, vacillant. Il était au supplice. Le regard brouillé, il parcourut les environs et constata qu'il ne restait plus que trois individus sur pied : Lisbeth, Ivan et Camilla.

Contrairement aux deux autres, Lisbeth était armée. La situation s'était retournée en sa faveur ; elle pouvait désormais en finir. Pourtant, elle n'en fit rien. Étrangement immobile, elle ne cillait même pas. Quelque chose clochait. La peur fusa à travers la poitrine de Mikael comme une décharge électrique, puis il le vit : la main de Lisbeth tremblait.

Elle était incapable de tirer. Ivan et Camilla se risquèrent à faire un pas vers elle, chacun de son côté, Ivan, perdant du sang, blême, et Camilla, bouillonnante de rage. Pendant quelques secondes, elle fixa Lisbeth d'un regard débordant de haine, complètement aliéné. Brusquement, elle fonça droit sur elle, comme si elle cherchait à être abattue. Mais Lisbeth ne tira pas.

Renversée en arrière et poussée vers le brasier, elle se cogna la tête contre le carrelage qui entourait le fourneau. Ivan se précipita sur elle. Plus loin, un autre homme se relevait lui aussi. De toute évidence – pour la deuxième fois –, ils étaient fichus.

34

LE 28 AOÛT

— CES JOURS-LÀ, J'AI SOMBRÉ dans le désespoir. J'avais peur,
je me méprisais moi-même, dit Johannes Forsell. En me menaçant, Svante est parvenu à saper mon amour-propre. Ses accusations me hantaient, elles se répandaient en moi comme un
poison, et j'ai commencé à croire que je ne méritais pas de
vivre. Nous avons déjà parlé de la cabale médiatique, qui ne
m'a jamais vraiment atteint. Mais après ma conversation avec
Svante dans la voiture, tout à coup, j'ai eu l'impression que
ce qu'il disait pouvait être vrai. C'était comme si ses allégations s'insinuaient à travers ma peau, je ne pouvais pas lutter.
À Sandön, je me sentais déjà complètement paralysé.

— Pourtant, je t'ai entendu vociférer au téléphone, dit
Rebecka. Tu avais encore la niaque.

— C'est vrai, je voulais me battre. J'avais appelé Janek pour
le mettre au courant. Plusieurs fois, j'ai attrapé mon téléphone
pour appeler le Premier ministre et le directeur de la Police
nationale. J'étais sur le point d'agir. Enfin, j'aimerais le croire.
Mais quand je suis parti en congé, Svante a dû s'inquiéter,
et il est venu jusqu'à Sandön pour me parler. A posteriori, je
me demande s'il ne me faisait pas surveiller.

— Pourquoi dites-vous ça ? demanda Catrin.

— Parce qu'un matin, quand Becka était partie faire les
courses, il est passé à l'improviste. Nous sommes allés à la
plage et nous avons discuté. C'est à ce moment-là qu'il m'a
montré le dossier.

— Qu'y avait-il dans le dossier ?

— Il s'agissait évidemment de faux documents. Un travail très soigné et parfaitement sinistre : des photos de femmes contusionnées, des témoignages directs et indirects, des copies de plaintes, des rapports techniques ; bref, un gros dossier manifestement monté par des professionnels. Suffisamment de gens allaient y croire pendant suffisamment longtemps pour provoquer des dommages irréversibles, c'était évident. De retour à la maison, je me souviens d'avoir regardé autour de moi : chaque objet – couteaux de cuisine, fenêtres du premier étage, prises électriques… Tout m'apparaissait comme un moyen de suicide potentiel. À cet instant-là, je voulais mourir.

— Enfin, pas tout à fait, dit Janek. Tu as eu un sursaut. Tu m'as appelé et raconté ton entrevue avec Svante.

— Oui, c'est vrai.

— Et tu nous as donné assez d'éléments pour confirmer que Svante Lindberg avait bien été recruté par la Zvezda Bratva au début des années 2000. Tu nous as permis de nous rendre compte qu'il était corrompu jusqu'à l'os et, finalement, de comprendre ce qui s'était réellement passé.

— Qu'il avait empoisonné Grankin et Klara Engelman ?

— Nous connaissions déjà le motif. Tout comme Stan Engelman, Svante craignait que Klara et Viktor ne rendent publiques des informations compromettantes. Nous ne pensons pas que Grankin était au courant du rôle de Svante dans la Zvezda Bratva, mais peu importe. Une fois qu'on trempe dans ce genre de choses, on doit suivre les ordres et, à l'époque, l'organisation avait toutes les raisons de vouloir éliminer Grankin et Klara Engelman.

— Les choses commencent à s'éclaircir, dit Catrin.

— Bien, répliqua Janek. Alors maintenant, vous voyez que Svante avait d'autres raisons de laisser mourir Klara là-haut que le sauvetage d'un ami.

— Il voulait la réduire au silence.

— En revenant d'entre les morts, elle constituait un danger pour l'organisation.

— Épouvantable.

— Tout à fait. Et malheureusement, nous étions si occupés à suivre nos nouvelles pistes que nous avons négligé d'informer Johannes de nos progrès.

— Vous l'avez laissé tomber, dit Rebecka.

— Nous avons omis de lui apporter le soutien qu'il méritait, et cela me peine encore. J'en suis vraiment navré.

— Tant mieux.

— Vous avez raison, ce qui s'est passé est affreusement injuste. J'espère, Catrin, qu'après avoir tout entendu, vous en pensez autant.

— C'est-à-dire ?

— Que Johannes a toujours voulu bien faire.

Catrin ne répondit pas. Elle avait les yeux rivés sur un flash info apparu sur l'écran de son téléphone.

— Que se passe-t-il ? demanda Rebecka.

— Une intervention policière à Morgonsala, peut-être en rapport avec Mikael, répondit Catrin.

LISBETH SE COGNA LA TÊTE contre le mur de brique et sentit la vague de chaleur du brasier. Il fallait se ressaisir, et pas seulement pour sauver sa propre peau. Mais comment ? C'était sans espoir. Dire qu'elle était capable de brûler un homme au fer à repasser, de tatouer des mots sur le ventre d'un autre et de disjoncter en général, mais pas, comme elle était désormais obligée de le constater, de tirer sur sa sœur – même si sa propre vie en dépendait ! Elle avait encore hésité.

En pleine folie furieuse, Camilla attrapa le bras blessé de sa sœur et tenta de la hisser dans le fourneau. Lisbeth sentit ses cheveux crépiter dans le feu et faillit s'écrouler dans les flammes, mais se retint in extremis. En se relevant, elle vit un homme, sans doute Jorma, la viser de son arme. Elle tira la première et l'abattit d'une balle dans la poitrine. Le danger pouvait venir de tous côtés, à tout instant. Galinov se penchait lui aussi pour ramasser une arme. Lisbeth se tourna vers lui, mais n'eut pas le temps d'appuyer sur la détente.

Mikael s'effondra, grimaçant de douleur. Dans sa chute, il parvint à mettre un coup de couteau dans l'épaule de Galinov. Au même instant, Camilla fit un pas en arrière pour prendre son élan et, dévisageant sa sœur avec une haine abyssale, tremblant de tout son corps, se jeta sur elle pour la renverser dans le four. D'un mouvement de côté, Lisbeth l'évita de justesse, et Camilla fut précipitée en avant par sa propre force. En un rien de temps, c'était fini.

Étrangement, l'action sembla se dérouler au ralenti : la course de Camilla, sa chute, ses mains qui s'agitaient, le choc de son corps atterrissant dans le fourneau, le crépitement de sa peau, ses cheveux en flammes, son cri étouffé par le brasier, ses efforts surhumains pour se relever, ses quelques pas vacillants, chevelure et chemisier en feu.

Elle criait, secouait la tête et moulinait des bras pendant que Lisbeth la contemplait, immobile. Un bref instant, cette dernière se demanda s'il fallait la secourir. Mais elle resta figée. Les choses prirent alors un tour insolite. Camilla se tut, comme paralysée. Pas évident de deviner ce qui se passait dans sa tête. Elle avait vraisemblablement entrevu son reflet dans le cadre métallique du fourneau car, brusquement, elle se mit à crier :

— Mon visage ! Mon visage !

Elle venait, semblait-il, de perdre plus précieux que sa vie. Bizarrement, cela parut lui redonner des forces. Elle ramassa l'arme que Galinov avait perdue et visa sa sœur. Dans un sursaut, Lisbeth, enfin, se sentit prête à riposter.

Les cheveux de Camilla étaient en feu, ce qui devait troubler sa vision. Elle errait à l'aveuglette, l'arme à la main, comme tâtonnant dans l'obscurité. Lisbeth, le doigt sur la détente, était désormais parée. Un court instant, elle crut même avoir tiré, car un coup partit. Mais il ne venait pas d'elle.

Camilla s'était elle-même tiré une balle dans la tête. Lisbeth lui tendit la main, sur le point de dire quelque chose. Mais aucun son ne sortit de sa bouche. Camilla s'affaissa et

Lisbeth resta immobile, regardant sa sœur étendue sur le sol. Une foule d'images hantées par le feu et la destruction défilaient dans son esprit.

Elle pensa à sa mère, à Zala brûlant dans sa Mercedes. Peu après, ils entendirent un hélicoptère au-dessus d'eux. Lisbeth regarda Mikael, également à terre, non loin de Camilla et Galinov.

— C'est fini ? demanda-t-il.

— C'est fini, répondit-elle.

Au même instant, elle entendit un appel dans un haut-parleur. La police était là.

35

LE 28 AOÛT

JAN BUBLANSKI – ou Bubulle, comme on l'appelait parfois –
arpentait le champ devant l'ancienne verrerie. Le terrain grouillait de policiers et de personnel ambulancier. Une équipe de
télévision retransmettait les événements en direct. Bublanski
apprit ainsi que Mikael et de nombreux blessés avaient déjà
été évacués. À sa grande surprise, il aperçut une silhouette
familière à travers la porte ouverte d'une ambulance : cou-
verte de plaies et d'égratignures, sale, les cheveux brûlés, un
bras en écharpe, elle fixait d'un œil hagard un cadavre enveloppé dans une couverture grise qu'on portait sur un brancard. Bublanski s'approcha d'elle, hésitant.

— Ma chère Lisbeth, comment ça va ? dit-il.

Muette, elle ne leva même pas les yeux.

— J'aimerais te remercier, reprit-il. Sans toi…

— Rien de tout ça ne serait arrivé.

— Ne sois pas si dure envers toi-même. J'aimerais que tu
me promettes…

— Je ne te promets rien du tout, rétorqua-t-elle d'une voix
caverneuse, lui évoquant à nouveau l'ange déchu du para-
dis qui "n'appartient à personne ni n'est au service de personne".

Bublanski lui adressa un sourire gêné, puis demanda au
personnel médical de l'emmener dès que possible à l'hôpital et se tourna vers Sonja Modig, qui approchait à travers le
champ. Pour la énième fois, il songea qu'il était décidément

trop vieux pour ce genre de folie. Il aurait voulu être au bord de la mer, enfin, n'importe où, loin, au calme.

ILS AVAIENT TOUS TROIS les yeux rivés sur leurs téléphones. Un envoyé spécial de Sveriges Television faisait un reportage en direct : Blomkvist et Salander avaient été évacués du bâtiment, blessés mais en vie. Des larmes s'amassaient au coin des yeux de Catrin. Ses mains tremblaient ; elle fixait l'appareil d'un regard creux. Une main se posa sur son épaule.

— On dirait qu'ils vont s'en tirer, dit Janek.

— Espérons-le, répondit-elle.

Valait-il mieux partir tout de suite ? Après un moment de réflexion, elle se dit que, dans l'état actuel des choses, elle ne serait pas d'une grande utilité. Autant terminer le travail commencé. Car il y avait encore une question qui la tarabustait.

— Je pense que les gens comprendront votre situation, Johannes, enfin, avec un peu de bonne volonté.

— La bonne volonté se fait rare, dit Rebecka.

— Advienne que pourra, dit Johannes. Nous pouvons vous déposer quelque part, Catrin ?

— Je vais me débrouiller. Je me pose tout de même une dernière question.

— Allez-y.

— Vous disiez n'avoir pas souvent rendu visite à Nima à l'Aile sud. Vous y êtes quand même allé plusieurs fois, non ? Vous n'avez pas remarqué qu'il était maltraité ?

— Si.

— Pourquoi n'avez-vous pas exigé que ça cesse ? Pourquoi ne pas l'avoir fait interner ailleurs ?

— J'ai exigé un tas de choses. J'ai même haussé le ton, à la clinique, mais ça n'a pas suffi. Et puis, j'ai baissé les bras. Trop vite. J'ai éludé le problème. C'était peut-être plus que je ne pouvais supporter.

— Comment ça ?

— Quand les choses nous paraissent insoutenables, on finit par s'en détourner et faire semblant qu'elles n'existent pas.

— C'était à ce point ?

— Vous m'avez demandé si je lui avais rendu visite. Au début, oui, assez souvent. Ensuite, à un an d'intervalle. Ce n'était pas intentionnel. Cela dit, j'étais nerveux et mal à l'aise quand j'y suis retourné. Il est venu vers moi en traînant les pieds dans sa tenue grise, comme un prisonnier brisé. Je l'ai serré dans mes bras, mais il est resté raide, sans vitalité. J'ai essayé de bavarder. Je lui ai posé mille questions. Il répondait par monosyllabes. Résigné. C'est ce qui m'a définitivement dégoûté. Ça m'a mis affreusement en colère.

— Contre la clinique ?

— Contre lui.

— Je ne comprends pas.

— C'est pourtant ce que j'ai éprouvé. Une forme de sentiment de culpabilité, en somme. Pour finir, il se transforme en ressentiment. Nima était comme…

— Quoi ?

— Comme l'envers de moi-même. Il était le prix à payer pour mon bonheur.

— Que voulez-vous dire ?

— Vous ne comprenez pas ? J'avais une dette envers lui, une dette infinie dont je n'avais aucun espoir de pouvoir m'acquitter. Je ne pouvais même pas le remercier sans lui rappeler ce qui le déchirait. J'étais en vie parce qu'il s'était sacrifié. J'étais en vie parce qu'il avait sacrifié Klara. Et plus tard, sa femme. C'était trop pour moi. Je n'ai pas pu retourner à l'Aile sud. Je me suis détourné de lui.

36

LE 9 SEPTEMBRE

ERIKA BERGER SECOUA LA TÊTE. Elle ne savait pas comment cela s'était produit, mais elle n'était pas d'accord avec les termes employés.

— Non, dit-elle. On ne peut pas la traiter de madame Je-sais-tout ni de moralisatrice sans aucun sens de la poésie. Au contraire, elle est foutrement douée. Elle s'identifie avec ce qu'elle décrit, son style est puissant. Au lieu de râler, vous devriez être fiers. Disparaissez. Au boulot. Tout de suite, conclut-elle.

— Oui, oui… rouspétèrent-ils. On se disait seulement…

— Quoi ?

— Rien.

Les jeunes reporters Sten Åström et Freddie Welander sortirent de son bureau en traînant leurs savates. Elle étouffa un juron. Cela dit, elle s'était elle-même posé la question. Comment en était-on arrivés là ? La conséquence inattendue d'une aventure amoureuse, d'une nuit d'hôtel, oui, mais tout de même… Catrin Lindås était la dernière personne au monde qu'Erika aurait recrutée pour le compte de *Millénium*.

Cela dit, la journaliste leur avait livré une révélation sensationnelle, et son article était d'une rare ardeur. Avant même sa publication, le ministre de la Défense Johannes Forsell avait démissionné, et son secrétaire d'État, Svante Lindberg, soupçonné de meurtre, de chantage et de haute trahison, avait été mis en détention. Les informations divulguées avaient fait les gros titres, jour après jour, heure après heure. Pourtant, le tapage médiatique n'avait rien ôté à leur gloire, ni diminué les attentes vis-à-vis du prochain numéro.

"En raison des informations qui seront publiées dans le prochain numéro de *Millénium*, je déclare vacant mon siège au gouvernement", écrivait Johannes Forsell dans son communiqué de presse.

C'était formidable, rien moins. Le fait que quelques collaborateurs aient du mal à se réjouir du scoop, se répandent en médisances sur l'autrice et, par-dessus le marché, rouspètent à propos de la nouvelle collaboration de la revue avec le magazine allemand *Geo*, dans lequel une femme dont personne n'avait jamais entendu parler, Paulina Müller, avait publié un article sur le travail scientifique qui avait contribué à identifier le sherpa Nima Rita, tout cela démontrait une fois de plus les ravages de la jalousie entre journalistes.

Mikael lui-même n'avait pas écrit une ligne, même s'il avait effectué toutes les recherches préliminaires. Alité, souffrant de douleurs intenses ou nageant dans un épais brouillard de morphine, il avait subi une série d'opérations. Les médecins lui avaient annoncé une nouvelle réconfortante : dans environ six mois, il remarcherait sans doute, ce qui était bien sûr un immense soulagement. Pourtant, il demeurait introverti et morose. Il ne redevenait lui-même qu'à de rares occasions, par exemple quand ils parlaient du divorce d'Erika. Et quand elle lui avait raconté son aventure avec un dénommé Mikael, il avait même ri.

— Pratique, avait-il dit.

En revanche, il n'avait pas eu la force de parler de ce qui lui était arrivé. Il laissait la douleur sévir intérieurement, ce qui inquiétait Erika. Ce jour-là, à l'occasion de sa sortie de l'hôpital, elle espérait qu'il s'ouvrirait un peu ; elle comptait lui rendre visite le soir même. Mais tout d'abord, elle allait parcourir son reportage sur les usines à trolls, qu'il n'avait pas voulu publier et lui avait transmis de mauvaise grâce. Elle mit ses lunettes et commença. *Pas bête, comme début*, se dit-elle. Pour les introductions, il savait y faire, mais après… Elle comprenait mieux sa réticence.

C'était fastidieux. Mikael voulait trop en dire d'un coup et se perdait dans des méandres. Erika alla chercher un café et raya une phrase par-ci, un mot par-là, lorsque… Quoi ? Un peu plus bas dans le texte, un ajout laconique et peu fluide affirmait abruptement que les usines à trolls russes étaient possédées et dirigées par un certain Vladimir Kuznetsov, qui avait également mené la campagne de haine contre les personnes de la minorité LGBT en Tchétchénie – celle qui avait provoqué de nombreux assassinats. Erika n'avait jamais entendu parler de cet homme.

Elle fit des recherches. Décidément, tout ce qu'on disait sur lui était plutôt… mignon. Restaurateur, joyeux luron, fan de hockey, spécialiste des rôtis d'ours et organisateur de soirées pour l'élite au pouvoir. L'article de Mikael en brossait un tout autre portrait. Grand général des mensonges et des calomnies répandues à travers le monde, il serait à l'origine des campagnes de désinformation et des piratages qui avaient provoqué le krach boursier de l'été précédent. C'était sensationnel, ni plus ni moins. Qu'est-ce que fabriquait Mikael, nom de Dieu ? Pourquoi noyer de pareilles informations au milieu du texte ? Pourquoi les balancer sans l'ombre d'une preuve ?

En relisant le paragraphe, Erika remarqua que le nom de Kuznetsov contenait un lien vers une série de documents en russe. Elle appela Irina, rédactrice et documentaliste, qui avait assisté Mikael cet été. Cette brune trapue de quarante-cinq ans avait un sourire chaleureux un peu de travers et portait de grandes lunettes à monture d'écaille. Elle s'assit sans attendre sur le fauteuil d'Erika et se plongea dans les documents, les traduisant à voix haute. Pour finir, Erika et elle se regardèrent et marmonnèrent en chœur :

— Ben merde alors…

MIKAEL, QUI VENAIT DE RENTRER chez lui sur ses béquilles, ne comprenait rien aux divagations d'Erika. Cela dit, il n'avait pas l'esprit très vif. Gavé de morphine, la tête lourde, il était tourmenté par des flash-backs.

À l'hôpital, il avait eu la compagnie de Lisbeth, qui lui instillait une sorte de calme – elle était la seule personne qui pouvait comprendre ce qu'il avait vécu. Mais à peine avait-il eu le temps de s'habituer à sa présence qu'elle avait disparu sans un mot. Même pas un au revoir. Bien sûr, cela avait provoqué une sacrée pagaille : des médecins et des infirmières courant à droite et à gauche à sa recherche, tout comme Bublanski et Sonja Modig, qui n'avaient pas terminé leurs interrogatoires. Enfin, aucune importance, finalement.

Lisbeth était partie. Mikael l'avait très mal pris. Merde, Lisbeth ! Pourquoi tu me laisses tomber sans arrêt ? Tu ne comprends donc pas que j'ai besoin de toi ? Enfin, les choses étaient ce qu'elles étaient. Il compensait son absence par des litanies de jurons et de fortes doses d'analgésiques.

Par moments, entre chien et loup, il se sentait au bord du gouffre. Lorsque, malgré tout, il parvenait à s'endormir aux petites heures du jour, il rêvait immanquablement du fourneau de Morgonsala : son corps s'engouffrait peu à peu dans les flammes, englouti par la chaleur infernale. Se réveillant en sursaut, poussant même parfois un cri, il regardait ses jambes, effaré, pour vérifier qu'elles n'étaient pas réellement en feu.

Il allait mieux lorsqu'il recevait de la visite, l'après-midi. Il arrivait même parfois à s'oublier un peu ou, du moins, à tenir à l'écart les souvenirs de la verrerie. Il fut surpris de découvrir un jour sur le seuil de sa porte une femme aux yeux étincelants, un bouquet de fleurs dans les bras. Elle portait un costume bleu roi au pantalon évasé, ses cheveux noirs étaient finement tressés sur sa tête. Telle une coureuse ou une danseuse, elle se déplaçait quasiment sans un bruit. Mikael mit un moment à se rappeler où il l'avait rencontrée : il s'agissait de Kadi Linder, la gestionnaire avec laquelle il avait fait connaissance à Fiskargatan.

Bouleversée par ce qu'elle avait lu à son sujet dans la presse, Kadi Linder était venue lui proposer son aide. Elle semblait également avoir quelque chose sur le cœur et eut un moment de gêne qui piqua la curiosité de Mikael.

— J'ai reçu un mail, dit-elle enfin. C'est-à-dire… Pas tout à fait. Mon écran a flashé et un fichier concernant Freddy Carlsson de Formea Bank est brusquement apparu sur le bureau – vous savez, l'homme qui m'insulte et me met des bâtons dans les roues depuis des années parce que je l'ai qualifié de malhonnête dans la revue économique *Veckans Affärer*.

— Ça me dit quelque chose.

— Eh bien, le fichier contenait des preuves irréfutables que Carlsson a fait du blanchiment d'argent à l'époque où, à la banque, il était responsable de la région de la Baltique. En fait, je me suis rendu compte que ça allait bien au-delà de la simple malhonnêteté. Il s'agit d'un véritable criminel.

— Ça alors…

— Mais ce qui m'a étonnée plus encore, c'est le message qui accompagnait le document.

— Que disait-il ?

— Eh bien, en termes précis : "Au cas où quelqu'un n'aurait pas compris que je n'habite plus là, je surveille les environs à l'aide de caméras." Rien de plus. D'abord, je suis restée perplexe. Pas d'expéditeur, pas de signature. Puis j'ai repensé à votre visite et aux événements dramatiques que vous avez vécus à Morgonsala. Ça m'a mis la puce à l'oreille, je me suis dit que j'avais sans doute acheté l'appartement de Lisbeth Salander. Et là…

— Ne vous inquiétez pas, l'interrompit Mikael.

— Je ne m'inquiète pas… Vraiment pas, au contraire, je trouve ça fascinant ! Le fichier sur Freddy Carlsson, c'est le moyen que Salander a trouvé pour me dédommager d'éventuels désagréments. Franchement, je suis admirative. Ça m'a donné envie de faire quelque chose pour vous aider, tous les deux.

— Inutile. C'est déjà gentil d'être passée.

Avec une hardiesse surprenante, Mikael proposa à Kadi Linder de devenir présidente du conseil d'administration de *Millénium*, désormais vulnérable sur le marché des médias. En effet, après plusieurs tentatives de rachat hostiles, le journal en avait bien besoin. Le visage de Kadi Linder s'illumina et elle accepta sur-le-champ. Le lendemain, Mikael parvenait à obtenir l'adhésion d'Erika et des autres membres de la rédaction.

À part cela, c'était Catrin qui lui avait le plus souvent tenu compagnie à l'hôpital. Logique, puisqu'ils étaient devenus un couple. De plus, Mikael s'intéressait de près à son reportage. Il avait lu les différentes versions et ils avaient longuement discuté du contenu. Svante Lindberg, Stan Engelman et Ivan Galinov étaient tous trois en garde à vue. L'affaire marquerait sans doute la fin du MC Svavelsjö. Quant à la Zvezda Bratva, ses protecteurs étaient sans doute trop puissants pour que le réseau soit inquiété.

Johannes Forsell semblait bien s'en tirer, en revanche. Mikael trouvait Catrin un peu trop clémente envers lui. Enfin, Forsell leur avait tout de même livré le scoop. De plus, Mikael l'appréciait, ce qui facilita les concessions nécessaires. D'ailleurs, le reportage représentait sûrement une véritable libération pour Rebecka et les enfants.

Mais surtout, Forsell avait fait en sorte que Nima Rita soit incinéré selon la coutume bouddhiste à Tengboche, au Népal. On avait prévu une autre cérémonie en sa mémoire ; Bob Carson et Fredrika Nyman allaient y assister. Pas mal de choses semblaient s'arranger. Pourtant, Mikael n'arrivait pas à s'en réjouir. Il se sentait à l'écart, d'autant plus qu'une Erika surexcitée jacassait à propos d'il ne savait quoi dans son téléphone. Qu'est-ce qu'elle racontait ?

— Qui est Kuznetsov ? demanda-t-il.

— Tu es tombé sur la tête ?

— Comment ça ?

— Tu le dénonces dans ton article !

— Mais non !

— Tu es complètement drogué, ou quoi ?

— Pas assez.

— En plus, tu écris comme un pied.

— Je te l'avais dit.

— Même comme un pied, tu expliques clairement comment Vladimir Kuznetsov a déclenché le krach boursier de l'été dernier. Et qu'il a une responsabilité dans les assassinats d'homosexuels en Tchétchénie.

Ne comprenant plus rien, Mikael marcha péniblement jusqu'à son ordinateur et ouvrit son article.

— C'est complètement dingue.

— Ce genre de commentaire n'arrange rien.

— Il doit s'agir de…

Il n'acheva pas sa phrase. C'était inutile, Erika avait eu la même idée que lui.

— C'est en rapport avec Lisbeth ?

— Je ne sais pas, dit-il, stupéfait. Raconte. Kuznetsov, tu disais ?

— Tu n'as qu'à lire toi-même. Irina est en train de traduire les documents joints. C'est une histoire de fous. Kuznetsov est l'homme dont parlent les Pussy Strikers dans *Killing the World With Lies.*

— Dans quoi ?

— Excuse-moi, j'avais oublié que tu en étais resté à Tina Turner.

— Arrête…

— Je vais essayer.

— Donne-moi au moins le temps de me mettre au courant.

— Je viens te voir ce soir. On en discutera.

Mikael pensa à Catrin qui devait passer dans l'après-midi.

— Demain, ce sera mieux. Comme ça, je serai à jour.

— D'accord. Au fait, comment tu vas ?

Il réfléchit, et décida qu'Erika méritait une réponse sérieuse.

— Ça n'a pas été facile.

— Je comprends.

— Mais là…

— Quoi ?

— Je viens de recevoir une piqûre de vitalité.

Il fut soudain pressé de raccrocher.

— Je dois… contacter quelqu'un. Enfin, quelque chose du genre.

— Prends bien soin de toi, en attendant.

Puis, pour la énième fois, il essaya de joindre Lisbeth. Il n'avait reçu aucune nouvelle d'elle excepté via le message à Kadi Linder, c'était inquiétant. Cela contribuait à alimenter ses angoisses, à ce mal-être insidieux, toujours pire la nuit et le matin. Il craignait qu'elle ne puisse pas s'arrêter : qu'elle fouille le passé à la recherche de nouvelles ombres à abattre et, qu'un jour, la chance ne soit plus de son côté. Elle semblait – l'idée obsédait Mikael – programmée pour une mort violente. Il ne supportait pas cette idée.

Il reprit son téléphone. Que lui écrire, cette fois ? Dehors, le ciel se couvrait et le vent se levait ; les vitres tremblaient légèrement. Il sentit son cœur battre. Submergé par les souvenirs du fourneau béant de Morgonsala, il envisagea de lui dire quelque chose de quasi intransigeant : qu'elle devait lui faire signe. Sinon, il deviendrait fou.

Mais, sur un ton léger – comme s'il avait peur de dévoiler son inquiétude –, il rédigea :

[Décidément, ça ne t'a pas suffi de m'aider sur un scoop. Tu t'es aussi sentie obliger de me livrer la tête de Kuznetsov sur un plateau.]

Pas de réponse. Les heures passèrent, le soir vint, Catrin aussi. Ils s'embrassèrent et partagèrent une bouteille de vin. Pendant un moment, Mikael oublia son mal-être. Ils parlèrent sans interruption, puis s'endormirent enlacés, vers 23 heures. Trois heures plus tard, il se réveilla avec la sensation d'une catastrophe imminente et attrapa anxieusement son téléphone. Pas un mot de Lisbeth, rien, *nada*. Il prit ses béquilles et boitilla jusqu'à la cuisine, où il s'assit et pensa à elle jusqu'à l'aube.

ÉPILOGUE

IL Y AVAIT DE L'ORAGE dans l'air lorsque l'inspecteur Artur Delov se gara sur le chemin de terre battue, devant la maison incendiée de Gorodichtche, au nord-ouest de Volgograd. Il ne comprenait pas pourquoi l'incident avait provoqué un tel raffut.

Pas de blessés. La maison, assez minable, était située dans un quartier pauvre et mal entretenu. Aucun propriétaire ne s'était manifesté. Pourtant, parmi les curieux, la carcasse avait attiré quelques gros bonnets, des gens des services secrets et des gangsters, croyait Delov, et puis des gamins qui auraient dû être à l'école ou chez leur maman. Il les chassa et contempla la ruine. Il n'y avait plus, en gros, qu'un vieux poêle en fer et une cheminée brisée. Tout le reste était détruit, dévoré par les flammes. Sur le sol, les braises ne luisaient plus. Le terrain tout entier était noir et dévasté. Au milieu, un trou béant évoquait une ouverture vers un monde souterrain. À côté, quelques arbres calcinés, fantomatiques, brandissaient leurs branches comme des doigts carbonisés.

Des rafales de vent soulevaient des cendres et des particules de suie, rendant la respiration difficile. L'air semblait chargé de substances toxiques ; Artur sentit un poids sur sa poitrine. Tentant d'ignorer la désagréable sensation, il se tourna vers sa collègue Anna Mazurova, penchée au-dessus des débris.

— Qu'est-ce qu'il y a ? demanda-t-il.

Anna avait de la suie et des écailles de peinture dans les cheveux.

— Nous croyons qu'il s'agit d'un message, dit-elle.

— Comment ça ?

— La maison a été vendue il y a une semaine via un cabinet d'avocats de Stockholm. Les derniers occupants, une famille, ont emménagé dans un logement neuf de meilleure qualité à Volgograd. Hier soir, quand tous leurs meubles ont été sortis, des explosions ont retenti à l'intérieur. La maison a pris feu et brûlé de fond en comble.

— Pourquoi lui accorde-t-on tant d'importance ?

— Alexander Zalachenko, le créateur du syndicat du crime Zvezda Bratva, a vécu ici, enfant. Après la mort de ses parents, il a été placé dans un orphelinat de Sverdlovsk, dans les monts Oural. Ce bâtiment-là a entièrement brûlé avant-hier. Ça a inquiété certains pontes. Ce n'est pas la seule mésaventure de l'organisation en ce moment.

— On dirait que quelqu'un essaie de brûler les racines du mal, dit Delov, pensif.

Au-dessus d'eux, le ciel grondait. Une bourrasque parcourut la zone, emportant de la cendre et des particules de suie jusqu'au-delà des arbres et du quartier. Peu après, la pluie se mit à tomber – une pluie libératrice qui purifia l'air. La poitrine de Delov s'allégea enfin.

UN MOMENT PLUS TARD, Lisbeth Salander atterrit à Munich. Dans un taxi, elle jeta un coup d'œil à la série de SMS de Mikael et se décida enfin à lui écrire :

[J'ai mis un point final.]

Elle reçut une réponse sur-le-champ.

[Un point final ?]

[Il est temps de recommencer.]

Elle sourit. Sans qu'elle le sache, Mikael souriait aussi dans son appartement de Bellmansgatan. En effet, il était temps de passer à autre chose.

REMERCIEMENTS

Du fond du cœur, je remercie mon éditrice Eva Gedin et mes agentes Magdalena Hedlund et Jessica Bab Bonde.

Un grand merci à Peter Karlsson, éditeur chez Norstedts, et à mon rédacteur Ingemar Karlsson. Merci au père et au frère de Stieg Larsson, Erland et Joakim Larsson.

Merci à la journaliste et écrivaine Karin Bojs, qui m'a donné l'idée du gène du Sherpa, et à Marie Allen, professeur en médecine légale, qui m'a guidé dans mes recherches à ce sujet.

Merci aussi à David Jacoby, chercheur en sécurité informatique au Kaspersky Lab, à Christopher MacLehose, mon éditeur britannique, à George Goulding, mon traducteur en anglais, à Henrik Druid, professeur en médecine légale, à Petra Råsten-Almqvist, chef de service au laboratoire de médecine légale de Stockholm, à Johan Norberg, guitariste et journaliste, à Jakob Norstedt, consultant en ADN, à Peter Wittboldt, inspecteur de police et à Linda Altrov Berg, Catherine Mörk et Kajsa Loord de Norstedts – et bien sûr, à ma première lectrice, ma chère Anne.

LA SÉRIE MILLÉNIUM

MILLÉNIUM 1

LES HOMMES QUI N'AIMAIENT PAS LES FEMMES

traduit du suédois
par Lena Grumbach et Marc de Gouvenain

Ancien rédacteur de *Millénium*, revue d'investigations sociales et écono-
miques, Mikael Blomkvist est contacté par un gros industriel pour relan-
cer une enquête abandonnée depuis quarante ans. Dans le huis clos d'une
île, la petite-nièce de Henrik Vanger a disparu, probablement assassinée, et
quelqu'un se fait un malin plaisir à le lui rappeler à chacun de ses anniver-
saires.

Secondé par Lisbeth Salander, jeune femme rebelle et perturbée, placée
sous contrôle social mais fouineuse hors pair, Mikael Blomkvist, cassé par
un procès en diffamation qu'il vient de perdre, se plonge sans espoir dans
les documents cent fois examinés, jusqu'au jour où une intuition lui fait
reprendre un dossier.

Régulièrement bousculés par de nouvelles informations, suivant les
méandres des haines familiales et des scandales financiers, lancés bientôt
dans le monde des tueurs psychopathes, le journaliste tenace et l'écorchée
vive vont résoudre l'affaire des fleurs séchées et découvrir ce qu'il faudrait
peut-être taire.

MILLÉNIUM 2

LA FILLE QUI RÊVAIT D'UN BIDON D'ESSENCE
ET D'UNE ALLUMETTE

traduit du suédois
par Lena Grumbach et Marc de Gouvenain

Tandis que Lisbeth Salander coule des journées supposées tranquilles aux Caraïbes, Mikael Blomkvist, réhabilité, victorieux, est prêt à lancer un numéro spécial de *Millénium* sur un thème brûlant pour des gens haut placés : une sombre histoire de prostituées exportées des pays de l'Est. Mikael aimerait surtout revoir Lisbeth. Il la retrouve sur son chemin, mais pas vraiment comme prévu : un soir, dans une rue de Stockholm, il la voit échapper de peu à une agression manifestement très planifiée.

Enquêter sur des sujets qui fâchent mafieux et politiciens n'est pas ce qu'on souhaite à de jeunes journalistes amoureux de la vie. Deux meurtres se succèdent, les victimes menaient des investigations pour *Millénium*. Pire que tout, la police et les médias vont bientôt traquer Lisbeth, coupable toute désignée et qu'on a vite fait de qualifier de tueuse en série au passé psychologique lourdement chargé.

Mais qui était cette gamine attachée sur un lit, exposée aux caprices d'un maniaque et qui survivait en rêvant d'un bidon d'essence et d'une allumette ?

S'agissait-il d'une des filles des pays de l'Est, y a-t-il une hypothèse plus compliquée encore ?

MILLÉNIUM 3

LA REINE DANS LE PALAIS
DES COURANTS D'AIR

traduit du suédois
par Lena Grumbach et Marc de Gouvenain

Lisbeth, très mal en point, va rester coincée des semaines à l'hôpital, dans l'incapacité physique de bouger et d'agir. Coincée, elle l'est d'autant plus que pèsent sur elle diverses accusations qui la font placer en isolement par la police. Un ennui de taille : son père, qui la hait et qu'elle a frappé à coups de hache, se trouve dans le même hôpital, un peu en meilleur état qu'elle…

Il n'existe, par ailleurs, aucune raison pour que cessent les activités souterraines de quelques renégats de la Säpo, la police de sûreté. Pour rester cachés, ces gens de l'ombre auront sans doute intérêt à éliminer ceux qui les gênent ou qui savent.

Côté forces du bien, on peut compter sur Mikael Blomkvist, qui, d'une part, aime beaucoup Lisbeth mais ne peut pas la rencontrer, et, d'autre part, commence à concocter un beau scoop sur des secrets d'État qui pourraient, par la même occasion, blanchir à jamais Lisbeth. Mikael peut certainement compter sur l'aide d'Armanskij, reste à savoir s'il peut encore faire confiance à Erika Berger, passée maintenant rédactrice en chef d'une publication concurrente.

MILLÉNIUM 4

CE QUI NE ME TUE PAS

traduit du suédois
par Hege Roel-Rousson

Elle est une hackeuse de génie. Une justicière impitoyable qui n'obéit qu'à
ses propres lois.

Il est journaliste d'investigation. Un reporter de la vieille école, persuadé
qu'on peut changer le monde avec un article. La revue *Millénium*, c'est
toute sa vie.

Quand il apprend qu'un chercheur de pointe dans le domaine de l'intelligence artificielle détient peut-être des informations explosives sur les services
de renseignements américains, Mikael Blomkvist se dit qu'il tient le scoop
dont *Millénium* et sa carrière ont tant besoin. Au même moment, Lisbeth
Salander tente de pénétrer les serveurs de la NSA…

MILLÉNIUM 5

LA FILLE QUI RENDAIT COUP POUR COUP

traduit du suédois
par Hege Roel-Rousson

Une enfance violente et de terribles abus ont marqué à jamais la vie de Lisbeth Salander. Le dragon tatoué sur sa peau est un rappel constant de la promesse qu'elle s'est faite de combattre l'injustice sous toutes ses formes. Résultat : elle vient de sauver un enfant autiste, mais est incarcérée dans une prison de haute sécurité pour mise en danger de la vie d'autrui. Lorsqu'elle reçoit la visite de son ancien tuteur, Holger Palmgren, les ombres d'un passé qui continue à la hanter resurgissent. Quelqu'un a remis à Palmgren des documents confidentiels susceptibles d'apporter un nouvel éclairage sur un épisode traumatique de son enfance.

Pourquoi lui faisait-on passer tous ces tests d'intelligence quand elle était petite ? Et pourquoi avait-on essayé de la séparer de sa mère à l'âge de six ans ? Lisbeth comprend rapidement qu'elle n'est pas la seule victime dans l'histoire et que des forces puissantes sont prêtes à tout pour l'empêcher de mettre au jour l'ampleur de la trahison. Avec l'aide de Mikael Blomkvist, elle se lance sur la piste d'abus commis par des officines gouvernementales dans le cadre de recherches génétiques secrètes. Cette fois, rien ne l'empêchera d'aller au bout de la vérité.

OUVRAGE RÉALISÉ
PAR L'ATELIER GRAPHIQUE ACTES SUD
REPRODUIT ET ACHEVÉ D'IMPRIMER
EN JUILLET 2019
PAR L'IMPRIMERIE NORMANDIE ROTO IMPRESSION S.A.S.
À LONRAI
POUR LE COMPTE DES ÉDITIONS
ACTES SUD
LE MÉJAN
PLACE NINA-BERBEROVA
13200 ARLES

DÉPÔT LÉGAL
1re ÉDITION : AOÛT 2019

N° impr.: 1900550
(Imprimé en France)